Lady WHISTLEDOWN CONTRA-ATACA

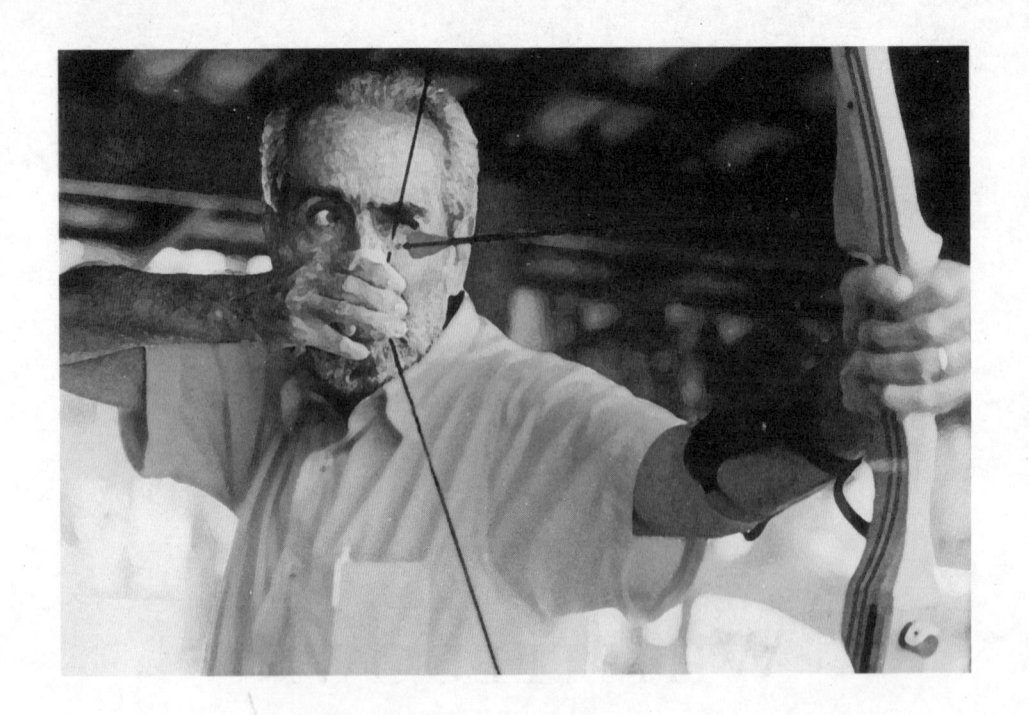

O Arqueiro

GERALDO JORDÃO PEREIRA (1938-2008) começou sua carreira aos 17 anos, quando foi trabalhar com seu pai, o célebre editor José Olympio, publicando obras marcantes como *O menino do dedo verde*, de Maurice Druon, e *Minha vida*, de Charles Chaplin.

Em 1976, fundou a Editora Salamandra com o propósito de formar uma nova geração de leitores e acabou criando um dos catálogos infantis mais premiados do Brasil. Em 1992, fugindo de sua linha editorial, lançou *Muitas vidas, muitos mestres*, de Brian Weiss, livro que deu origem à Editora Sextante.

Fã de histórias de suspense, Geraldo descobriu *O Código Da Vinci* antes mesmo de ele ser lançado nos Estados Unidos. A aposta em ficção, que não era o foco da Sextante, foi certeira: o título se transformou em um dos maiores fenômenos editoriais de todos os tempos.

Mas não foi só aos livros que se dedicou. Com seu desejo de ajudar o próximo, Geraldo desenvolveu diversos projetos sociais que se tornaram sua grande paixão.

Com a missão de publicar histórias empolgantes, tornar os livros cada vez mais acessíveis e despertar o amor pela leitura, a Editora Arqueiro é uma homenagem a esta figura extraordinária, capaz de enxergar mais além, mirar nas coisas verdadeiramente importantes e não perder o idealismo e a esperança diante dos desafios e contratempos da vida.

Julia Quinn
Suzanne Enoch ❧ Karen Hawkins ❧ Mia Ryan

Lady
WHISTLEDOWN
CONTRA-ATACA

ARQUEIRO

Título original: *Lady Whistledown Strikes Back*
Copyright do conto *O primeiro beijo* e de todos os trechos escritos por
Julia Quinn © 2004 por Julie Cotler Pottinger
Copyright do conto *A última tentação* © 2004 por Mia Ryan
Copyright do conto *O melhor dos dois mundos* © 2004 por Suzanne Enoch
Copyright do conto *O único para mim* © 2004 por Karen Hawkins
Copyright da tradução © 2017 por Editora Arqueiro Ltda.
Publicado mediante acordo com Harper Collins Publishers

Todos os direitos reservados. Nenhuma parte deste livro pode ser utilizada ou reproduzida sob quaisquer meios existentes sem autorização por escrito dos editores.

tradução: Marcelo Schild, Rachel Agavino, Maria Carmelita Dias e Janaína Senna.

preparo de originais: Fernanda Pantoja

revisão: Hermínia Totti e Natália Klussmann

diagramação: Aron Balmas

capa: Miriam Lerner

imagens de capa: © Ebru Sidar/Trevillion Images; © FabrikaSimf/Shutterstock

impressão e acabamento: Associação Religiosa Imprensa da Fé

CIP-BRASIL. CATALOGAÇÃO NA PUBLICAÇÃO
SINDICATO NACIONAL DOS EDITORES DE LIVROS, RJ

L158

    Lady Whistledown contra-ataca/ Julia Quinn ... [et al.]; tradução de Janaína Senna ... [et al.]. São Paulo: Arqueiro, 2017.

    352 p.; 16 x 23 cm.

    Tradução de: Lady Whistledown strikes back
ISBN 978-85-8041-767-8

    1. Ficção americana. I. Quinn, Julia. II. Senna, Janaína. III. Título.

17-43926

CDD: 869.3
CDU: 821.134.3(81)

Todos os direitos reservados, no Brasil, por
Editora Arqueiro Ltda.
Rua Funchal, 538 – conjuntos 52 e 54 – Vila Olímpia
04551-060 – São Paulo – SP
Tel.: (11) 3868-4492 – Fax: (11) 3862-5818
E-mail: atendimento@editoraarqueiro.com.br
www.editoraarqueiro.com.br

SUMÁRIO

O PRIMEIRO BEIJO
Julia Quinn
7

A ÚLTIMA TENTAÇÃO
Mia Ryan
89

O MELHOR DOS DOIS MUNDOS
Suzanne Enoch
143

O ÚNICO PARA MIM
Karen Hawkins
233

Julia Quinn

O primeiro beijo

*Para leitores de todos os lugares,
que amavam demais lady W. para deixá-la partir.*

*E também para Paul,
embora ele tenha assumido como vitória pessoal
eu ter conseguido encaixar Star Wars no título deste livro.*

CAPÍTULO 1

O evento mais cobiçado desta semana parece ser o iminente jantar de lady Neeley, a ser realizado na noite de terça-feira. A lista de convidados não é longa, mas também não é notavelmente exclusiva, e, dadas as histórias que se espalharam sobre o jantar do ano passado, ou, para ser mais específica, sobre o cardápio, todos os londrinos (em especial aqueles de maior circunferência) estão ansiosos para participar.

Esta autora não foi agraciada com um convite, portanto deve padecer em casa com uma jarra de vinho, um pão e esta coluna, mas não sinta pena, querida leitora. Ao contrário daqueles que comparecerão ao iminente espetáculo gustativo, esta autora não precisa ouvir lady Neeley!

CRÔNICAS DA SOCIEDADE DE LADY WHISTLEDOWN,
27 de maio de 1816

Tillie Howard acreditava que a noite poderia ficar pior, só não conseguia imaginar como.

Ela não queria ter ido ao jantar de lady Neeley, mas seus pais insistiram, então ali estava, tentando ignorar o fato de que a anfitriã – a ocasionalmente temida, ocasionalmente ridicularizada lady Neeley – tinha a voz muito parecida com o som de unhas arranhando uma lousa.

Tillie também tentava ignorar os roncos do estômago, que esperava ter sido alimentado pelo menos uma hora antes. O convite dizia sete da noite, logo ela e os pais, o conde e a condessa de Canby, tinham chegado exatamente meia hora depois, na expectativa de serem conduzidos à mesa às oito. Mas ali estavam, quase às nove horas, sem qualquer sinal de que lady Neeley pretendia substituir tão cedo a conversa pela refeição.

Porém, o que Tillie *mais* tentava ignorar, o motivo pelo qual na verdade teria sumido da sala caso fosse capaz de conceber uma maneira de fazê-lo sem chamar atenção, era o homem ao seu lado.

– Ele era um sujeito alegre – disse Robert Dunlop, a voz ressoando com aquela jovialidade que surge quando se consome uma dose a mais de vinho. – Sempre pronto para alguma diversão.

Tillie deu um sorriso sem graça. Ele estava falando do irmão dela, Harry, que morrera quase um ano antes no campo de batalha em Waterloo. Quando ela e o Sr. Dunlop foram apresentados, ficou empolgada para conhecê-lo melhor. Ela amava Harry desesperadamente, e a saudade que sentia era tão intensa que às vezes lhe tirava o fôlego. E imaginava que seria maravilhoso ouvir de um de seus companheiros de armas histórias sobre seus últimos dias.

A questão era que Robert Dunlop não estava contando o que ela queria ouvir.

– Falava da senhorita o tempo todo – continuou ele, apesar de já ter dito aquilo dez minutos antes. – Só que...

Tillie apenas piscou. Não queria dar a entender que estava ansiosa por mais detalhes. Aquela conversa não poderia terminar bem.

O Sr. Dunlop franziu os olhos.

– Só que ele sempre a descreveu como uma magricela de tranças desgrenhadas.

Tillie levou discretamente a mão ao coque, feito de forma primorosa. Não conseguiu evitar.

– Quando Harry partiu para o continente, eu *de fato* tinha tranças desgrenhadas – disse ela, decidindo que sua constituição física não necessitava maior discussão.

– Ele amava muito a senhorita – disse o Sr. Dunlop.

A voz dele agora estava surpreendentemente suave e ponderada, e isso foi o bastante para conquistar a atenção de Tillie. Talvez não devesse fazer um julgamento precipitado. Robert Dunlop *tinha* boas intenções. E sem dúvida tinha bom coração, e era muito bonito, exibindo uma enorme elegância em seu uniforme militar. Harry sempre escrevera sobre ele com carinho e, mesmo agora, Tillie tinha dificuldade em pensar nele como algo diferente de "Robbie". Talvez houvesse alguma coisa nele. Talvez fosse o vinho. Talvez...

– Falava da senhorita com entusiasmo. Com entusiasmo – repetiu Robbie, provavelmente para dar ênfase.

Tillie apenas fez que sim com a cabeça. Sentia saudades de Harry, ainda que estivesse se dando conta de que ele dissera a cerca de mil homens que ela era uma magricela bobona.

Robbie assentiu.

– Dizia que a senhorita era a melhor das mulheres, bastava enxergar por baixo das sardas.

Tillie começou a explorar as saídas, em busca de uma rota de fuga. Com certeza poderia simular uma bainha rasgada ou um terrível acesso de tosse.

Robbie se inclinou para olhar suas sardas.

Ou a morte. Seu falecimento teatral certamente resultaria na matéria de capa do *Crônicas da sociedade de lady Whistledown* do dia seguinte, mas Tillie estava quase pronta para arriscar. Com certeza seria melhor do que *aquilo*.

– Ele nos contou como se desesperava com a possibilidade de que a senhorita jamais viesse a se casar – disse Robbie, assentindo de maneira amigável. – Sempre nos lembrava de que a senhorita tinha um dote esplêndido.

Então era isso. O irmão passara seu tempo no campo de batalha implorando que se casassem com ela e usando seu dote (em vez de sua aparência ou, que Deus a livrasse disso, seu coração) como o principal atrativo.

Era típico de Harry morrer antes que ela pudesse matá-lo por aquilo.

– Preciso ir – deixou escapar Tillie.

Robbie olhou em volta.

– Para onde?

Qualquer lugar.

– Para fora – respondeu ela, esperando que a explicação bastasse.

A testa de Robbie franziu de modo confuso enquanto ele acompanhava o olhar de Tillie para a porta.

– Ah – disse ele. – Bem, suponho... Ah, aí está você!

Tillie deu meia-volta para ver quem conseguira roubar a atenção de Robbie. Um cavalheiro alto, com o mesmo uniforme de Robbie, caminhava na direção dos dois. Só que, ao contrário de Robbie, ele parecia...

Perigoso.

O cabelo era escuro, cor de mel, e os olhos eram... bem, ela não podia dizer a cor exata a quase 3 metros de distância, mas na verdade não importava, pois o resto já bastava para deixar qualquer dama de pernas bambas. Os ombros eram largos, a postura, perfeita, e o rosto podia muito bem ter sido esculpido em mármore.

– Thompson – disse Robbie. – Muito bom ver você.

Thompson, pensou Tillie, assentindo mentalmente. Devia ser Peter Thompson, o amigo mais próximo de Harry. Ele o mencionava em quase todas as cartas, mas, por certo, jamais o *descrevera*, ou Tillie estaria preparada para aquele deus grego ali diante dela. Na verdade, se Harry o tivesse descrito, teria apenas dado de ombros e dito algo como "um rapaz de aparência comum, suponho".

Homens nunca prestavam atenção nos detalhes.

– Conhece lady Mathilda? – perguntou Robbie a Peter.

– Tillie – murmurou ele, pegando a mão que ela oferecera e beijando-a. – Perdoe-me. Eu não deveria ser tão informal, mas Harry sempre lhe chamava assim.

– Tudo bem – disse Tillie, balançando levemente a cabeça. – Está sendo bem difícil não chamar o Sr. Dunlop de Robbie.

– Ah, a senhorita deveria chamar – disse Robbie de modo afável. – Todos me chamam assim.

– Quer dizer que Harry escrevia sobre nós? – indagou Peter.
– O tempo todo.
– Ele gostava muito da senhorita – disse Peter. – Não parava de falar da irmã.
Tillie fez uma careta.
– Sim, foi o que Robbie me disse.
– Não queria que ela achasse que Harry não pensava nela – explicou Robbie. – Ah, vejam, ali está minha mãe.

Tanto Tillie quanto Peter olharam para ele, surpresos com a mudança repentina de assunto.

– É melhor eu me esconder – murmurou ele, depois se posicionou atrás de um vaso de planta.
– Ela o encontrará – disse Peter, um sorriso irônico atravessando os lábios.
– As mães sempre nos encontram – concordou Tillie.

O silêncio tomou conta do ambiente, e Tillie quase desejou que Robbie retornasse e preenchesse o vazio com sua conversa amigável, ainda que um pouco fútil. Ela não sabia sobre o que falar com Peter Thompson, o que fazer em sua presença. E não conseguia parar de se perguntar se ele estava pensando em seu dote, e no tamanho dele, e nas muitas vezes que Harry o apresentou como o atributo mais notável que ela possuía.

Mas então ele disse algo completamente inesperado:
– Reconheci a senhorita no momento em que entrei.

Tillie piscou, surpresa.
– Reconheceu?

Os olhos dele, nos quais percebia agora um hipnotizante tom cinza-azulado, observavam-na com uma intensidade que fazia Tillie querer se contorcer.
– Harry a descreveu bem.
– Sem tranças desgrenhadas – disse ela, incapaz de afastar o toque de sarcasmo da voz.

Peter deu uma risadinha.
– Vejo que Robbie andou contando histórias.
– Algumas, sim.
– Não dê ouvidos a ele. Todos, sem exceção, falávamos de nossas irmãs, e tenho quase certeza de que todos, também sem exceção, as descrevíamos como quando tinham 12 anos.

Tillie decidiu que não havia motivo para informá-lo de que a descrição de Harry adequara-se a ela até uma idade bem mais avançada. Enquanto todas as suas amigas cresciam e mudavam, exigindo roupas novas, mais femininas, a silhueta de Tillie permanecera definitivamente infantil até os 16 anos. Mesmo hoje, ainda era esguia, mas já tinha, sim, algumas curvas, e estava empolgada com cada uma delas.

Ela agora tinha 19 anos, quase 20, e, por Deus, já não era uma magricela. E jamais seria novamente.

– Como o senhor me reconheceu? – perguntou.

Peter sorriu.

– Não consegue adivinhar?

O cabelo. O maldito cabelo dos Howards. Não importava que as tranças desgrenhadas tivessem dado lugar a um coque elegante. Ela, Harry e seu irmão mais velho, William, todos tinham o infame cabelo ruivo dos Howards. Não era castanho-claro nem alaranjado. Era vermelho – laranja, na verdade –, um tom claro de cobre que Tillie tinha certeza absoluta que já fizera mais de uma pessoa franzir os olhos e desviar o olhar sob o sol. De algum jeito, o pai deles escapara da maldição, que retornara com força total nos filhos.

– É mais do que isso – disse Peter, sem precisar que ela pronunciasse as palavras para saber no que estava pensando. – A senhorita é muito parecida com ele. Sua boca, acho. O formato do rosto.

E ele disse aquilo com tanta intensidade, mas de forma tão tranquila, controlando as emoções que afloravam, que Tillie soube que ele também amava Harry, que sentia sua falta quase tanto quanto ela. E ela teve vontade de chorar.

– Eu...

Ela não conseguiu falar. A voz ficou embargada e, para seu horror, começou a fungar e suspirar. Não era o comportamento digno de uma dama, tampouco era delicado; era uma tentativa desesperada de evitar soluçar em público.

Peter percebeu. Ele segurou o ombro dela e a virou habilmente, de modo que suas costas ficassem voltadas para as pessoas, depois pegou o lenço e o entregou a ela.

– Obrigada – disse Tillie, secando os olhos. – Desculpe-me, não sei o que aconteceu comigo.

Tristeza, pensou ele, mas não disse. Não havia necessidade de afirmar o óbvio. Ambos sentiam falta de Harry. Todos sentiam.

– O que traz a senhorita à residência de lady Neeley? – perguntou Peter, decidindo que uma mudança de assunto era bem-vinda.

Ela lançou-lhe um olhar agradecido.

– Meus pais insistiram. Meu pai sempre diz que o cozinheiro dela é o melhor de Londres e não permitiu que recusássemos o convite. E o senhor?

– Meu pai a conhece – disse ele. – Suponho que tenha me convidado por pena, já que retornei tão recentemente à cidade.

Havia muitos soldados suscitando o mesmo tipo de sentimento, pensou Peter ironicamente. Muitos jovens, tendo cumprido as obrigações com o exército – ou prestes a cumprir –, estavam perdidos, perguntando-se o que fariam agora que não seguravam mais rifles nem galopavam para a batalha.

Alguns de seus amigos decidiram permanecer no exército. Era uma ocupação respeitável para um homem como ele, o filho mais novo de um pequeno aristocrata. Mas Peter já estava farto da vida militar, do derramamento de sangue, da morte. Os pais o estavam encorajando a entrar para o clero, o que era, na verdade, o único caminho aceitável para um cavalheiro de poucos recursos. Seu irmão herdaria o pequeno solar que acompanhava o baronato; não restava nada a Peter.

Mas o clero, de alguma maneira, não lhe parecia o certo. Alguns de seus companheiros tinham emergido do campo de batalha com a fé renovada; com Peter, acontecera o contrário, e ele sentia-se extremamente desqualificado para conduzir qualquer rebanho pelo caminho da virtude.

O que de fato queria, quando se permitia sonhar a respeito, era viver no campo. Um nobre fazendeiro. Soava tão… tranquilo. Tão diferente de tudo o que sua vida representara nos últimos anos.

Mas ter uma vida assim exigia possuir uma propriedade, e possuir uma propriedade exigia dinheiro, algo que Peter não tinha. Teria uma pequena quantia quando recebesse seu soldo e se aposentasse oficialmente do exército, mas não seria o suficiente.

O que explicava sua recente chegada a Londres. Ele precisava de uma esposa. Uma que tivesse dote. Nada extravagante – nenhuma herdeira teria permissão para se casar com alguém como ele, de todo modo. Não, precisava apenas de uma moça com uma soma modesta de dinheiro. Ou, melhor, um pedaço de terra. Ele estava disposto a se estabelecer em praticamente qualquer lugar da Inglaterra desde que isso significasse independência e paz.

Não parecia um objetivo inatingível. Muitos homens ficariam felizes em casar a filha com o filho de um barão e, além disso, um soldado condecorado. Os pais das verdadeiras herdeiras, das moças com *Dama* ou *a Honorável* antecedendo seus nomes, esperariam por algo melhor, mas os demais o considerariam um pretendente bastante apropriado.

Peter olhou para Tillie Howard – lady Mathilda, lembrou a si mesmo. Ela era exatamente o tipo com o qual não se casaria. Rica além da imaginação, filha única de um conde. Provavelmente não deveria sequer estar conversando com ela. As pessoas chamariam-no de caça-dotes e, apesar de ele ser exatamente isso, não desejava tal rótulo.

Mas ela era a irmã de Harry, e ele fizera uma promessa ao amigo. Além disso, estar ali com Tillie… era estranho. Aquilo deveria fazê-lo sentir ainda mais saudades de Harry, pois ela era tão parecida com ele... até os olhos, verdes como folhagem, e a curiosa inclinação da cabeça quando prestava atenção em algo.

Mas, em vez disso, ele simplesmente se sentia bem. Até mesmo relaxado, como se ali fosse onde devesse estar: se não com Harry, então com aquela garota.

– Ali está ele! – disse lady Neeley com a voz esganiçada.

Peter virou-se para ver o que precipitara o grito estridente de sua anfitriã. Tillie deu um passo à direita – ele estava impedindo sua visão – e, depois, um leve suspiro:

– Ah.

Havia um grande papagaio verde empoleirado no ombro de lady Neeley, e estava grasnando:

– Martin! Martin!

– Quem é Martin? – perguntou Peter a Tillie.

– Srta. Martin – corrigiu ela. – A dama de companhia dela.

– Martin! Martin!

– Eu me esconderia, se fosse ela – murmurou Peter.

– Não creio que ela possa – disse Tillie. – Lorde Easterly foi incluído de última hora na lista de convidados, e lady Neeley insistiu que a Srta. Martin viesse para igualar o número de damas e o de cavalheiros. – Ela olhou para ele, um sorriso malicioso nos lábios. – A menos que o senhor decida fugir antes do jantar, a pobre Srta. Martin estará presa aqui até o final.

Peter estremeceu quando viu o papagaio levantar voo do ombro de lady Neeley e atravessar a sala na direção de uma mulher magra de cabelos escuros que claramente desejava estar em qualquer lugar menos ali. Ela tentou afugentar o pássaro, mas a criatura não a deixava em paz.

– Coitada – disse Tillie. – Espero que ele não a bique.

– Não – disse Peter, observando a cena, impressionado. – Acho que ele acredita estar apaixonado.

E, de fato, o papagaio estava roçando o bico na pobre mulher, arrulhando "Martin, Martin", como se acabasse de atravessar os portões do paraíso.

– Minha senhora – implorou a Srta. Martin, esfregando os olhos cada vez mais injetados.

Mas lady Neeley apenas riu.

– Paguei cem libras por esse pássaro, e tudo o que ele faz é adorar a Srta. Martin.

Peter olhou para Tillie, que pressionava os lábios em uma expressão furiosa.

– Isto é terrível – disse ela. – Aquele pássaro está fazendo a pobre mulher se sentir mal, e lady Neeley não dá a mínima para isso.

Peter entendeu aquilo como um sinal de que deveria fazer o papel do cavaleiro andante e salvar a pobre e transtornada dama de companhia de lady Neeley, mas, antes que pudesse dar um passo, Tillie já tinha atravessado a sala. Ele acompanhou-a com atenção, observando-a esticar um dedo e incitar o pássaro a sair do ombro da Srta. Martin.

– Obrigada – disse a Srta. Martin. – Não sei por que ele está se comportando assim. Nunca ligou para mim antes.

– Lady Neeley deveria tirá-lo daqui – disse Tillie, séria.

A Srta. Martin não disse nada. Todos sabiam que aquilo jamais aconteceria.

Tillie levou o pássaro para a dona.

– Boa noite, lady Neeley – disse ela. – A senhora tem um poleiro para seu papagaio? Ou talvez devêssemos colocá-lo de volta na gaiola?

– Ele não é uma doçura? – perguntou lady Neeley.

Tillie apenas sorriu. Peter mordeu o lábio para conter uma risada.

– O poleiro dele fica ali – respondeu lady Neeley, indicando com a cabeça um local no canto do salão. – Os criados encheram o pote dele com sementes. Ele não irá a lugar algum.

Tillie assentiu e levou o papagaio até o poleiro. Como era de esperar, ele começou a bicar furiosamente a comida.

– Você deve ter pássaros – disse Peter.

Tillie balançou a cabeça.

– Não, mas já vi outras pessoas lidando com eles.

– Lady Mathilda! – chamou lady Neeley.

– Acredito que a senhorita tenha sido convocada – murmurou Peter.

Tillie lançou-lhe um olhar extremamente irritado.

– Sim, bem, o senhor parece ter passado à posição de meu acompanhante, portanto precisará vir também. Sim, lady Neeley? – concluiu Tillie, o tom de voz de repente doce e suave.

– Venha aqui, menina, quero lhe mostrar uma coisa.

Peter seguiu Tillie pela sala, mantendo uma distância segura quando a anfitriã estendeu o braço.

– Gosta? – perguntou ela, balançando a pulseira. – É nova.

– É adorável – disse Tillie. – Rubis?

– Claro. São vermelhos. O que mais poderiam ser?

– Hum...

Peter sorriu enquanto observava Tillie tentar deduzir se a pergunta era retórica ou não. Com lady Neeley, nunca era possível ter certeza.

– Tenho um colar combinando – continuou lady Neeley alegremente. – Mas eu não quis exagerar. – Ela inclinou-se para a frente e disse em um tom que não seria descrito como silencioso em qualquer outra pessoa: – Nem todos aqui têm os bolsos tão cheios quanto nós duas.

Peter poderia jurar que ela olhou para ele, mas decidiu ignorar a afronta. Não se podia ficar ofendido com nenhum dos comentários de lady Neeley. Fazer isso atribuiria importância demais à opinião dela e, além disso, significaria estar sempre se sentindo insultado.

– Mas coloquei meus brincos!

Tillie inclinou-se e, como se cumprisse um dever, admirou os brincos da anfitriã, mas, exatamente quando estava empertigando os ombros, a pulseira de lady Neeley, sobre a qual ela fizera tanto alarde, deslizou do seu punho e caiu no tapete.

Enquanto lady Neeley dava um gritinho de decepção, Tillie curvou-se e pegou a joia.

– É uma peça adorável – elogiou ela, admirando os rubis antes de devolver a pulseira à dona.

– Não posso acreditar que isso aconteceu – disse lady Neeley. – Talvez seja grande demais. Meus pulsos são muito delicados, você sabe.

Peter tossiu na mão.

– Posso dar uma olhada? – perguntou Tillie, dando um chute no tornozelo dele.

– Claro – respondeu a mulher mais velha, entregando a pulseira a Tillie. – Meus olhos não são mais como antes.

Um pequeno grupo se reunira, e todos observavam Tillie, que franzia os olhos e mexia no mecanismo dourado e brilhante da presilha.

– Acho que a senhora precisará mandar para o conserto – disse Tillie afinal, devolvendo a pulseira a lady Neeley. – O fecho está com defeito. Certamente cairá de novo.

– Besteira – retrucou lady Neeley, estendendo o braço. – Srta. Martin! – gritou.

A Srta. Martin veio apressada para perto dela e prendeu a pulseira.

Lady Neeley soltou um "humpf" e levou o punho ao rosto, examinando a pulseira mais uma vez antes de baixar o braço.

– Comprei na Asprey's, e posso lhe assegurar que não há melhor joalheria em Londres. Não me venderiam uma pulseira com a presilha defeituosa.

– Tenho certeza de que não tiveram a intenção – retrucou Tillie –, mas...

Ela não precisou terminar. Todos baixaram os olhos para o local no tapete onde a pulseira tinha acabado de cair pela segunda vez.

– Definitivamente, é a presilha – murmurou Peter.

– Isso é revoltante – anunciou lady Neeley.

Peter estava de acordo, sobretudo tendo em vista que agora tinham desperdiçado minutos preciosos com a pulseira reluzente quando só o que queriam naquele momento era sentar-se para jantar. Tantas barrigas roncavam que ele não conseguia dizer qual era de quem.

– O que faço com isso agora? – lamentou-se lady Neeley, depois que a Srta. Martin pegou a pulseira do tapete e lhe devolveu.

Um homem alto de cabelos escuros que Peter não reconheceu apareceu oferecendo uma pequena bonbonnière.

– Talvez isto sirva – disse ele.

– Easterly – murmurou lady Neeley, com bastante relutância, na verdade, como se não quisesse reconhecer a ajuda do cavalheiro. Ela colocou a pulseira na bonbonnière, depois a pousou sobre uma cômoda próxima. – Pronto – falou, arrumando a pulseira em um círculo perfeito. – Suponho que todos ainda possam admirá-la aqui.

– Talvez ela possa servir como centro de mesa enquanto comemos – sugeriu Peter.

– Hum, sim, excelente ideia, Sr. Thompson. Além do mais, está quase na hora de nos sentarmos para o jantar.

Peter poderia jurar ter ouvido alguém sussurrar: "Quase?"

– Ah, muito bem, comeremos agora – disse lady Neeley. – Srta. Martin!

A Srta. Martin, que de alguma maneira conseguira se afastar vários metros da patroa, retornou.

– Certifique-se de que tudo esteja pronto para o jantar – disse lady Neeley.

A moça se retirou e, depois, em meio a muitos suspiros de alívio, o grupo passou da sala de estar para a sala de jantar.

Para sua alegria, Peter descobriu que seu lugar era ao lado de Tillie. Normalmente, não se encontraria ao lado da filha de um conde e, na verdade, suspeitava que deveria fazer par com a mulher à sua direita, mas ela tinha Robbie Dunlop do outro lado e ele parecia estar fazendo um ótimo trabalho em manter uma conversa com ela.

Como previram os boatos, a comida estava excelente, e Peter colocava prazerosamente uma colherada de sopa de lagosta na boca quando ouviu um movimento à esquerda e, ao se virar, viu Tillie olhando para ele, os lábios entreabertos como se estivesse prestes a dizer o seu nome.

Ela era adorável, ele percebeu. Adorável de uma maneira que Harry jamais poderia ter descrito, de uma maneira que, como irmão dela, jamais poderia ter notado. Harry jamais teria sido capaz de enxergar a mulher por trás da menina, jamais teria se dado conta de que a curva de seu rosto implorava por uma carícia, ou que quando ela abria a boca para falar às vezes fazia uma pequena pausa primeiro, pressionando levemente os lábios, como se aguardasse um beijo.

Harry jamais teria enxergado aquilo, mas Peter enxergava, e isso o deixava completamente abalado.

— A senhorita gostaria de me perguntar algo? — disse ele, surpreso com o fato de a voz soar normal.

— Gostaria — respondeu ela —, embora não saiba bem como... Não sei...

Ele aguardou que ela organizasse os pensamentos.

Depois de um tempo, Tillie inclinou-se para a frente, olhou ao redor da mesa para se assegurar de que ninguém os estava observando e perguntou:

— O senhor estava lá?

— Onde? — perguntou ele, apesar de saber exatamente o que ela queria dizer.

— Quando ele morreu — disse ela em voz baixa. — O senhor estava lá?

Peter assentiu. Não era algo que gostasse de relembrar, mas precisava ser honesto com Tillie.

O lábio inferior dela tremeu e a jovem sussurrou:

— Ele sofreu?

Por um instante, Peter não soube o que dizer. Harry sofrera. Passara três dias com o que devia ter sido uma dor imensa, as duas pernas quebradas, a direita tão gravemente que o osso atravessara a pele. Ele poderia ter sobrevivido, talvez apenas mancando um pouco — o cirurgião responsável era especialista em colocar ossos no lugar —, mas então foi acometido por uma febre, e não demorara muito para Peter perceber que o amigo não venceria a batalha. Dois dias depois, estava morto.

Mas quando a vida se esvaíra de Harry, ele estava tão apático que Peter não tinha certeza se sentira dor ou não, especialmente com o láudano que roubara de seu comandante e lhe entornara goela abaixo. Portanto, quando finalmente respondeu à pergunta de Tillie, disse apenas:

— Um pouco. Não foi indolor, mas imagino que... no final... tenha sido tranquilo.

Ela assentiu.

— Obrigada. Sempre me perguntei isso. Ficaria para sempre me perguntando. Fico mais tranquila por saber.

Ele voltou a atenção para a sopa, esperando que um pouco de lagosta, farinha e caldo pudessem afastar a lembrança da morte de Harry, mas então Tillie disse:

— Devia ser mais fácil por ele ser um herói, mas não é bem assim.

Ele a encarou com uma pergunta no olhar.

– As pessoas ficam dizendo que devemos ter muito orgulho dele – explicou ela –, porque ele é um herói, porque morreu em um campo de batalha em Waterloo, sua baioneta no corpo de um soldado francês, mas não acho que isso torne as coisas mais fáceis.

Ela deu um sorriso trêmulo, o tipo de sorriso estranho, indefeso, que alguém dá quando percebe que não há resposta para algumas perguntas.

– Ainda sentimos falta dele, tanto quanto sentiríamos se ele tivesse caído do cavalo, contraído sarampo ou engasgado com um osso de galinha.

Peter sentiu seus lábios se abrirem enquanto assimilava aquelas palavras.

– Harry *foi* um herói – ele ouviu-se dizer, e era a verdade.

Harry provara isso dezenas de vezes, lutando com bravura e salvando vidas. Mas não morrera como herói, não da maneira que a maioria das pessoas gostaria de pensar. Harry já estava morto quando houve o combate contra os franceses em Waterloo, seu corpo irremediavelmente desfigurado em um acidente estúpido, depois de ficar seis horas preso debaixo de uma carroça de suprimentos que tentaram consertar mais de uma vez. O maldito veículo deveria ter virado lenha semanas antes, pensou Peter com irritação, mas o exército nunca tinha o suficiente de nada, incluindo uma simples carroça de suprimentos, e seu comandante de regimento recusara-se a considerá-la inapropriada para o uso.

Mas agora estava claro que não fora essa a história que haviam contado a Tillie, e provavelmente aos pais dela. Alguém tentara aliviar o golpe da morte de Harry pintando seus últimos minutos com as cores vermelho-escuras do campo de batalha, em toda a sua terrível glória.

– Harry foi um herói – disse Peter novamente, pois era verdade, e ele aprendera havia muito tempo que aqueles que não tinham vivenciado a guerra jamais poderiam compreender sua verdade.

E se trazia conforto pensar que um tipo de morte podia ser mais nobre do que outro, não seria ele que acabaria com a ilusão.

– O senhor era um bom amigo – disse Tillie. – Fico feliz por Harry.

– Fiz uma promessa a ele – deixou escapar Peter. Ele não pretendia contar a Tillie, mas por algum motivo não conseguiu se conter. – Nós dois fizemos uma promessa, na verdade. Foi alguns meses antes de ele morrer, e tínhamos... Bem, a noite anterior fora horrível e tínhamos perdido muitos homens do nosso regimento.

Ela inclinou-se para a frente, os olhos arregalados e brilhantes de compaixão, e quando ele olhou para ela, viu o rosa leitoso de sua pele, o leve salpicar de sardas em seu nariz... Mais do que qualquer outra coisa, queria beijá-la.

Por Deus. Bem ali no jantar de lady Neeley, queria segurar Tillie Howard pelos ombros, puxá-la para si e beijá-la com toda a vontade.

Harry teria chamado sua atenção na hora.

– O que aconteceu? – perguntou ela, e as palavras deveriam tê-lo trazido de volta à realidade, lembrado a Peter que estava lhe contando algo muito importante.

No entanto, tudo o que conseguia fazer era olhar para os lábios dela, que não eram propriamente rosados – em vez disso, tinham um tom de pêssego –, e ocorreu-lhe que nunca, jamais se dera o trabalho de olhar para a boca de uma mulher – pelo menos não daquela maneira – antes de beijá-la.

– Sr. Thompson? – chamou ela. – Peter?

– Desculpe-me – disse ele, as mãos cerradas sob a mesa, como se a dor das unhas cravadas nas palmas das mãos fosse de alguma maneira obrigá-lo a retomar o assunto em questão.

– Fiz uma promessa a Harry – continuou ele. – Estávamos falando de casa, como muitas vezes fazíamos quando a situação ficava particularmente difícil, e ele falou da senhorita, e eu de minha irmã... Ela tem 14 anos... E prometemos um ao outro que, se algo de ruim nos acontecesse, cuidaríamos da irmã um do outro. Manteríamos as senhoritas em segurança.

Por um momento, ela não fez nada além de olhar para ele, depois disse:

– É muito gentil de sua parte, mas não se preocupe, eu absolvo o senhor da promessa. Não sou mais uma menina e ainda tenho um irmão, William. Além disso, não preciso de um substituto para Harry.

Peter abriu a boca para falar, mas rapidamente pensou melhor. Ele não se sentia nada fraternal em relação a Tillie e estava bastante seguro de que aquilo não era o que Harry tivera em mente quando lhe pedira para que cuidasse dela.

E a *última* coisa que ele queria era substituir o irmão dela.

Mas o momento parecia exigir uma resposta e, de fato, Tillie olhava para ele de forma questionadora, a cabeça inclinada para o lado, como se estivesse esperando que ele dissesse algo bastante significativo e inteligente ou, se não isso, algo que a permitisse oferecer uma resposta provocativa.

E foi por isso que, quando o desagradável berro de lady Neeley ressoou na sala, o ruído agudo não incomodou Peter, ainda que as palavras fossem:

– Minha pulseira! Minha pulseira sumiu!

CAPÍTULO 2

O evento mais cobiçado da semana é agora o evento mais comentado. Caso seja possível que você, querida leitora, ainda não tenha ouvido a notícia, esta autora a recontará aqui: os convidados famintos de lady Neeley ainda nem tinham terminado a sopa quando souberam que a pulseira de rubis da anfitriã havia sido roubada.

Existe, de fato, alguma discordância em relação ao destino da preciosa joia. Vários convidados defendem que a pulseira foi simplesmente perdida, mas lady Neeley alega ter uma memória cristalina da noite e diz que foi roubo, sem dúvida.

Aparentemente, a pulseira (cuja presilha lady Mathilda Howard descobriu estar com defeito) foi colocada em uma bonbonnière (escolhida pelo excêntrico lorde Easterly) e depositada sobre uma mesa na sala de estar de lady Neeley. A anfitriã pretendia trazer o prato para a sala de jantar, para que os convidados pudessem admirar seu evidente brilho, mas na pressa de chegar à mesa (àquela altura, disseram a esta autora, estava tão tarde que os convidados, todos esfomeados, deixaram o decoro de lado e se apressaram afobadamente para a sala de jantar), a pulseira foi esquecida.

Quando lady Neeley se lembrou da joia na sala ao lado, enviou um criado para pegá-la, mas ele voltou apenas com a bonbonnière.

Foi nesse momento, é claro, que a verdadeira agitação começou. Lady Neeley tentou fazer com que todos os convidados fossem revistados, mas, sinceramente, quem imagina que alguém como o conde de Canby consentiria em ser revistado pelo criado de uma baronesa? Foi feita a sugestão de que a pulseira fora roubada por um criado, mas lady Neeley tem uma lealdade admirável para com seus empregados (que, muito notavelmente, retribuem o sentimento) e recusou-se a acreditar que qualquer um deles, todos contratados há pelo menos cinco anos, a tivesse traído de tal maneira.

No fim das contas, todos os convidados partiram de mau humor. E, talvez mais tragicamente, toda a comida – exceto pela sopa – acabou não sendo consumida. Pode-se somente esperar que lady Neeley tenha considerado apropriado oferecer o banquete aos criados, cuja honra defendera na ocasião.

E pode ter certeza, querida leitora, que esta autora continuará a comentar este boato mais recente. É possível que um membro da alta sociedade não seja nada mais do que um ladrão comum? Tolice. Seria necessário ser bastante extraordinário para dar sumiço em uma peça tão valiosa bem debaixo do nariz de lady N.

CRÔNICAS DA SOCIEDADE DE LADY WHISTLEDOWN,
29 de maio de 1816

Então – disse com entusiasmo um jovem cavalheiro muito bem vestido, falando no tom de quem tem bastante certeza de que está sempre por dentro da última fofoca – ela obrigou o Sr. Brooks, o próprio sobrinho, a tirar o casaco e permitir que dois criados o revistassem.

– Ouvi dizer que foram três.

– Não foi nenhum – contestou Peter com a voz arrastada, de pé na entrada da sala de estar da família Canby. – Eu estava lá.

Sete cavalheiros se viraram para olhar para ele. Cinco pareciam aborrecidos, um entediado e o outro entretido. Quanto a Peter, estava profundamente irritado. Ele não tinha certeza do que esperar quando decidira viajar para a opulenta residência dos Canbies em Mayfair para visitar Tillie, mas não fora *aquilo*. A espaçosa sala de estar estava repleta de homens e flores, e o ramalhete de íris em sua mão parecia uma redundância.

Quem poderia imaginar que Tillie era tão popular?

– Tenho certeza absoluta – disse o primeiro cavalheiro – de que foram *dois* criados.

Peter deu de ombros. Não se importava muito se o janota sabia ou não a verdade.

– Lady Mathilda também estava lá – disse ele. – Pode perguntar a ela, se não acredita em mim.

– É verdade – disse Tillie, sorrindo para ele em cumprimento. – Se bem que o Sr. Brooks realmente tirou o casaco.

O homem que alegara que três criados tinham revistado os convidados virou-se para Peter e perguntou, de maneira um pouco maliciosa:

– Você tirou o casaco?

– Não.

– Os convidados revoltaram-se depois que o Sr. Brooks foi revistado – explicou Tillie, que em seguida mudou de assunto perguntando ao seus admiradores reunidos: – Conhecem o Sr. Thompson?

Apenas dois o conheciam; Peter ainda era bastante novo na cidade e a maioria de seus contatos era formada por amigos de Eton e Cambridge. Tillie fez as apresentações necessárias, depois Peter foi relegado à oitava melhor posição na sala, visto que nenhum dos outros cavalheiros estava disposto a mudar de lugar e permitir qualquer vantagem em cortejar a adorável – e rica – lady Mathilda.

Peter lia o *Whistledown*, então sabia que Tillie era considerada a maior herdeira da temporada. E ele lembrava-se de Harry dizer – com frequência, na verdade – que teria de escorraçar os caça-dotes com uma vara. Mas até aquele momento, Peter não sabia até que ponto ia a dedicação dos jovens de Londres em lutar pela mão dela.

Era repugnante.

E, na verdade, ele devia a Harry assegurar que o homem que ela escolhesse (ou, como seria mais provável, o homem que o pai dela escolhesse) a tratasse com o afeto e o respeito que Tillie merecia.

Portanto, voltou-se para a tarefa de inspecionar e depois, quando apropriado, afugentar os pretendentes apaixonados que o cercavam.

O primeiro cavalheiro foi fácil. Foram necessários poucos minutos para perceber que o vocabulário dele não passava de três palavras, e tudo que Peter precisou fazer foi mencionar que Tillie havia lhe dito que a atividade de que ela mais gostava era ler tratados filosóficos. O pretendente apressou-se na direção da porta e Peter decidiu que, mesmo que Tillie não tivesse mencionado a ele tal predileção na noite anterior, permanecia o fato de que ela com certeza era inteligente o bastante para ler tratados filosóficos se assim quisesse, e que aquilo bastaria para desqualificar o casamento.

Peter conhecia a reputação do cavalheiro seguinte. Um jogador inveterado, tudo que ele precisou para se despedir foi a menção a uma iminente corrida de cavalos no Hyde Park. E, pensou Peter com satisfação, levou junto três dos outros. Ainda bem que a corrida não era fictícia, embora os quatro jovens talvez ficassem um pouco decepcionados quando se dessem conta de que Peter errou o horário do evento e que, na verdade, todas as apostas tinham sido feitas sessenta minutos antes.

Ah, tudo bem.

Ele sorriu. Estava se divertindo consideravelmente mais do que poderia ter imaginado.

– Sr. Thompson – falou uma voz feminina nada calorosa em seu ouvido. – O senhor está assustando os pretendentes da minha filha?

Ele deu meia-volta e deparou com lady Canby, que olhava para ele com uma expressão divertida, pela qual Peter ficou imensamente grato. A maioria das mães teria ficado furiosa.

– É claro que não – respondeu ele. – Não aqueles com os quais a senhora gostaria de vê-la casada, de todo modo.

Lady Canby apenas ergueu as sobrancelhas.

– Qualquer homem que prefira apostar dinheiro em uma corrida de cavalos a permanecer aqui em sua presença não é digno de sua filha.

Ela riu e, quando o fez, ficou muito parecida com Tillie.

– Bem colocado, Sr. Thompson – disse ela. – Nunca se é cautelosa demais quando se é mãe de uma grande herdeira.

Peter hesitou, incerto se o comentário tinha a intenção de ser mais incisivo do que seu tom talvez indicasse. Se lady Canby soubesse quem ele era, e ela sabia – reconhecera seu nome imediatamente quando foram apresentados na noite anterior –, então também sabia que ele tinha pouco mais do que centavos em seu nome.

– Prometi a Harry que cuidaria dela – disse ele, a voz impassível e determinada.

Não poderia haver dúvidas de que pretendia cumprir a promessa.

– Entendo – murmurou lady Canby, inclinando levemente a cabeça para o lado. – E é por isso que o senhor está aqui?

– É claro.

E estava sendo sincero. Pelo menos era o que dizia a si mesmo. Não importava que tivesse passado praticamente as últimas dezesseis horas fantasiando sobre beijar Tillie Howard. Ela não era para ele.

Ele observou-a conversando com o irmão mais novo de lorde Bridgerton, trincando os dentes quando se deu conta de que não havia nada indigno acerca do homem. Ele era alto, forte, claramente inteligente e de boa família e fortuna. Os Canbies ficariam muito empolgados com o casamento, mesmo que Tillie fosse reduzida a uma simples dama casada.

– Estamos bastante satisfeitos com aquele – disse lady Canby, acenando com a mão pequena e elegante na direção do cavalheiro em questão. – Ele é um artista bastante talentoso e a mãe é minha amiga íntima há anos.

Peter assentiu, tenso.

– Infelizmente – continuou lady Canby, dando de ombros –, receio que há poucos motivos para depositar esperanças nesse sentido. Suspeito que ele esteja aqui apenas para aplacar a querida Violet, que se desespera ao imaginar jamais ver seus filhos casados. O Sr. Bridgerton não parece pronto para sossegar, e sua mãe acredita que ele esteja secretamente apaixonado por outra.

Peter lembrou-se de não sorrir.

– Tillie, minha querida – disse lady Canby, depois que o irritantemente belo e elegante Sr. Bridgerton beijou sua mão e partiu. – Você ainda não conversou com o Sr. Thompson. É tão gentil da parte dele nos fazer uma visita, e tudo por amizade a Harry.

– Eu não diria *tudo* – atalhou Peter, as palavras saindo um pouco menos delicadas e ensaiadas do que pretendera. – É sempre um prazer vê-la, lady Mathilda.

– Por favor – disse Tillie, dando adeus para o último pretendente apaixonado. – O senhor deve continuar a me chamar de Tillie. – Ela virou-se para a mãe. – Era assim que Harry sempre me chamava, e pelo visto ele falava de nós com frequência no continente.

Lady Canby deu um sorriso triste com a menção ao nome do filho mais novo e piscou várias vezes. Seus olhos adquiriram uma expressão vazia, e apesar de Peter não achar que ela fosse se derramar em lágrimas, certamente pensou que queria fazê-lo. Então ofereceu seu lenço, mas ela balançou a cabeça e recusou o gesto.

– Acho que devo chamar meu marido – disse ela, levantando-se. – Ele gostaria de conhecer o senhor. Estava em algum outro lugar ontem à noite quando fomos apresentados e eu... Bem, eu sei que gostaria de conhecer o senhor.

Ela saiu da sala às pressas, deixando a porta escancarada e posicionando um criado no final do corredor.

– Ela saiu para chorar – disse Tillie, não de uma maneira que Peter se sentisse culpado. Era apenas uma explicação, uma triste afirmação de um fato. – Ela ainda chora, bastante.

– Sinto muito – disse ele.

Tillie deu de ombros.

– Pelo jeito, não há como evitar. Para nenhum de nós. Não creio que tenhamos acreditado que Harry realmente pudesse morrer. Parece bastante tolo agora. Não deveria ter sido tamanha surpresa. Ele foi para a guerra, por Deus. O que mais poderíamos esperar?

Peter balançou a cabeça.

– Não é nem um pouco tolo. Todos pensávamos que éramos um pouco imortais até realmente vermos a batalha. – Ele engoliu em seco, querendo afastar as lembranças. Mas, uma vez invocada, era difícil contê-la. – É impossível compreender até que se veja.

Os lábios de Tillie se contraíram levemente, e Peter preocupou-se que pudesse tê-la insultado.

– Eu não quis ser arrogante – disse ele.

– O senhor não foi. Não é isso. Eu estava apenas... pensando – disse ela, inclinando-se para a frente, um novo brilho nos olhos. – Não vamos mais falar de Harry – pediu ela. – O senhor acha que conseguimos? Estou tão cansada de estar triste.

– Muito bem – disse ele.

Ela observou-o, esperando que dissesse algo mais. Mas ele não disse.

– Ah, como estava o tempo? – perguntou ela finalmente.

– Uma leve garoa – respondeu ele –, mas nada fora do comum.

Ela assentiu.

– Estava quente?

– Não especialmente. Só um pouco mais quente do que ontem à noite.

– É, estava um pouco frio, não estava? E estamos em maio.

– Decepcionada?

– É claro. Deveria ser primavera.

– Sim.

– Verdade.

– Verdade.

Frases de uma palavra, pensou Tillie. Sempre o fim de qualquer boa conversa. *Com certeza* tinham algo em comum além de Harry. Peter Thompson era bonito, inteligente e, quando olhava para ela com aquela expressão turva, de olhos pesados, fazia um arrepio descer por sua coluna.

Não era justo que a única coisa sobre a qual pareciam poder conversar a deixasse com vontade de chorar.

Ela sorriu para ele, encorajando-o, esperando que Peter dissesse alguma coisa, mas ele não o fez. Então sorriu de novo, limpando a garganta.

Ele entendeu a deixa.

– A senhorita lê? – perguntou ele.

– Se eu *leio*? – repetiu ela, incrédula.

– Não se a senhorita *sabe* ler, mas se o *faz* – esclareceu ele.

– Sim, claro. Por quê?

Ele deu de ombros.

– Eu talvez tenha mencionado isso a um dos cavalheiros que estavam aqui.

– Talvez?

– Mencionei.

Ela sentiu os dentes trincando. Não tinha ideia de *por que* deveria estar irritada com Peter Thompson, apenas que deveria. Ele claramente fizera algo para merecer seu desagrado, do contrário não estaria sentado ali com aquela expressão de gato que acaba de roubar o leite, fingindo inspecionar as unhas.

– Qual cavalheiro? – perguntou Tillie finalmente.

Ele levantou os olhos e Tillie resistiu ao impulso de agradecer-lhe por achá-la mais interessante do que as próprias unhas.

– Creio que o nome dele era Sr. Berbrooke – disse ele.

Ninguém com quem quisesse se casar. Nigel Berbrooke era um sujeito de bom coração, mas também burro como uma porta, e era muito provável que ficasse aterrorizado com uma esposa intelectual. Poderia até dizer, se estivesse se sentindo especialmente generosa, que Peter lhe fizera um favor assustando-o, mas, ainda assim, Tillie não apreciava que ele interferisse em seus assuntos.

– O que o senhor disse que eu gostava de ler? – perguntou, mantendo a voz tranquila.

– Ah, várias coisas. Talvez tratados filosóficos.

– Entendo. E por que o senhor achou apropriado mencionar isso a ele?

– Ele parecia o tipo que estaria interessado – disse, dando de ombros.

– E... apenas por curiosidade, veja bem... o que aconteceu quando o senhor contou isso a ele?

Peter sequer teve a elegância de parecer acanhado.

– Saiu correndo porta afora – murmurou Peter. – Imagine só.

Tillie pretendia permanecer dissimulada e seca. Queria observá-lo de forma irônica sob sobrancelhas delicadamente arqueadas. Mas não estava nem perto de ser tão sofisticada quanto gostaria, pois olhou para ele furiosa quando disse:

– E o que o fez pensar que gosto de ler tratados filosóficos?

– Não gosta?

– Não importa – retrucou ela. – O senhor não pode sair por aí afugentando meus pretendentes.

– Foi isso que pensou que eu estava fazendo?

– Por favor – ironizou ela. – Depois de elogiar minha inteligência ao Sr. Berbrooke, não tente insultá-la agora.

– Muito bem – disse ele, cruzando os braços e olhando para Tillie com o tipo de expressão que o pai e o irmão mais velho adotavam quando iam repreendê-la. – A senhorita realmente deseja se casar com o Sr. Berbrooke? Ou com um dos homens que saíram da sala às pressas para apostar dinheiro em cavalos?

– É claro que não, mas isso não significa que quero que os afugente.

Ele a olhou como se ela fosse uma tola. Ou uma mulher. Pela experiência de Tillie, a maioria dos homens pensava que eram exatamente a mesma coisa.

– Quanto mais homens vierem me visitar – explicou ela, um pouco impaciente –, mais homens *virão* me visitar.

– Perdão?

– Vocês são ovelhas. Todos vocês. Só se interessam por uma mulher se outro também estiver interessado.

– E seu objetivo na vida é colecionar cavalheiros em sua sala de estar?

O tom dele era pedante, quase ofensivo, e Tillie estava *muito perto* de mandar expulsarem-no dali. Foi somente pela amizade dele com Harry – e pelo fato de ele estar agindo de modo tão arrogante por pensar que era o que Harry desejaria – que não chamou o mordomo naquele mesmo instante.

– Meu objetivo é encontrar um marido – disse ela, com firmeza. – Não laçar, capturar em uma armadilha, arrastar até o altar, mas de preferência encontrar alguém com quem eu possa compartilhar uma vida longa e prazerosa. Sou uma moça prática, então simplesmente me parece sensato conhecer o maior número possível de cavalheiros adequados, para que minha opinião possa ser fundamentada em uma ampla base de conhecimento, e não em um capricho, como tantas jovens são acusadas de fazer.

Ela empertigou-se, cruzou os braços e lançou-lhe um olhar severo.

– O senhor tem alguma pergunta?

Por um momento, ele a olhou com uma expressão vazia, depois perguntou:

– A senhorita deseja que eu vá atrás deles e os arraste de volta?

– Não! Ah – acrescentou ela, quando viu o sorriso malicioso dele. – O senhor está me provocando.

– Só um pouco – concordou ele.

Se ele fosse Harry, teria jogado uma almofada nele. Se ele fosse Harry, teria gargalhado. Mas, se ele fosse Harry, os olhos dela não teriam se fixado em sua boca quando ele sorriu e Tillie não teria sentido aquele calor estranho no sangue, ou aquele arrepio na pele.

Mas, acima de tudo, se ele fosse Harry, não sentiria aquela *terrível* decepção, pois Peter Thompson não era seu irmão mais velho, e a última coisa que queria era que ele a visse como se fosse.

No entanto, ao que tudo indicava, era exatamente assim que ele se sentia.

Ele prometera a Harry cuidar dela, e agora Tillie não passava de uma obrigação. Será que ao menos gostava dela? Será que a achava minimamente interessante ou divertida? Ou aturava sua companhia somente porque era irmã de Harry?

Impossível saber – e uma pergunta que Tillie jamais poderia fazer. E o que realmente queria era que Peter partisse, mas aquilo a faria se sentir uma covarde, e ela não queria ter essa sensação. Era o que devia a Harry, de repente percebeu. Viver com a coragem e a forte determinação que ele demonstrara no fim da vida.

Encarar Peter Thompson parecia uma péssima comparação aos feitos corajosos de Harry como soldado, mas ninguém a enviaria para lutar por seu país, portanto, se quisesse continuar a enfrentar seus medos, aquilo deveria bastar.

– Desta vez o senhor está perdoado – disse ela, cruzando as mãos no colo.

– Eu pedi perdão? – perguntou ele, com a voz arrastada, perfurando-a mais uma vez com aquele sorriso lento, preguiçoso.

– Não, mas deveria ter pedido. – Ela sorriu de volta, docemente... docemente demais. – Fui criada para ser caridosa, portanto pensei em lhe conceder o perdão que nunca pediu.

– E a aceitação também?

– É claro. Do contrário, eu seria mesquinha.

Ele deu uma gargalhada, um som tão caloroso e profundo que pegou Tillie de surpresa, depois a fez sorrir.

– Muito bem – disse ele. – A senhorita venceu. Absolutamente, positivamente, indubitavelmente...

– Até indubitavelmente? – murmurou ela, com alegria.

– Até indubitavelmente – concordou ele. – A senhorita venceu. Peço perdão.

Ela suspirou.

– A vitória nunca foi tão doce.

– E não deveria mesmo ter sido – disse ele, com as sobrancelhas arqueadas. – Asseguro-lhe que não peço desculpas levianamente.

– Nem com tamanho bom humor? – indagou ela.

– *Nunca* com tamanho bom humor.

Tillie estava sorrindo, tentando pensar em algo bem irônico para dizer, quando o mordomo chegou para servir um chá não solicitado. A mãe devia ter pedido, pensou Tillie, o que significava que ela logo retornaria e que o tempo a sós com Peter se aproximava do fim.

Ela deveria ter prestado atenção à forte decepção apertando seu peito. Ou ao frio na barriga que aumentava toda vez que olhava para ele. Porque, se o tivesse feito, não teria ficado tão surpresa quando lhe entregou uma xícara de chá e os dedos se tocaram, e depois olhou para ele, e ele para ela, e seus olhos se encontraram.

E ela sentiu como se estivesse caindo.

Caindo... caindo... caindo. Uma lufada quente de ar passando por ela, roubando sua respiração, sua pulsação, até mesmo seu coração. E quando tudo passou – se é que realmente passou, e não apenas diminuiu –, tudo que ela conseguia pensar era como tinha sido incrível não ter deixado a xícara cair.

E ele? Teria percebido que naquele momento ela havia sido transformada?

Prestou bastante atenção ao encher a própria xícara, colocando o leite antes de acrescentar o chá quente. Se ao menos conseguisse se concentrar nas tarefas corriqueiras do momento, não precisaria refletir sobre o que acabara de lhe acontecer.

Porque suspeitava que realmente tinha caído. De amores.

E suspeitava que, no final das contas, aquilo seria sua derrocada. Ela não tinha muita experiência com homens. Sua primeira temporada em Londres fora interrompida pela morte inesperada de Harry, e passara o ano anterior reclusa no campo, de luto com a família.

Além disso, Tillie podia ver que Peter não pensava nela como uma mulher desejável. Pensava nela como uma obrigação, a irmãzinha de Harry.

Talvez até como uma criança.

Para ele, ela era uma promessa que precisava ser cumprida. Nada mais, nada menos. Poderia soar frio e calculista, se ela não tivesse ficado tão tocada com a devoção dele por seu irmão.

– Há algo errado?

Tillie levantou o olhar ao som da voz de Peter e deu um sorriso irônico. Se havia algo errado? Mais do que ele poderia imaginar.

– É claro que não – mentiu ela. – Por que a pergunta?

– A senhorita não tomou seu chá.

– Prefiro morno – improvisou ela, erguendo a xícara até os lábios. Ela bebericou, fingindo cautela. – Pronto – disse, animada. – Muito melhor agora.

Ele observou-a com curiosidade, e Tillie quase suspirou diante do próprio infortúnio. Se fosse para desenvolver uma afeição não correspondida por um cavalheiro, seria muito melhor não escolher um tão obviamente inteligente. Qualquer outra gafe como aquela e ele com certeza perceberia os seus verdadeiros sentimentos.

O que seria terrível.

– O senhor pretende ir ao Grande Baile dos Hargreaves na sexta-feira? – perguntou ela, decidindo que mudar de assunto era a melhor atitude a ser tomada.

Ele assentiu.

– Presumo que a senhorita também vá?

– É claro. Estará lotado, tenho certeza, e mal posso esperar para ver lady Neeley chegar com sua pulseira no pulso.

– Ela a encontrou? – perguntou ele, surpreso.

– Não, mas encontrará, o senhor não acha? Não consigo imaginar alguém a roubando. Provavelmente caiu atrás da mesa e ninguém teve a ideia de procurar.

– Concordo que sua teoria é a mais provável – disse Peter, mas os lábios se apertaram de leve quando parou de falar, e não parecia convencido.

– Mas? – indagou ela.

Por um momento, Tillie achou que não fosse ter resposta, mas então ele disse:

– Mas a senhorita nunca passou necessidade, lady Mathilda. Nunca vai compreender o desespero que leva um homem a roubar.

Ela não gostou de ele tê-la chamado de lady Mathilda. Aquilo introduzia uma formalidade na conversa que pensava que já haviam dispensado. E os comentários dele pareciam destacar o fato de que ele era um homem do mundo e ela, uma jovem protegida.

– É claro que não – disse ela, já que não havia sentido em fingir que não tinha uma vida mais que privilegiada. – Ainda assim, é difícil imaginar alguém tendo a audácia de roubar a pulseira bem debaixo do nariz dela.

Por um momento, ele não se mexeu, apenas a observou, avaliando-a de uma maneira desconfortável. Tillie teve a sensação de que ele a considerava provinciana ou, no mínimo, ingênua, e detestava que sua crença na bondade dos homens estivesse fazendo dela uma tola.

Não deveria ser daquela maneira. As pessoas *deveriam* confiar nos amigos e vizinhos. E ela sem dúvida não deveria ser ridicularizada por fazê-lo.

Mas ele a surpreendeu, e disse apenas:

– É provável que esteja certa. Há muito tempo me dei conta de que a maioria dos mistérios possui soluções perfeitamente benignas e tediosas. Lady Neeley muito provavelmente estará mordendo a língua antes de a semana terminar.

– O senhor não me considera uma tola por confiar tanto nas pessoas? – perguntou Tillie, quase se beliscando por fazê-lo.

Mas ela não conseguia parar de fazer perguntas àquele homem; não conseguia se lembrar de alguém cujas opiniões *importassem* tanto.

Ele sorriu.

– Não. Não necessariamente concordo com a senhorita. Mas é bastante agradável tomar chá com alguém cuja fé na humanidade não foi comprometida de maneira irreparável.

Uma dor melancólica tomou conta de Tillie, e ela perguntou-se se Harry também tinha sido transformado pela guerra. Provavelmente sim, ela deu-se conta, e não conseguia de fato acreditar que jamais considerara aquilo. Pensava nele como o Harry de sempre, rindo, contando piadas e pregando peças a qualquer momento.

Mas quando olhou para Peter Thompson, percebeu que nos olhos dele havia uma sombra que nunca desaparecia por completo.

Harry estivera ao lado de Peter durante toda a guerra. Os olhos dele tinham visto os mesmos horrores e, se ele não estivesse enterrado na Bélgica, ostentariam as mesmas sombras.

– Tillie?

Ela levantou o olhar rapidamente. Ficara em silêncio mais tempo do que deveria, e Peter a observava com uma expressão curiosa.

– Desculpe-me – disse ela de maneira automática. – Apenas perdida em pensamentos.

Mas enquanto bebia o chá, observando-o de forma sorrateira sobre a borda da xícara, não era em Harry que pensava. Pela primeira vez em um ano, finalmente, *animadoramente*, não era em Harry.

Era em Peter, e tudo em que conseguia pensar era que ele não deveria ter sombras no olhar. E ela queria ser a pessoa que as tiraria dali para sempre.

CAPÍTULO 3

... e agora que tornou pública a lista de convidados do Jantar Que Deu Errado, esta autora oferece a você, como um brinde delicioso, uma análise dos suspeitos.

Não se sabe muito a respeito do Sr. Peter Thompson, apesar de ser amplamente reconhecido como um soldado corajoso na guerra contra Napoleão. A sociedade detesta colocar um herói de guerra eminente em uma lista de suspeitos, mas esta autora seria negligente se não apontasse que o Sr. Thompson também é reconhecido como uma espécie de caça-dotes. Desde sua chegada à cidade, vem obviamente procurando uma esposa, mas esta autora acredita que se deve dar crédito ao que merece crédito: ele o tem feito de maneira bastante discreta e incomum.

Mas é fato notório que seu pai, o lorde Stoughton, não está entre os mais ricos dos barões e, além disso, o Sr. Thompson é um segundo filho, e como já foi constatado que seu irmão mais velho está apto a procriar, ele está em mero quarto lugar na linha sucessória. Portanto, se o Sr. Thompson deseja viver com estilo depois de deixar o exército, precisará se casar com uma mulher dotada de alguns recursos.

Ou, alguém poderia especular, se decidisse pensar isso, obter recursos de alguma outra maneira.

CRÔNICAS DA SOCIEDADE DE LADY WHISTLEDOWN,
31 de maio de 1816

Se Peter soubesse a identidade da esquiva lady Whistledown, a teria estrangulado na mesma hora.

Caça-dotes. Detestava a alcunha, a via mais como um epíteto, e não conseguia sequer pensar em tais palavras sem quase cuspir de desgosto. Passara o último mês em Londres comportando-se com o máximo de cuidado, tudo para assegurar que o rótulo não lhe fosse aplicado.

Havia diferença entre um homem que buscava uma mulher com um dote modesto e um homem que seduzia por dinheiro, e o diferencial podia ser resumido em uma palavra.

Honra.

Era o que guiara sua vida inteira, desde o momento em que seu pai se sentara com ele, na tenra idade de 5 anos, e explicara o que caracterizava um verdadeiro cavalheiro, e, por Deus, Peter não permitiria que uma colunista fofoqueira e covarde qualquer maculasse sua reputação com um único traço de sua caneta.

Se a maldita mulher tivesse um pouco de honra, pensou ele agressivamente, não teria vergonha de revelar sua identidade. Somente os covardes usavam o anonimato para insultar e depreciar.

Mas ele não sabia quem era lady Whistledown e suspeitava que ninguém nunca descobriria, não enquanto ele estivesse vivo, pelo menos. Portanto, precisou se contentar em descarregar o mau humor em todas as pessoas com quem encontrava.

O que significava que, provavelmente, deveria um bom pedido de desculpas ao seu valete no dia seguinte.

Ele ajeitou a gravata enquanto circulava pelo salão de baile lotado na casa de lady Hargreaves. Não podia recusar o convite; fazê-lo teria dado crédito demais às palavras de lady Whistledown. Melhor se atrever a sair, rir daquilo e obter algum consolo no fato de que não fora o único brutalmente atacado na edição daquela manhã; lady W. dedicara um espaço considerável a cinco convidados no total, incluindo a pobre e importunada Srta. Martin, contra quem a alta sociedade com certeza se voltaria, considerando que era meramente a dama de companhia de lady Neeley e não, como já ouvira alguém dizer, parte de seu grupo.

De mais a mais, Peter precisara comparecer. Já aceitara o convite e, além disso, todas as jovens senhoritas adequadas ao casamento de Londres compareceriam. Ele não podia se permitir esquecer de que havia um propósito para sua presença na cidade. Não podia se dar ao luxo de terminar a temporada sem um noivado; na situação em que se encontrava, mal conseguia pagar o aluguel em suas humildes instalações de solteiro ao norte da Oxford Street.

Peter acreditava que os pais daquelas senhoritas casadouras talvez o enxergassem com um pouco mais de cautela naquela noite, e vários não permitiriam que as filhas estivessem em sua companhia, mas esconder-se em casa seria, aos olhos da sociedade, o equivalente a admitir a culpa, e seria bem melhor fingir que nada ocorrera.

Mesmo que quisesse desesperadamente dar um soco na parede.

O pior de tudo era que a única pessoa com quem não poderia estar era Tillie. Ela era vista por todos como a maior herdeira da temporada, e sua beleza e personalidade vivaz a haviam tornado de fato um ótimo partido. Era difícil para *qualquer um* cortejá-la sem ser rotulado de caça-dotes, e se Peter fosse visto perto dela, jamais se veria livre dessa mácula em sua reputação.

Mas é claro que Tillie era a pessoa – a única pessoa – que queria ver.

Ela se materializava em seus pensamentos, em seus sonhos. Sorrindo, gargalhando, depois séria, e parecia *compreendê-lo*, tranquilizá-lo apenas com sua presença. E Peter queria mais. Queria tudo; queria saber o comprimento do seu cabelo e queria ser ele a soltá-lo do pequeno coque bem-feito. Queria conhecer o perfume de sua pele e a curva exata de sua cintura. Queria dançar com ela mais próximo do que o apropriado e queria sequestrá-la, para um lugar onde nenhum outro homem jamais pudesse colocar os olhos nela.

Mas os sonhos precisariam permanecer apenas assim. Sonhos. Não havia possibilidade de o conde de Canby aprovar um casamento entre sua única filha e o filho mais jovem e sem um centavo de um barão. E se ele levasse Tillie, e se eles fugissem sem a permissão da família dela... Bem, ela com certeza seria deserdada, e Peter não a arrastaria para uma vida de nobre pobreza.

E não era, pensou Peter secamente, o que Harry tivera em mente quando lhe pediu que cuidasse dela.

Então apenas ficou pelo salão, fingindo estar muito interessado em sua taça de champanhe e bastante satisfeito por não conseguir vê-la. Se soubesse onde Tilllie estava, não conseguiria evitar ir procurá-la.

E se fizesse isso, certamente a veria de relance.

E quando isso acontecesse, achava mesmo que conseguiria tirar os olhos dela?

Ela o veria, claro, e os olhares se encontrariam, e ele precisaria ir cumprimentá-la, e ela poderia querer dançar...

Ocorreu a Peter em um forte vislumbre de ironia que ele deixara a guerra justamente para *evitar* a ameaça de tortura.

Poderia muito bem simplesmente arrancar as próprias unhas agora.

Peter mudou de posição, de modo que ficou com as costas mais voltadas para as pessoas. Então se esbofeteou mentalmente quando se pegou olhando para trás.

Encontrara um pequeno grupo de homens que conhecia do exército, os quais, tinha certeza, tinham vindo para Londres pelo mesmo motivo que ele. No entanto, nenhum, diferentemente de Robbie Dunlop, tivera o infortúnio de ter sido convidado para o malfadado jantar de lady Neeley. E lady Whistledown não exigira que Robbie fosse revistado; parecia que até mesmo aquela velha encarquilhada sabia que Robbie não tinha a manha para conceber – muito menos para executar – um roubo tão audacioso.

– Que má sorte com o *Whistledown* – comentou um dos ex-soldados, balançando a cabeça em honesta comiseração.

Peter apenas grunhiu e deu de ombros timidamente, erguendo só um lado do corpo. Parecia uma resposta boa o bastante.

– Ninguém se lembrará disso semana que vem – disse outro. – Ela terá algum novo escândalo para revelar, e, além disso, ninguém realmente acha que você roubou aquela pulseira.

Peter virou-se para o amigo, o horror lhe dominando. Jamais lhe ocorrera que pudessem de fato pensar que ele fosse um *ladrão*. Estava apenas preocupado com a parte sobre ser um caça-dotes.

– Hum, não tive a intenção de tocar no assunto. – O camarada gaguejou, dando um passo para trás diante do que deve ter sido uma expressão feroz no rosto de Peter. – Tenho certeza de que descobrirão que foi aquela acompanhante. É bem o tipo que não tem nem 2 xelins para esfregar um no outro.

– Não foi a Srta. Martin – retrucou Peter.

– Como sabe? – indagou um dos homens. – Você a conhece?

– Alguém a conhece? – perguntou outra pessoa.

– Não foi a Srta. Martin – disse Peter em tom severo. – E não cabe a vocês especular sobre a reputação de uma mulher.

– Sim, mas como você...

– Eu estava ao lado dela! – disse Peter, com rispidez. – A pobre jovem estava sendo atacada por um papagaio. Não teve nem oportunidade de pegar a pulseira. É claro – acrescentou ele casualmente –, não sei quem confiará na minha palavra agora que fui rotulado como o principal suspeito.

Os homens apressaram-se em assegurar que ainda confiavam na palavra dele quanto a qualquer coisa, embora um deles tivesse cometido a impropriedade de destacar que Peter estava longe de ser o *principal* suspeito.

Peter apenas lançou-lhe um olhar furioso. Principal ou não, parecia que grande parte de Londres agora achava que ele talvez fosse um ladrão.

Maldição.
– Boa noite, Sr. Thompson.
Tillie. A noite só precisava daquilo.
Peter virou-se, desejando que seu sangue não tivesse circulado com tanta energia só de ouvir o som de sua voz. Ele não deveria vê-la. Não deveria *querer* vê-la.
– Que bom ver o senhor – disse ela, sorrindo como se tivesse um segredo.
Ele estava arruinado.
– Lady Mathilda – disse ele, curvando-se sobre a mão que ela oferecera.
Ela virou-se e cumprimentou Robbie, depois disse a Peter:
– Talvez o senhor possa me apresentar aos seus outros companheiros?
E assim ele fez, franzindo a testa à medida que todos se rendiam a seus encantos. Ou, quem sabe, ocorreu-lhe, aos encantos de seu dote. Harry não fora exatamente cauteloso ao falar dele.
– Não pude evitar ouvi-lo defendendo a Srta. Martin – disse Tillie, depois que as apresentações foram concluídas. Ela virou-se para o resto do grupo e acrescentou: – Eu também estava lá, posso lhes assegurar que ela não pode ser a ladra.
– Quem a senhorita acha que roubou a pulseira, lady Mathilda? – perguntou alguém.
Os lábios de Tillie se contraíram por uma fração de segundo – o suficiente para revelar, a quem a observava com atenção, que estava irritada. Mas para qualquer outra pessoa (o que consistia em todos, exceto Peter), sua expressão luminosa nunca vacilou, especialmente quando disse:
– Não sei. Na verdade, acho que será encontrada atrás de uma mesa.
– Mas com certeza lady Neeley já procurou pela sala – disse um dos homens, com a voz arrastada.
Tillie acenou com uma das mãos, um gesto jovial que Peter suspeitou que tivesse a intenção de acalmar os homens, fazendo-os pensar que não podia ser incomodada com questões tão desagradáveis.
– Mesmo assim – disse ela com um suspiro.
Assunto encerrado, pensou Peter, admirado. Ninguém disse mais uma palavra sobre o assunto. Um *"mesmo assim"* e Tillie manobrara a discussão exatamente na direção que desejava.
Peter tentou ignorar o resto da conversa. Eram principalmente futilidades sobre o clima, que estava um pouco mais frio do que o normal para aquela época do ano, salpicadas com o ocasional comentário sobre o traje de alguém. A expressão em seu rosto, se é que tinha algum controle, era entediada, mas de uma maneira educada; não queria parecer excessivamente interessado em Tillie, e, embora não se gabasse de pensar que era o tema principal dos mexe-

ricos, já vira mais de uma velha fofoqueira apontar em sua direção e sussurrar algo por trás da mão.

Então todas as boas intenções de Peter foram arruinadas quando Tillie se virou para ele e disse:

– Sr. Thompson, acredito que a música tenha começado.

Não havia nenhum espaço para mal-entendido naquela afirmação, e, mesmo havendo outros cavalheiros se apressando para preencher os espaços subsequentes em seu cartão de dança, ele foi forçado a curvar o braço e convidá-la ao salão.

Era uma valsa. Tinha que ser logo uma valsa.

E quando Peter pegou a mão de Tillie, lutando contra o impulso de entrelaçar os dedos aos dela, teve a nítida sensação de estar caindo de um penhasco.

Ou, pior, de estar saltando dele.

Porque por mais que tentasse se convencer de que aquilo era um erro terrível, de que não deveria ser visto com ela – diabos, de que não deveria *estar* com ela, ponto final –, ele não conseguia reprimir a pura, quase incandescente, pontada de prazer que surgiu e agitou-se dentro dele quando a tomou em seus braços.

E se as fofocas quisessem rotulá-lo como o pior dos caça-dotes, que o fizessem.

Valeria a pena por aquela única dança.

Tillie passara os primeiros dez minutos do Grande Baile dos Hargreaves tentando escapar das garras dos pais, os dez seguintes procurando Peter Thompson e mais outros dez ao lado do rapaz enquanto conversava sobre absolutamente nada com os amigos dele.

Ela passaria os próximos dez minutos com toda a sua atenção, mesmo que morresse por isso.

Ainda estava um pouco irritada por praticamente ter precisado implorar para que Peter dançasse com ela, *e* à vista de uma dezena de outros cavalheiros. Mas não havia por que remoer isso agora que ele segurava sua mão e a fazia rodopiar com elegância pelo salão de dança.

E o que era aquilo, perguntou-se ela, que fazia com que a mão dele nas suas costas disparasse uma estranha onda de desejo bem no âmago de seu ser? Seria de esperar que, se fosse para se sentir atraída, seria pelos olhos dele, os quais, depois de dez minutos ignorando-a diligentemente, ardiam nos dela com uma intensidade que lhe roubava o ar.

Na verdade, se agora estava preparada para jogar a cautela pelos ares, se agora era necessário cada grama de sua resistência para não suspirar, agarrar-se a ele e implorar-lhe que encostasse os lábios nos dela, era por causa daquela mão nas suas costas.

Talvez fosse a posição, na base da coluna, a apenas poucos centímetros de seu local mais íntimo. Talvez fosse a maneira como era puxada, como se a qualquer momento fosse se perder e pressionar seu corpo contra o dele, quente e infame, ansiando por algo que ela não conseguia propriamente entender.

A pressão era firme porém terna, atraindo-a na direção dele, de forma lenta, inexorável... Contudo, quando Tillie olhou para baixo, a distância entre seus corpos não tinha mudado.

Mas o calor dentro deles irrompera.

E ela fervia.

– Fiz algo para o desagradar? – perguntou ela, tentando desesperadamente desviar os pensamentos para qualquer coisa além do desejo inebriante que ameaçava dominá-la.

– É claro que não – disse ele de maneira brusca. – Por que pensaria algo tão absurdo?

Ela deu de ombros.

– Você parecia... ah, não sei... um pouco distante, suponho. Como se não recebesse bem minha companhia.

– Isso é ridículo – grunhiu ele, daquela maneira que os homens faziam quando sabiam que uma mulher estava certa mas eles não tinham a menor intenção de admiti-lo.

Ela, porém, crescera com dois irmãos e sabia que era melhor não insistir; portanto, em vez disso, falou:

– O senhor foi magnífico ao defender a Srta. Martin.

A mão de Peter apertou a dela com mais força, mas, infelizmente, apenas por um segundo.

– Qualquer um a teria defendido – disse ele.

– Não – contestou ela com suavidade. – Creio que não. Eu diria o contrário, na verdade, e acredito que saiba que estou certa.

Ela levantou o olhar para Peter, os olhos desafiadores, esperando que ele a contradissesse. Como era um homem inteligente, ele não o fez.

– Um cavalheiro jamais deve causar danos à reputação de uma mulher – disse ele rigidamente, e ela percebeu com um estranho prazer que adorava aquele toque de seriedade, que adorava que estivesse mesmo constrangido pelo estrito código de ética.

Ou talvez não fosse tanto o código, mas o fato de que ela o tivesse percebido.

Era muito mais moderno ser um libertino insensível, mas Peter jamais conseguiria ser tão cruel.

– Uma mulher tampouco deveria causar danos à reputação de um cavalheiro – disse Tillie com delicadeza. – Sinto muito sobre o que lady Whistledown escreveu. Não foi decente da parte dela.

– E a senhorita dá ouvidos a nossa estimada colunista de fofocas?

– É claro que não, mas aprovo as palavras dela com mais frequência do que as reprovo. Desta vez, no entanto, acho que pode ter passado dos limites.

– Ela não acusou ninguém.

Ele deu de ombros como se não se importasse, mas seu tom de voz não o deixava mentir. Estava furioso – e magoado – com a coluna daquela manhã, e se Tillie soubesse quem era lady Whistledown, teria de bom grado amarrado suas asas como as de um ganso.

Era um sentimento estranho, feroz, uma raiva por ele ter sido magoado.

– Lady Mathilda... *Tillie*.

Ela olhou para ele, surpresa, sem perceber que estivera perdida em pensamentos.

Ele deu-lhe um sorriso divertido e baixou o olhar para as mãos.

Ela seguiu o olhar de Peter e só então se deu conta de que agarrava os dedos dele como se fossem o pescoço de lady Whistledown.

– Ah – ela deixou escapar, surpresa, e em seguida sussurrou um pedido de desculpa.

– A senhorita tem o hábito de amputar os dedos de seus parceiros de dança?

– Só quando preciso torcer seus braços para que me convidem para dançar – disparou ela em resposta.

– E eu aqui pensando que a guerra era perigosa – murmurou ele.

Ela se surpreendeu que Peter pudesse fazer piada daquilo, se surpreendeu que ele o *fizesse*. Não teve muita certeza de como reagir, mas então a orquestra terminou a valsa com um floreio inesperadamente animado, o que salvou Tillie de ter que responder.

– Devo devolvê-la aos seus pais? – perguntou Peter, conduzindo-a para fora do salão de dança. – Ou para seu próximo parceiro?

– Na verdade – improvisou ela –, estou com muita sede. Talvez a mesa de limonada?

A qual, ela reparara, ficava do outro lado do salão.

– Como desejar.

O progresso dos dois foi lento. Tillie manteve o passo atipicamente tranquilo, esperando estender o tempo deles juntos por mais um ou dois minutos.

– Está aproveitando o baile? – perguntou ela.

– Algumas partes são estimulantes – disse ele, mantendo o olhar voltado diretamente para a frente.

Mas ela viu o canto da boca dele se retorcer.

– Eu sou estimulante? – perguntou ela, com ousadia.

Ele efetivamente parou.

– A senhorita tem alguma ideia do que acaba de perguntar?

Tarde demais, ela lembrou-se de ter entreouvido os irmãos falando sobre mulheres e as coisas estimulantes que algumas delas faziam e...

Ela corou.

Então, Deus os ajudasse, ambos gargalharam.

– Não conte a ninguém – sussurrou ela, recuperando o fôlego. – Meus pais me deixarão trancada por um mês.

– Isso certamente iria...

– Lady Mathilda! Lady Mathilda!

O que quer que Peter tivesse a intenção de dizer se perdeu quando a Sra. Featherington, uma amiga da mãe de Tillie e uma das maiores fofoqueiras da sociedade, apressou-se na direção deles, arrastando a filha Penelope, vestida em um tom bastante infeliz de amarelo.

– Lady Mathilda – disse a Sra. Featherington. Depois acrescentou, em uma voz decididamente gélida: – Sr. Thompson.

Tillie estava prestes a fazer as apresentações, mas então se lembrou de que a Sra. Featherington e Penelope estavam presentes no jantar de lady Neeley. Na verdade, a Sra. Featherington fora um dos cinco desafortunados a terem seus perfis traçados por lady Whistledown na coluna daquela manhã.

– Os seus pais sabem onde a senhorita está? – perguntou a Sra. Featherington a Tillie.

– Como disse? – perguntou Tillie, piscando com surpresa.

Em seguida virou-se para Penelope, que sempre considerara um tipo bastante agradável, ainda que quieta.

Mas, se Penelope sabia o que a mãe queria dizer, não deu qualquer indício além de uma expressão constrangida que fez Tillie acreditar que, se um buraco tivesse se aberto de repente no meio do salão, Penelope teria pulado nele com satisfação.

– Os seus pais sabem onde a senhorita está? – repetiu a Sra. Featherington, desta vez de maneira mais enfática.

– Viemos juntos – respondeu Tillie com calma –, então, sim, presumo que estejam cientes...

– Eu a levarei até eles – interrompeu a Sra. Featherington.

Então, Tillie entendeu.

– Asseguro-lhe – disse gelidamente – que o Sr. Thompson é mais do que capaz de me levar até meus pais.

– Mãe – interrompeu Penelope, puxando a manga do vestido da Sra. Featherington.

Mas a mulher a ignorou.

– Uma garota como a senhorita deve cuidar da reputação – disse ela a Tillie.

– Se está se referindo à coluna de lady Whistledown – retrucou Tillie, a voz incomumente hostil –, então devo lembrar-lhe de que a senhora também foi mencionada, Sra. Featherington.

Penelope arfou.

– As palavras dela não me preocupam – disse a Sra. Featherington. – Sei que não peguei aquela pulseira.

– E eu sei que o Sr. Thompson também não pegou – retrucou Tillie.

– Nunca disse que ele o fez – retorquiu a Sra. Featherington. – Peço desculpas se dei a entender isso. Jamais chamaria alguém de ladrão sem provas.

Peter, que permanecera rígido e imóvel ao lado de Tillie, não fez nada além de assentir às desculpas dela. Tillie tinha sérias suspeitas de que era tudo que ele conseguira fazer sem perder a cabeça.

– Mãe – disse Penelope, o tom de voz agora quase desesperado. – Prudence está ao lado da porta, acenando bastante aflita.

Tillie podia ver a irmã de Penelope, Prudence, e ela parecia muito feliz, entretida em uma conversa com uma de suas amigas. Tillie fez um lembrete mental para fazer amizade com Penelope Featherington, conhecida por ser extremamente tímida, assim que fosse possível.

– Lady Mathilda – disse a Sra. Featherington, ignorando totalmente Penelope. – Estou tentando...

– Precisamos ir – disse Tillie, aproveitando a distração momentânea da Sra. Featherington. – Eu me certificarei de levar seus cumprimentos à minha mãe.

Então, antes que a Sra. Featherington conseguisse se desvencilhar de Penelope, que espremia seu braço, Tillie escapuliu, quase arrastando Peter atrás dela.

Ele não dissera uma palavra durante a conversa. Tillie não estava muito certa do que aquilo significava.

– Lamento terrivelmente – disse ela quando estavam fora do alcance dos ouvidos da Sra. Featherington.

– A senhorita não fez nada – observou ele, mas a voz estava seca.

– Não, mas, bem... – Tillie parou, em dúvida sobre como prosseguir. Não queria exatamente assumir a culpa pela Sra. Featherington, mas parecia que *alguém* deveria se desculpar com Peter. – Ninguém deveria ficar chamando-o de ladrão – disse ela enfim. – É inaceitável.

Ele deu um sorriso forçado.

– Ela não estava me chamando de ladrão – disse ele. – Estava me chamando de caça-dotes.

– Ela nunca...

– Acredite – disse ele, interrompendo-a com um tom de voz que a fez se sentir uma tola.

Como poderia ter deixado passar essa conotação? Seria realmente tão distraída?

– É a coisa mais tola que já ouvi – murmurou ela, tanto para se defender quanto para qualquer outra coisa.

– É mesmo?

– É claro. O senhor é a última pessoa que se casaria com uma mulher por dinheiro.

Peter parou, lançando um olhar duro para Tillie.

– E a senhorita chegou a essa conclusão nesses três dias em que nos conhecemos?

Ela apertou os lábios.

– Não foi necessário mais tempo.

Ele sentiu as palavras de Tillie como um golpe, e quase cambaleou com a força de sua confiança nele. Ela o encarava, o queixo determinado, os braços como varetas nas laterais do corpo, e Peter foi tomado por uma estranha necessidade de assustá-la, de repeli-la, de lembrá-la de que os homens eram, acima de tudo, inescrupulosos e tolos, e que não deveria confiar com um coração tão aberto.

– Vim a Londres com o único propósito de encontrar uma noiva – disse-lhe Peter, a palavras deliberadas e rascantes.

– Não há nada de incomum nisso – replicou ela com desdém. – Estou aqui para encontrar um marido.

– Mal tenho um centavo em meu nome – declarou ele.

Os olhos dela se arregalaram.

– Sou um caça-dotes – disse ele com aspereza.

Ela balançou a cabeça.

– Não é.

– A senhorita não pode somar dois mais dois e esperar que o resultado seja três.

– E o senhor não pode usar enigmas tão ridículos e esperar que eu entenda uma palavra do que diz – respondeu ela.

– Tillie – disse ele com um suspiro, odiando que ela quase o tivesse feito rir. Aquilo tornava extremamente mais difícil afugentá-la.

– O senhor pode precisar de dinheiro – continuou ela –, mas não significa que seduziria alguém para obtê-lo.

– Tillie...

– O senhor não é um caça-dotes – disse ela, com muita veemência. – E direi isso a qualquer pessoa que ouse insinuar o contrário.

Então, ele precisava dizer. Precisava ser claro, fazê-la compreender a verdade da situação.

– Se a senhorita busca reparar minha reputação – disse ele lentamente e um pouco cansado –, então precisará deixar a minha companhia.

Ela abriu os lábios em choque.

Ele deu de ombros, tentando fazer pouco caso.

– Se quer saber, passei as últimas três semanas tentando de modo bastante desesperado evitar ser chamado de caça-dotes – disse ele, não sendo capaz de acreditar que estava contando a ela tudo aquilo. – E tive muito sucesso até o *Whistledown* desta manhã.

– Tudo passa – sussurrou ela, mas faltava-lhe convicção na voz, como se também estivesse tentando convencer a si mesma.

– Não se eu for visto cortejando a senhorita.

– Mas isso é horrível.

Em suma, pensou ele. Mas não fazia sentido dizer aquilo.

– E o senhor não está me cortejando. Está cumprindo uma promessa a Harry. – Ela fez uma pausa. – Não está?

– Isso importa?

– Para mim, importa – murmurou ela.

– Agora que lady Whistledown me rotulou – disse ele, tentando não se perguntar *por que* importava para ela –, não poderei sequer ficar ao seu lado sem que especulem se estou atrás da sua fortuna.

– Está ao meu lado agora – destacou ela.

E era uma maldita tortura. Ele suspirou.

– Eu deveria levar a senhorita até seus pais.

Ela assentiu.

– Sinto muito.

– *Não* peça desculpas – pediu ele.

Ele estava com raiva de si mesmo, e de lady Whistledown, e de toda a maldita alta sociedade. Mas não de Tillie. Nunca dela. E a última coisa que queria era que ela sentisse pena dele.

– Estou arruinando sua reputação – disse ela, a voz se transformando num riso incontrolavelmente triste. – Isso chega a ser engraçado.

Ele a encarou de forma cínica.

– Nós, as jovens damas, é que devemos estar atentas a cada movimento – explicou ela. – Os senhores podem fazer o que quiserem.

– Não exatamente – disse ele, passando o olhar sobre o ombro dela, para evitar que se fixasse em partes mais atraentes.

– Seja qual for o caso – disse ela, acenando com aquele movimento jovial que usara com tanto êxito mais cedo naquela noite –, parece que sou o obstáculo no seu caminho. O senhor quer uma esposa, e, bem...

A voz perdeu a vivacidade e, quando ela sorriu, parecia estar faltando algo.

Ninguém mais perceberia, Peter se deu conta. Ninguém perceberia que havia algo errado no sorriso dela.

Mas ele percebeu. E aquilo partiu seu coração.

– Quem quer que o senhor escolha... – continuou ela, reforçando aquele sorriso com uma risadinha inexpressiva –, não a conquistará comigo por perto, é o que parece.

Mas não, ele se deu conta, por nenhuma das razões que ela imaginava. Se não encontraria uma esposa com Tillie Howard por perto, seria porque não conseguia tirar os olhos dela, sequer conseguia começar a pensar em outra mulher quando podia sentir sua presença.

– Preciso ir – disse ela, e ele sabia que ela estava certa, mas ele não conseguia se despedir.

Evitara a companhia dela exatamente por esse motivo.

E agora que precisava fazê-la partir de uma vez por todas, era ainda mais difícil do que ele imaginara.

– O senhor está quebrando sua promessa – lembrou-lhe Tillie.

Ele balançou a cabeça, ainda que ela nunca fosse compreender que estava, sim, mantendo *firmemente* a promessa. Prometera a Harry que a protegeria.

De *todos* os homens inadequados.

Ela engoliu em seco.

– Meus pais estão ali – falou, indicando à sua esquerda, logo atrás.

Ele assentiu e pegou o braço de Tillie, virando-a para que pudessem se dirigir até o conde e a condessa.

Nesse momento, viram-se frente a frente com lady Neeley.

CAPÍTULO 4

Quem pode imaginar quais eventos transcorrerão no Grande Baile dos Hargreaves de hoje à noite? Esta autora ouviu de fontes fidedignas que lady Neeley planeja estar presente, assim como todos os principais suspeitos, com a possível exceção da Srta. Martin, cujo comparecimento ficará a critério da própria lady Neeley.

Mas o Sr. Thompson respondeu afirmativamente ao convite, assim como o Sr. Brooks, a Sra. Featherington e o lorde Easterly.

Esta autora acha que deve apenas dizer: "Que comece o jogo!"

CRÔNICAS DA SOCIEDADE DE LADY WHISTLEDOWN,
31 de maio de 1816

— Sr. Thompson! — exclamou lady Neeley, com a voz estridente. — Justamente quem eu estava procurando!

— É mesmo? — perguntou Tillie, surpresa, antes que pudesse se lembrar de que, na verdade, estava irritada com lady Neeley e bastante decidida a ser educadamente fria quando se encontrassem de novo.

— Sim — disse a mulher mais velha, enfaticamente. — Estou furiosa com aquela coluna da Whistledown desta manhã. Aquela mulher infernal nunca acerta mais do que a metade das coisas.

— A qual metade a senhora se refere? — perguntou Peter com frieza.

— A parte sobre o senhor ser um ladrão, é claro — disse lady Neeley. — Todos sabemos que está atrás de um dote. — Ela lançou um olhar bastante óbvio para Tillie. — Mas o senhor não é um ladrão.

— Lady Neeley! — exclamou Tillie, incapaz de acreditar que até mesmo ela pudesse ser tão rude.

— E como a senhora chegou a essa conclusão? — perguntou Peter.

— Conheço seu pai — disse Lady Neeley —, e isso basta.

— Os pecados do pai ao contrário? — indagou ele secamente.

— Exato — respondeu lady Neeley, sem perceber o tom de Peter. — Além disso, suspeito de Easterly. Ele é moreno demais.

— Moreno? — repetiu Tillie, tentando entender como aquilo se relacionava ao roubo da pulseira de rubis.

— E — acrescentou lady Neeley, de modo bastante formal — ele trapaceia nas cartas.

– Lorde Easterly pareceu-me um bom sujeito – comentou Tillie, sentindo-se na obrigação de fazê-lo.

Ela não tinha permissão para jogar, é claro, mas já fazia parte da sociedade por tempo suficiente para saber que uma acusação de trapaça no jogo era verdadeiramente séria. Mais séria, alguns diriam, do que uma acusação de roubo.

Lady Neeley virou-se para ela com ar condescendente.

– Minha querida, você é jovem demais para saber a história.

Tillie contraiu os lábios e teve que se esforçar para não responder.

– A senhora deve ter provas concretas antes de acusar um homem de roubo – disse Peter, a coluna ereta.

– Ah. Terei toda prova de que preciso quando encontrarem as joias nos aposentos dele.

– Lady Neeley, a senhora mandou revistarem a sala? – interrompeu Tillie, ansiosa para atenuar a conversa.

– A sala dele?

– Não, a sua. A sala de estar.

– É claro que mandei – retrucou lady Neeley. – Você pensa que sou tola?

Tillie preferiu não responder.

– Mandei revistarem duas vezes – afirmou a mulher mais velha. – Depois, eu mesma a revistei pela terceira vez, apenas para ter certeza. A pulseira não está lá. Posso afirmar.

– Estou certa de que a senhora tem razão – disse Tillie, ainda tentando deixar a conversa mais leve. Tinham atraído um grupo de pessoas, e não menos do que uma dezena de espectadores se esticavam, ansiosos por ouvir a conversa entre lady Neeley e um de seus principais suspeitos. – Mas, seja como for...

– É melhor tomar cuidado com o que diz – interrompeu Peter abruptamente, e Tillie arfou, atordoada com o tom que ele usou.

Mas logo depois se deu conta de que não fora dirigido a ela, e ficou aliviada.

– Como disse? – perguntou lady Neeley, colocando os ombros para trás diante da afronta.

– Não conheço muito bem o lorde Easterly, portanto não posso responder pelo caráter dele – disse Peter –, mas sei que a senhora não tem provas para acusá-lo. Está navegando por águas perigosas, minha senhora, e seria bom não denegrir o nome de um cavalheiro. Ou poderá descobrir – acrescentou ele enfaticamente, quando lady Neeley abriu a boca para argumentar – que seu próprio nome também será jogado na lama.

Lady Neeley ficou ofegante e Tillie, boquiaberta, e depois um estranho silêncio aplacou o pequeno grupo.

– Isto com certeza estará no *Whistledown* de amanhã! – disse alguém finalmente.

– Sr. Thompson, o senhor se esquece de quem é – falou lady Neeley.

– Não – disse Peter, com raiva. – Esta é a única coisa da qual nunca me esqueço.

Houve um momento de silêncio e em seguida, quando Tillie estava certa de que lady Neeley iria destilar mais veneno, ela gargalhou.

Gargalhou. Bem ali no salão de baile, deixando todos os observadores boquiabertos.

– O senhor é corajoso – disse ela. – Isso não posso negar.

Ele assentiu de forma sutil, o que Tillie considerou bastante admirável, dadas as circunstâncias.

– Mas, veja bem, não mudo minha opinião em relação ao lorde Easterly – disse ela. – Mesmo que não tenha roubado a pulseira, comportou-se de maneira terrível com a querida Sophia. Bem, agora – acrescentou, mudando de assunto com uma rapidez desconcertante –, onde está minha dama de companhia?

– Ela está aqui? – perguntou Tillie.

– É claro que está – respondeu lady Neeley imediatamente. – Se ela tivesse ficado em casa, todos pensariam que é uma ladra. – Ela virou-se e lançou um olhar astuto para Peter. – Precisamente como o senhor, imagino.

Ele não disse nada, mas inclinou a cabeça muito levemente.

Lady Neeley sorriu, os lábios esticando-se de forma bastante assustadora, depois se virou e gritou:

– Srta. Martin! Srta. Martin!

E ela se foi, com espirais de seda rosa agitando-se às suas costas, e tudo em que Tillie conseguia pensar era que a pobre Srta. Martin com certeza merecia uma medalha.

– O senhor foi magnífico! – disse Tillie a Peter. – Nunca soube de ninguém que a tenha enfrentado dessa maneira.

– Não foi nada – retrucou ele em voz baixa.

– Foi, sim – contrapôs ela. – Não foi nada...

– Tillie, pare – disse ele, claramente desconfortável com a insistente atenção dos outros convidados.

– Tudo bem – aceitou ela –, mas acabei não tomando minha limonada. O senhor faria a gentileza de me acompanhar?

Não podia recusar um claro pedido daquele diante de tantos curiosos, e Tillie tentou não sorrir de alegria quando ele pegou seu braço e conduziu-a até a mesa de refrescos. Ele estava quase insuportavelmente belo naqueles trajes. Ela não sabia quando ou por que Peter decidira abdicar do uniforme militar, mas, ainda assim, exibia uma aparência distinta, e estar de braço dado com ele era inebriante.

– Não me importa o que diga – sussurrou ela. – O senhor foi maravilhoso, e lorde Easterly tem uma grande dívida de gratidão para com o senhor.

– Qualquer um teria...

– Não, não teria, e o senhor sabe disso – interrompeu Tillie. – Pare de sentir tanta vergonha de sua honradez. Eu o acho bastante encantador, na verdade.

Ele ficou ruborizado, e parecia querer puxar a gravata. Tillie teria dado uma gargalhada se não tivesse certeza de que aquilo apenas aumentaria o desconforto dele.

E Tillie percebeu – já imaginava isso dois dias antes, mas agora tinha certeza – que o amava. Era uma sensação incrível, maravilhosa, e se tornara, de modo impressionante, parte dela. O que quer que tivesse sido antes, ela agora era outra coisa. Não existia para ele, não existia por causa dele, mas de alguma maneira Peter havia se tornado uma pequena parte de sua alma, e ela sabia que jamais seria a mesma pessoa.

– Vamos lá para fora – disse ela em um impulso, puxando-o na direção da porta.

Ele resistiu, mantendo o braço imóvel contra a pressão da mão dela.

– Tillie, você sabe que é uma má ideia.

– Para a sua reputação ou para a minha? – provocou ela.

– Para ambas – respondeu ele enfaticamente –, se bem que eu devo lembrá-la de que a minha se recuperaria.

E a dela também, pensou Tillie de maneira leviana, desde que ele se casasse com ela. Não que quisesse capturá-lo para o matrimônio, mas, ainda assim, era impossível não pensar naquilo, não fantasiar bem ali no meio do baile sobre estar ao lado dele diante do altar, todos os amigos presentes, escutando-a pronunciar seus votos.

– Ninguém verá – disse ela, puxando o braço dele o máximo que conseguiu sem chamar atenção. – Além disso, olhe, a festa foi para o jardim. Não estaremos sozinhos.

Peter acompanhou o olhar dela na direção das portas francesas. Sem dúvida, havia vários casais andando pelo jardim, o bastante para que a reputação de nenhum deles fosse maculada.

– Muito bem – disse ele –, se insiste...

Ela sorriu de forma triunfante.

– Ah, eu insisto.

O ar noturno estava frio, mas era bem-vindo depois de um salão de baile abafado. Peter tentou mantê-los à vista de todos, mas Tillie o puxava na direção das sombras, e, embora devesse ter resistido bravamente e ficado onde estavam, percebeu que não conseguia.

Ela o conduzia e ele a seguia, e sabia que era errado, mas não havia nada que pudesse fazer em relação àquilo.

– O senhor realmente acha que alguém roubou a pulseira? – perguntou Tillie quando já estavam recostados na balaustrada, olhando para o jardim iluminado por tochas.

– Não quero falar sobre a pulseira.

– Muito bem – disse ela. – Não quero falar sobre Harry.

Ele sorriu. Havia algo no seu tom de voz que Peter achou engraçado, e ela também deve ter percebido, pois estava rindo.

– Nos resta alguma coisa sobre o que conversar? – perguntou ela.

– O tempo?

Ela o repreendeu ligeiramente com o olhar.

– Eu *sei* que não quer discutir religião ou política.

– Exatamente – disse ela de forma audaciosa. – Não agora, de todo modo.

– Muito bem, então – disse ele. – É sua vez de sugerir um tema.

– Tudo bem – concordou ela. – Aceito. Fale-me sobre sua esposa.

Peter engasgou com o que parecia ser a maior partícula de poeira do mundo.

– Minha esposa? – repetiu ele.

– A que alega estar procurando – explicou ela. – Pode me dizer exatamente o que procura, já que, pelo visto, precisarei ajudá-lo na busca.

– Precisará?

– Sem dúvida. O senhor disse que vivo fazendo com que pareça um caça-dotes, e acabamos de passar os últimos trinta minutos na companhia um do outro, muitos dos quais de cara para os piores fofoqueiros de Londres. Segundo seus argumentos, o atrasei em um mês inteiro. – Ela deu de ombros, mas o gesto foi disfarçado pela manta azul-clara que colocara sobre eles. – É o mínimo que posso fazer.

Ele olhou para ela por um longo tempo, depois perdeu a batalha interior e cedeu.

– Muito bem. O que quer saber?

Ela sorriu de alegria pela vitória.

– Ela é inteligente?

– Claro.

– Muito boa resposta, Sr. Thompson.

Ele assentiu de forma sutil, desejando ser forte o bastante para não desfrutar daquele momento. Mas já não tinha mais esperanças; não conseguia resistir a ela.

Enquanto refletia sobre as perguntas, dava batidinhas na bochecha com o dedo indicador.

– Ela é compassiva? – perguntou Tillie.
– Espero que sim.
– Gentil com os animais e as criancinhas?
– Gentil *comigo* – disse ele, sorrindo de forma indolente. – Isso não é tudo que importa?

Ela fez uma expressão irritada, e ele riu, recostando-se um pouco mais na balaustrada. Uma letargia estranha e sensual tomava conta dele, e estava ficando perdido. Podiam estar em um grande baile de Londres, mas naquele momento nada existia além de Tillie e suas palavras provocadoras.

– Talvez descubra – disse Tillie, olhando para ele com desdém, de maneira a mostrar superioridade – que, se ela for inteligente... e acredito ter afirmado que isto é um requisito, certo?

Ele assentiu, concordando graciosamente com ela.

– ... que a bondade dela dependa da sua. O que quereis que vos façam... essas coisas.

– A senhorita pode ter certeza – murmurou ele – de que serei muito gentil com minha esposa.

– Será? – sussurrou ela.

E Peter percebeu que ela estava bem perto dele. Não sabia como acontecera, se fora ele ou ela, mas a distância entre os dois se reduzira à metade.

Ela estava perto, perto demais. Ele podia ver cada sarda de seu nariz, captar cada brilho das tochas cintilantes em seus cabelos. Os cachos flamejantes tinham se transformado em um elegante coque, mas alguns fios haviam se libertado e agora se enroscavam em torno de seu rosto.

O cabelo dela era cacheado, ele percebeu. Não sabia. Parecia inconcebível não saber algo tão básico, mas jamais a vira daquela maneira. O cabelo estava sempre puxado perfeitamente para trás, cada fio em seu lugar.

Até agora. E Peter não conseguiu se controlar e fantasiar que, de alguma maneira, aquilo era para ele.

– Como ela é?

– Quem? – perguntou ele distraidamente, imaginando o que aconteceria se puxasse um daqueles fios encaracolados que pareciam macios e flexíveis.

– Sua esposa – respondeu ela, o tom divertido fazendo sua voz soar como música.

– Não tenho certeza – disse ele. – Ainda não a conheci.
– Não?
Ele balançou a cabeça. Estava quase sem palavras.
– Mas o que o senhor deseja? – A voz dela era suave agora, e ela tocou a manga de seu casaco com o dedo indicador, passando-o pelo tecido da altura do cotovelo até o pulso. – Certamente o senhor carrega alguma imagem na cabeça.
– Tillie – disse ele com a voz rouca, olhando ao redor para conferir se alguém tinha visto.
Sentira seu toque através do tecido do casaco. Já não havia ninguém no terraço, mas aquilo não significava que permaneceriam sem interrupção.
– Cabelo escuro? – murmurou ela. – Claro?
– Tillie...
– Ruivo?
Então ele não aguentou mais. Era um herói de guerra, combatera e matara inúmeros soldados franceses, arriscara a vida mais de uma vez para retirar um compatriota ferido da linha de fogo, mas ainda assim não era à prova daquela garota magra, de voz melodiosa e palavras provocativas. Fora levado ao limite e não encontrara baluartes ou muralhas, nenhuma última trincheira de defesa contra o próprio desejo.
Ele puxou-a para si e depois em um círculo em torno dele, movimentando-os até que estivessem ocultos por uma pilastra.
– Não deveria me pressionar, Tillie.
– Não consigo evitar – disse ela.
Nem ele. Seus lábios encontraram os dela, e ele beijou-a.
Ele a beijou embora nunca fosse ser o bastante. Beijou-a ainda que nunca mais fosse tê-la.
E beijou-a para corrompê-la para todos os outros homens, para deixar sua marca de modo que, quando o pai finalmente a casasse com outro, ela teria a memória daquele momento, que a assombraria até o dia da sua morte.
Era cruel e egoísta, mas ele não conseguiu se conter. Em algum lugar, lá no fundo, ele sabia que Tillie era *dele*, e era como uma faca em seu estômago saber que aquela consciência primitiva não valia nada no mundo da alta sociedade.
Ela suspirou contra a boca dele, um ruído suave que o penetrou como fogo.
– Tillie, Tillie – murmurou ele, levando as mãos até a cintura dela.
Ele a abraçou, depois o puxou, com força, marcando-a por cima das roupas.

– Peter! – disse ela, ofegante, mas ele a silenciou com outro beijo.

Ela se contorceu em seus braços, o corpo reagindo à sua investida. A cada movimento, o corpo dela se esfregava no dele, e o desejo de Peter ia ficando mais forte, mais quente, mais intenso, até que ele teve certeza de que explodiria.

Ele deveria parar. Tinha de parar. Mas não conseguia.

Em algum lugar dentro dele, sabia que aquela poderia ser sua única chance, o único beijo que daria em seus lábios. E não estava pronto para interrompê-lo. Não ainda, não até que tivesse tido mais. Não até que ela conhecesse mais de seu toque.

– Eu quero você – murmurou ele, a voz rouca de desejo. – Nunca duvide disso, Tillie. Quero você como anseio pela água, como anseio pelo ar. Quero você mais do que tudo, e...

Sua voz falhou. Não restavam palavras. Tudo que conseguia fazer era olhar bem fundo nos olhos dela e estremecer ao perceber o eco do próprio desejo. A respiração dela estava ofegante, entrecortada, então, com um dedo, ela tocou os lábios dele e sussurrou:

– O que você fez?

Ele sentiu sua testa franzir inquisitivamente.

– Comigo – esclareceu ela. – O que você fez comigo?

Ele não podia responder. Fazê-lo seria dar voz a todos os seus sonhos frustrados.

– Tillie – ele conseguiu dizer, mas foi tudo.

– Não me diga que isto não deveria ter acontecido – sussurrou ela.

Peter não disse. Não diria. Sabia que era verdade, mas não conseguia se forçar a se arrepender do beijo. Poderia fazê-lo mais tarde, quando estivesse deitado na cama, ardendo por um desejo não satisfeito, mas não agora, não quando ela estava ali, o perfume dela ao vento, o calor atraindo-o para mais perto.

– Tillie – disse ele novamente, já que parecia ser a única palavra que seus lábios conseguiam formar.

Ela abriu a boca para falar, mas então os dois ouviram o som de alguém se aproximando, e perceberam que não estavam mais sozinhos no terraço. Os instintos protetores de Peter o dominaram, e ele puxou-a para trás da pilastra, colocando um dedo nos lábios para indicar a ela que fizesse silêncio.

Era o lorde Easterly, ele percebeu, discutindo em voz baixa com a esposa, a quem, se Peter tinha ouvido a história corretamente, ele abandonara sob circunstâncias misteriosas cerca de doze anos antes. Estavam bastante envolvidos no próprio drama, e Peter estava esperançoso de que não perceberiam que tinham companhia. Ele deu um passo para trás, tentando se esconder ainda mais nas sombras, mas então...

– Ai!

O pé de Tillie. Droga.

O visconde e a viscondessa viraram-se abruptamente, os olhos se arregalando quando perceberam que não estavam sozinhos.

– Boa noite – disse Peter, entusiasmado, já que parecia não ter outra escolha além de encarar corajosamente a situação.

– Hum, que clima agradável – disse Easterly.

– Realmente – respondeu Peter, ao mesmo tempo que Tillie exclamava "Ah, sim!".

– Lady Mathilda – disse a esposa de lorde Easterly.

Ela era uma mulher alta, loura, sempre elegante, mas naquela noite parecia nervosa.

– Lady Easterly – respondeu Tillie. – Como está a senhora?

– Muito bem, obrigada. E a senhorita?

– Estou bem, obrigada. Estava apenas, hum, com um pouco de calor. – Tillie fez um gesto com a mão como para indicar o clima agradável. – Achei que um pouco de ar fresco poderia me revigorar.

– Verdade – disse lady Easterly. – Sentimos exatamente a mesma coisa.

O marido grunhiu, concordando.

– Ah, Easterly – disse Peter, poupando as duas damas de sua desconfortável conversa fútil –, eu deveria alertá-lo sobre uma coisa.

Easterly inclinou a cabeça, sem entender.

– Lady Neeley tem acusado o senhor publicamente do roubo.

– O quê? – perguntou lady Easterly.

– Publicamente? – indagou lorde Easterly, impedindo que a esposa dissesse qualquer outra coisa.

Peter deu um breve aceno de cabeça.

– Em termos bem específicos, receio.

– O Sr. Thompson o defendeu – acrescentou Tillie, os olhos brilhando. – Ele foi magnífico.

– Tillie – murmurou Peter, tentando fazê-la ficar quieta.

– Obrigado por sua defesa – disse lorde Easterly, depois de assentir polidamente para Tillie. – Eu sabia que ela suspeitava de mim. Deixou isso bem claro. Mas ainda não tinha ido tão longe a ponto de me acusar publicamente.

– Agora acusou – disse Peter em um tom sombrio.

Ao lado dele, Tillie assentiu.

– Sinto muito – disse Tillie. Ela virou-se para lady Easterly e acrescentou: – Ela é mesmo terrível.

Lady Easterly assentiu em resposta.

– Eu jamais teria aceitado o convite dela se não tivesse ouvido tanto a respeito de seu cozinheiro.

Mas o marido dela estava claramente desinteressado no renome do cozinheiro.

– Obrigado pelo aviso – disse ele a Peter.

Peter retribuiu o agradecimento com um único aceno de cabeça, depois disse:

– Preciso levar lady Mathilda de volta à festa.

– Talvez minha esposa seja uma melhor acompanhante – observou lorde Easterly, e Peter percebeu que ele estava retribuindo o favor.

Nenhum membro da família Easterly algum dia mencionaria que tinha encontrado Peter e Tillie sozinhos e, além disso, a impecável reputação de lady Easterly era garantia de que Tillie não seria alvo de fofocas indecentes.

– O senhor está mais do que certo, milorde – disse Peter, pegando delicadamente o braço de Tillie e conduzindo-a na direção de lady Easterly. – Nos vemos amanhã – falou à jovem.

– Amanhã? – perguntou ela, e ele pôde ver nos olhos de Tillie que ela não estava sendo tímida.

– Sim – respondeu ele, e, para sua grande surpresa, percebeu que estava falando sério.

CAPÍTULO 5

Como não há novos acontecimentos a relatar sobre o Mistério da Pulseira Desaparecida, esta autora terá de se contentar com seu tema mais comum, ou seja, as fraquezas cotidianas da alta sociedade, que prossegue em sua busca por riqueza, prestígio e a esposa perfeita.

O assunto principal desta autora é o Sr. Peter Thompson, que, como qualquer pessoa observadora terá reparado, há mais de uma semana corteja de forma muito assídua lady Mathilda Howard, a única filha do conde de Canby. O par permaneceu inseparável no Grande Baile dos Hargreaves, e sabe-se que, na semana seguinte, o Sr. Thompson visitou a residência dos Canbies e passou quase toda a manhã lá.

Tais atividades só podem chamar atenção. O Sr. Thompson é conhecido por ser um caça-dotes, embora, para seu próprio crédito, seja necessário destacar que, até lady Mathilda, suas aspirações monetárias tinham sido modestas e, pelos padrões da sociedade, indignas de reprovação.

A fortuna de lady Mathilda é, no entanto, um prêmio e tanto, e a sociedade já aceitou há muito tempo que ela não deveria se casar com nada menos do que um conde. Na verdade, esta autora ouviu de fontes fidedignas que o livro de apostas no White's prevê que ela se casará com o duque de Ashbourne, que, como todos sabem, é o último duque solteiro que resta na Inglaterra.

Pobre Sr. Thompson.

CRÔNICAS DA SOCIEDADE DE LADY WHISTLEDOWN,
10 de junho de 1816

Realmente, pobre Sr. Thompson.

Peter tinha passado a semana anterior alternando entre a tristeza e a euforia, o humor dependendo inteiramente de sua capacidade de esquecer que Tillie era uma das pessoas mais ricas na Inglaterra e ele, para ser bastante direto a respeito, não.

Sem dúvida os pais de Tillie sabiam de seu interesse nela. Ele visitara a residência dos Canbies quase todos os dias após o baile dos Hargreaves, e nenhum dos dois tentara dissuadi-lo, mas também sabiam da amizade dele com Harry. Os Canbies jamais rejeitariam um amigo do filho, e lady Canby, em particular, parecia desfrutar de sua presença. Ela gostava de conversar sobre Harry, de ouvir histórias sobre seus últimos dias, sobretudo quando Peter lhe contava como o amigo conseguia fazer qualquer um rir, mesmo estando cercados pelas piores degradações da guerra.

Na verdade, Peter tinha certeza de que lady Canby gostava tanto de ouvir a respeito de Harry que permitia que ele continuasse a cortejar Tillie, apesar de ser considerado um pretendente bastante inadequado para um casamento.

Mas chegaria o momento em que os Canbies se sentariam com Peter para uma pequena conversa, na qual lhe diriam com todas as letras que, embora ele fosse um sujeito admirável, íntegro e com certeza um bom amigo de Harry, casá-lo com sua filha era algo completamente diferente.

Mas aquele momento ainda não chegara, portanto Peter decidira aproveitar ao máximo a situação e desfrutar o tempo que lhe fosse concedido. Visando a esse objetivo, ele e Tillie combinaram de se encontrar naquela manhã no Hyde Park. Ambos eram ávidos cavaleiros, e como o dia apresentava o primeiro vislumbre de sol depois de uma semana, não conseguiram resistir a um passeio.

O sentimento parecia ter sido compartilhado pelo resto da alta sociedade. O parque estava lotado, com cavaleiros desacelerando para o mais lento dos trotes a fim de evitar confusão, e, enquanto Peter aguardava pacientemente por Tillie perto da Serpentine, observava distraído os grupos, imaginando se haveria outros tolos apaixonados em suas fileiras.

Talvez. Mas provavelmente nenhum tão apaixonado – ou tolo – quanto ele.

– Sr. Thompson! Sr. Thompson!

Ele sorriu ao ouvir o som da voz de Tillie. Ela sempre tomava cuidado para não se dirigir a ele pelo primeiro nome em público, mas quando estavam a sós, e especialmente quando ele lhe roubava um beijo, era sempre Peter.

Ele nunca tinha pensado a respeito do que os pais tinham escolhido para ele, mas desde que Tillie começara a sussurrá-lo no calor da paixão, passara a adorar o som do próprio nome, e decidira que Peter havia sido mesmo uma escolha esplêndida.

Ficou surpreso ao ver que Tillie estava a pé, avançando pelo caminho seguida de dois criados, um homem e uma mulher.

Peter desceu do cavalo imediatamente.

– Lady Mathilda – disse ele, com um aceno formal de cabeça.

Havia muitas pessoas por perto, e era difícil saber quem poderia ouvi-los. Pelo que sabia, até a maldita lady Whistledown poderia estar espreitando atrás de uma árvore.

Tillie fez uma careta.

– Minha égua está mancando de uma perna – explicou ela. – Não quis trazê-la. O senhor se incomoda se caminharmos? Trouxe meu cavalariço para cuidar do seu cavalo.

Peter entregou as rédeas enquanto Tillie lhe assegurava:

– John é muito bom com cavalos. Roscoe estará mais do que seguro com ele. E, além disso – acrescentou ela com um sussurro, depois que tinham se afastado alguns metros dos empregados –, ele e minha criada gostam bastante um do outro. Espero que possam se distrair facilmente.

Peter virou-se para ela com um sorriso divertido.

– Mathilda Howard, você planejou isso?

Ela se retraiu, como se tivesse sido afrontada, mas seus lábios se contorciam.

– Eu nem sonharia em mentir sobre o machucado da minha égua.

Ele riu.

– Ela realmente estava mancando de uma perna – disse Tillie.

– Tudo bem – disse ele.

– Ela estava! – repetiu Tillie. – Verdade. Só decidi tirar vantagem da situação. Você não iria querer que eu cancelasse nosso passeio, iria?

Ela olhou para trás, para a criada e o cavalariço, que estavam lado a lado perto de um pequeno aglomerado de árvores, conversando alegremente.

– Acho que não vão reparar se desaparecermos – disse Tillie –, é só não irmos para longe.

Peter arqueou a sobrancelha.

– Desaparecido é desaparecido. Se estivermos fora de vista, importa mesmo se nos aventurarmos para longe?

– É claro que importa – respondeu Tillie. – Essa é a questão. Não quero criar problema para eles, afinal estão sendo muito atenciosos ao fazer vista grossa.

– Muito bem – disse Peter, decidindo que não fazia sentido acompanhar a lógica dela. – Aquela árvore serve?

Ele apontou para um grande olmo, no meio do caminho entre a Rotten Row e a Serpentine Drive.

– Bem entre as duas vias principais? – perguntou ela, franzindo o nariz. – É uma ideia terrível. Vamos para lá, no outro lado da Serpentine.

Então caminharam apenas um pouco para fora do alcance dos olhos dos criados de Tillie, mas, para alívio e decepção simultâneos de Peter, não para fora do alcance dos olhos de todas as outras pessoas.

Andaram em silêncio por vários minutos, depois Tillie disse em tom bastante casual:

– Ouvi um boato sobre você hoje de manhã.

– Não algo que tenha lido no *Whistledown*, espero.

– Não – disse ela, pensativa. – Foi mencionado nesta manhã. Por um dos meus pretendentes. – Então, quando ele não mordeu a isca, ela acrescentou: – Quando você não apareceu para me visitar.

– Não posso visitá-la todo dia – disse ele. – Iriam reparar. Além do mais, já tínhamos combinado de nos encontrarmos esta tarde.

– Já repararam nas suas visitas. Acho difícil que pudesse chamar ainda mais atenção.

Ele pegou-se sorrindo – um sorriso lento, preguiçoso, que o aquecia de dentro para fora.

– Por quê, Tillie Howard? Está com ciúmes?

– Não – respondeu ela –, mas você não está?

– Eu deveria?

– Não – admitiu ela. – Mas já que estamos falando sobre o assunto, por que *eu* deveria estar com ciúmes?

– Garanto a você que não tenho a menor ideia. Passei a manhã na Tattersall's, olhando cavalos que não tenho dinheiro para comprar.

– Isso parece frustrante – comentou ela. – E você não quer saber qual foi o boato que ouvi?

– Quase tanto quanto suspeito que você deseja me contar – disse ele com a voz arrastada.

Ela fez uma careta, então disse:

– Não sou de fofocar... muito, mas ouvi dizer que você levou uma vida meio desregrada quando voltou para a Inglaterra no ano passado.

– E quem lhe contou isso?

– Ah, ninguém específico – respondeu ela. – Mas isso levanta a pergunta...

– Isso levanta muitas perguntas – murmurou ele.

– Como nunca ouvi falar sobre tal boemia? – continuou ela, ignorando os resmungos dele.

– Provavelmente porque não é apropriado para seus ouvidos – disse ele em um tom muito formal.

– Isso fica mais interessante a cada segundo.

– Não, fica *menos* interessante a cada segundo – declarou ele, tentando encerrar a conversa. – E foi por isso que mudei meu comportamento.

– Você faz com que isso soe um tanto excitante – disse ela com um sorriso.

– Não era.

– O que aconteceu? – perguntou Tillie, provando de uma vez por todas que qualquer tentativa que ele fizesse de fugir do assunto não renderia frutos.

Ele parou de caminhar, incapaz de pensar com clareza e se mover ao mesmo tempo. Seria de imaginar que ele teria dominado esta arte na batalha, mas não, não parecia haver provas disso. Não ali no Hyde Park, de todo modo.

E não com Tillie.

Era engraçado – conseguira não se lembrar de Harry durante boa parte da semana anterior. Houvera as conversas com lady Canby, é claro, e a pontada inegável que sentia sempre que via um soldado de uniforme, quando reconhecia a profunda sombra em seus olhos.

A mesma sombra que vira tantas vezes no espelho.

Mas quando estava com Tillie – era estranho, pois ela era irmã de Harry, e de tantas maneiras tão parecida com ele –, Harry desaparecia. Não que fosse esquecido, exatamente, apenas não estava *ali*, pairando sobre ele como um espectro de culpa, lembrando-o de que ele estava vivo e Harry não, e que seria assim pelo resto da vida.

Mas antes de conhecer Tillie...

– Quando voltei para a Inglaterra – disse ele, a voz suave e lenta – não foi muito depois da morte de Harry. Não foi muito depois da morte de tantos homens – acrescentou causticamente –, mas a de Harry era a que eu sentia de modo mais profundo.

Tillie assentiu, e ele tentou não reparar que os olhos dela estavam brilhando.

– Não tenho muita certeza do que aconteceu – continuou ele. – Não acho que tenha planejado, mas parecia tanta sorte eu estar vivo e ele não, que certa noite saí com alguns amigos e de repente senti como se precisasse viver por nós dois.

Ele ficara perdido por um mês. Talvez um pouco mais. Não lembrava bem; ficava bêbado com mais frequência do que sóbrio. Apostara dinheiro que não tinha, e foi somente por pura sorte que não se condenara à pobreza. E houve mulheres. Não tantas quanto possível, porém mais do que deveria, e agora, olhando para Tillie, para a mulher que tinha certeza de que adoraria até o fim de seus dias, sentia-se indelicado e impuro, como se tivesse desrespeitado algo precioso e divino.

– Por que você parou? – perguntou Tillie.

– Não sei – disse ele, dando de ombros.

E não sabia mesmo. Ele estava em um antro de jogatina certa noite quando, em um momento de rara sobriedade, percebera que todo aquele "viver" não o estava deixando feliz. Não estava vivendo por Harry. Sequer estava vivendo por si mesmo. Estava simplesmente evitando o futuro, repelindo qualquer motivo para tomar uma decisão e seguir adiante.

Naquela noite, partira sem olhar para trás. E percebeu que deveria ter sido ainda mais mais discreto em sua resolução, pois até agora ninguém tinha tocado no assunto. Nem mesmo lady Whistledown.

– Eu me senti da mesma maneira – disse Tillie com delicadeza, e seus olhos carregavam uma suavidade estranha, distante, como se estivesse em algum outro lugar, em algum outro *tempo*.

– Como assim?

Ela deu de ombros.

– Bem, não saí por aí bebendo e jogando, é claro, mas depois que fomos notificados da... – Ela parou, limpou a garganta e desviou o olhar antes de continuar. – Alguém veio à nossa casa, você sabia disso?

Peter assentiu, embora não tivesse tido acesso àquela informação. Mas Harry era o filho de uma das casas mais nobres da Inglaterra. Fazia sentido que o exército destacasse um mensageiro para informar a família sobre seu falecimento.

– Era quase como se eu fingisse que ele estava comigo – disse Tillie. – Era como se estivesse, na verdade. Tudo que eu via, tudo que fazia, eu pensava... *O que Harry acharia? Ou... Ah, sim, Harry teria gostado deste pudim. Teria comido dois pedaços e não deixaria nada para mim.*

– E você comia mais ou menos?

Ela piscou.

– Como disse?

– Do pudim – explicou Peter. – Quando você se dava conta de que Peter teria comido sua parte, você comia seu pedaço ou o deixava de lado?

– Ah. – Ela parou e pensou a respeito. – Não comia, eu acho. Não parecia certo desfrutar tanto.

Repentinamente, ele pegou a mão dela.

– Vamos caminhar mais um pouco – falou, a voz estranhamente insistente.

Tillie sorriu diante da urgência de Peter e acelerou o passo para acompanhar seu ritmo. Ele caminhava a passos largos, e ela se viu quase saltitando.

– Para onde estamos indo?

– Para qualquer lugar.

– Qualquer lugar? – perguntou ela, perplexa. – No Hyde Park.

– Qualquer lugar que não aqui – esclareceu ele. – Com oitocentas pessoas ao nosso redor.

– Oitocentas? – Ela não conseguiu conter um sorriso. – Só vejo quatro.

– Quatrocentas?

– Não, só quatro.

Ele parou, encarando-a com uma expressão vagamente paternal.

– Ah, tudo bem – reconheceu ela –, talvez oito, se você quiser contar o cachorro de lady Bridgerton.

– Quer apostar uma corrida?

– Com você? – perguntou ela, os olhos se arregalando de surpresa.

Ele estava se comportando de modo muito estranho. Mas não era preocupante, apenas divertido, na verdade.

– Darei uma vantagem a você.

– Para compensar minhas pernas mais curtas?

– Não, por sua constituição frágil – disse ele, provocando.

E funcionou.

– Agora *isso* é uma mentira.

– Você acha?

– Eu *sei* que é.

Ele recostou-se numa árvore, cruzando os braços de maneira irritantemente condescendente.

– Precisará provar para mim.

– Na frente de todos os oitocentos espectadores?

Ele arqueou a sobrancelha.

– Vejo apenas quatro. Cinco com o cachorro.

– Para um homem que não gosta de chamar atenção, você agora está passando dos limites.

– Besteira. Todos estão mais do que entretidos com seus assuntos. E, além disso, estão todos aproveitando demais o sol para repararem.

Tillie olhou ao redor. Ele tinha razão. As outras pessoas no parque – e havia consideravelmente mais do que oito, mas nada perto das centenas sobre as quais ele havia lamentado – estavam rindo e contando piada e, de modo geral, comportando-se de maneira bem indecorosa. Era o sol, ela percebeu. Só podia ser. O tempo estivera nublado pelo que pareceram anos, mas hoje era um daqueles dias de perfeito céu azul, com o sol tão forte que as folhas das árvores pareciam desenhadas de forma mais nítida, e as flores, pintadas de cores mais vívidas. Se houvesse regras a serem seguidas – e Tillie tinha certeza de que havia, pois tinham sido incutidas nela desde o nascimento –, naquela tarde a alta sociedade parecia tê-las esquecido, pelo menos as que exigiam um comportamento sóbrio em um dia ensolarado.

– Tudo bem – disse ela, entusiasmada. – Aceito seu desafio. Para onde devemos correr?

Peter apontou para um alto arvoredo ao longe.

– Para aquela árvore ali.

– A mais próxima ou a mais distante?

– A do meio – disse ele, claramente para ser do contra.

– E quanto tempo de vantagem eu ganho?

– Cinco segundos.

– Cronometrados ou contados na sua cabeça?

– Por Deus, mulher, você é um pouco exigente.

– Cresci com dois irmãos – disse ela, olhando bem para ele. – Eu tinha que ser.

– Contados na minha cabeça – disse ele. – Não tenho um relógio comigo, de todo modo.

Ela abriu a boca, mas antes que pudesse dizer qualquer coisa, ele interferiu:

– *Devagar*. Contados *devagar* e na minha cabeça. Também tenho um irmão, você sabe.

– Eu sei, e ele alguma vez deixou você ganhar?
– Nem uma vez.
Ela estreitou os olhos.
– Você vai me deixar ganhar?
Ele sorriu, lentamente, como um gato.
– Talvez.
– Talvez?
– Depende.
– Do quê?
– Do prêmio que ganharei se eu perder.
– Não se deve receber um prêmio por vencer?
– Não quando é você quem entrega a corrida.
Ela arfou, sentindo-se insultada, depois retrucou:
– Você não precisará entregar nada, Peter Thompson. Vejo você na linha de chegada!
Então, antes que ele pudesse firmar os pés, ela partiu, correndo sobre a grama com uma desinibição que certamente a assombraria no dia seguinte, quando todas as amigas da mãe fossem visitá-la para sua dose diária de chá e fofocas.
Mas naquele instante, com o sol brilhando em seu rosto e o homem de seus sonhos ali em seu encalço, Tillie Howard não se importava.
Ela era rápida; sempre fora rápida, e gargalhava enquanto corria, uma das mãos balançando, a outra segurando a saia a alguns centímetros da grama. Podia ouvir Peter atrás dela, rindo enquanto os passos soavam cada vez mais perto. Ela ia vencer; tinha praticamente certeza. Venceria de forma justa, ou ele entregaria a corrida e usaria aquilo contra ela pela eternidade, mas ela não se importava muito.
Uma vitória era uma vitória e, naquele instante, Tillie sentia-se invencível.
– Pegue-me se puder! – provocou ela, olhando para trás para avaliar o progresso de Peter. – Você nunca... Humpf!
O ar escapou do corpo dela em uma velocidade atordoante e, antes que Tillie pudesse dizer qualquer coisa, estava estatelada na grama, enroscada no que era – graças a Deus! – outra mulher.
– Charlotte! – disse ela, ofegante, reconhecendo a amiga Charlotte Birling. – Sinto muito!
– O que você estava *fazendo*? – indagou Charlotte, ajeitando o chapéu, que tinha ficado completamente torto.
– Uma corrida, na verdade – murmurou Tillie. – Não conte à minha mãe.

– Não precisarei – respondeu Charlotte. – Se você acha que ela não vai ouvir falar *disso*...

– Eu sei, eu sei – disse Tillie, com um suspiro. – Espero que ela atribua isso à insanidade induzida pelo sol.

– Ou talvez cegueira induzida pelo sol? – falou uma voz masculina.

Tillie levantou o olhar e viu um homem alto, louro, que ela não conhecia. Ela olhou para Charlotte, que logo fez a apresentação.

– Lady Mathilda – disse Charlotte, levantando-se com a ajuda do estranho –, este é o conde Matson.

Tillie murmurou um cumprimento assim que Peter parou derrapando ao lado dela.

– Tillie, a senhorita está bem? – perguntou ele.

– Estou bem. Meu vestido pode estar destruído, mas o resto está ótimo. – Ela aceitou a mão dele e levantou-se. – O senhor conhece a Srta. Birling?

Peter fez que não com a cabeça e Tillie fez as apresentações. Mas quando se virou para apresentá-lo ao conde, ele assentiu e disse:

– Matson.

– Já se conhecem? – indagou Tillie.

– Do exército – informou Matson.

– Ah! – Os olhos de Tillie se arregalaram. – O senhor conhecia meu irmão? Harry Howard?

– Era um ótimo sujeito – disse Matson. – Todos gostávamos muito dele.

– Sim – disse Tillie –, todos gostavam de Harry. Ele era muito especial.

Matson assentiu.

– Sinto muito pela sua perda.

– Assim como todos nós. Agradeço os cumprimentos.

– Estavam no mesmo regimento? – perguntou Charlotte, olhando do conde para Peter.

– Sim, estávamos – respondeu Matson –, apesar de o Thompson aqui ter tido a sorte de permanecer durante a ação.

– O senhor não esteve em Waterloo? – perguntou Tillie.

– Não. Fui chamado para casa por questões familiares.

– Sinto muito – murmurou Tillie.

– Falando em Waterloo – disse Charlotte –, o senhor pretende ir à encenação da semana que vem? Lorde Matson estava aqui reclamando que perdeu a diversão.

– Eu não chamaria de diversão – murmurou Peter.

– Certo – disse Tillie animadamente, ansiosa para evitar um conversa desagradável. Sabia que Peter desprezava as glórias da guerra e que não conseguiria manter a educação com alguém que de fato lamentava ter perdido uma cena de tanta morte e destruição. – A encenação de Prinny! Eu tinha me esquecido completamente. Será em Vauxhall, não é mesmo?

– Daqui a uma semana – confirmou Charlotte. – No aniversário de Waterloo. Ouvi dizer que Prinny não cabe em si de tanta empolgação. Haverá fogos de artifício.

– Pois queremos que seja uma representação *precisa* da guerra – disse Peter, mordaz.

– Ou a ideia que Prinny tem de precisa, de todo modo – retrucou Matson, o tom de voz perceptivelmente frio.

– Talvez seja para imitar os disparos das armas – emendou Tillie. – O senhor irá, Sr. Thompson? Eu apreciaria sua companhia.

Ele fez uma pausa, e Tillie *soube* com toda a certeza que ele não queria ir. Mas, ainda assim, não conseguiu conter o egoísmo e insistiu:

– Por favor. Quero ver o que Harry viu.

– Harry não... – Ele parou e tossiu. – Você não verá o que Harry viu.

– Eu sei. Mesmo assim, é o mais próximo que posso chegar. Por favor, diga que me acompanhará.

Os lábios de Peter se contraíram, mas ele disse:

– Tudo bem.

Ela ficou radiante.

– Obrigada. É muito gentil de sua parte, especialmente tendo em vista que...

Ela se interrompeu. Não precisava dizer a Charlotte e ao conde que Peter não queria ir. Poderiam ter deduzido por conta própria, e Tillie não precisava colocar em palavras.

– Bem, precisamos ir – disse Charlotte –, hum, antes que alguém...

– Precisamos partir – disse o conde suavemente.

– Lamento muito pelo encontrão que demos – disse Tillie, estendendo o braço e apertando a mão de Charlotte.

– Não se preocupe – respondeu Charlotte, retribuindo o gesto. – Finja que sou a linha de chegada, e que então você venceu.

– Excelente ideia. Eu mesma deveria ter pensado nisso.

– Eu sabia que você encontraria um jeito de vencer – murmurou Peter depois que Charlotte e o conde tinham partido.

– Havia alguma dúvida? – provocou Tillie.

Peter balançou a cabeça devagar, sem desviar o olhar do rosto dela. Ele a observava com uma intensidade estranha, e ela de repente percebeu que seu coração estava batendo um pouco rápido demais, que a pele estava arrepiada e...

– O que foi? – perguntou ela, pois, se não falasse, tinha praticamente certeza de que se esqueceria de respirar.

Algo mudara no último minuto: algo mudara dentro de Peter, e ela tinha a sensação de que, o que quer que fosse, aquilo também mudaria sua vida.

– Preciso fazer uma pergunta – disse ele.

O coração dela disparou. *Ah, sim, sim, sim!* Só poderia ser uma coisa. A semana inteira indicava aquela direção, e Tillie sabia que seu amor por aquele homem não era unilateral. Ela assentiu, sabendo que seus sentimentos estavam evidentes.

– Eu... – Ele parou e limpou a garganta. – Deve saber que gosto muito de você.

Ela assentiu.

– Esperava que sim – murmurou ela.

– E posso acreditar que seus sentimentos são recíprocos? – disse ele como uma pergunta, o que ela achou comovente ao extremo.

Portanto, Tillie assentiu outra vez, em seguida abriu mão da cautela e acrescentou:

– Muito.

– Mas você também deve saber que um casamento entre nós não é algo que sua família, ou, na verdade, ninguém esperaria.

– Não – disse ela cautelosamente, sem saber aonde ele queria chegar. – Mas não consigo ver...

– Por favor – interrompeu ele –, permita-me terminar.

Ela ficou em silêncio, mas a sensação não era boa, e seu humor, que estava girando na direção das estrelas, sofreu uma queda brutal de volta à terra.

– Quero que você espere por mim – disse ele.

Ela piscou, em dúvida de como interpretar aquilo.

– Como assim?

– Quero me casar com você, Tillie – disse ele, a voz insuportavelmente solene. – Mas não posso. Não agora.

– Quando? – sussurrou ela, desejando ouvir duas semanas, ou dois meses, ou até dois anos.

Qualquer coisa, desde que ele determinasse uma data.

Mas tudo que ele disse foi:

– Não sei.

E tudo que ela conseguiu fazer foi olhar para ele. E perguntar-se por quê. E perguntar-se quando. E perguntar-se... e perguntar-se... e...

– Tillie?

Ela balançou a cabeça.

– Tillie, eu...

– Não faça isso, por favor.
– Não faça... o quê?
– Não sei.

A voz dela estava desolada, e magoada, e atingiu Peter como uma faca.

Peter podia ver que ela não compreendia o que ele estava pedindo. E a verdade era que ele tampouco estava plenamente seguro. Jamais pretendera que aquilo fosse algo além de uma caminhada no parque; era para ser apenas mais um entre uma série de compromissos que constituíam sua inútil corte a Tillie Howard. Casamento fora a última coisa em sua cabeça.

Mas então algo acontecera; Peter não sabia o quê. Estava olhando para ela, e ela sorriu, ou talvez não estivesse sorrindo, ou talvez tivesse apenas movido os lábios de um jeito sedutor, e então foi como se ele tivesse sido alvejado pelo Cupido, e de alguma maneira estava propondo a ela, as palavras saindo de algum canto ousado e pouco prático de sua alma. E não conseguiu se conter, mesmo sabendo que era errado.

Mas talvez não precisasse ser impossível. Talvez não totalmente. Havia uma maneira pela qual poderia fazer tudo acontecer. Se conseguisse ao menos fazê-la entender...

– Preciso de um tempo para me estabelecer – tentou explicar ele. – Tenho muito pouco neste momento, quase nada, na verdade, mas quando receber meu dinheiro do exército, terei uma pequena quantia para investir.

– Do que você está falando? – perguntou ela.

– Preciso que espere alguns anos. Dê-me algum tempo para que eu torne meus bens mais seguros antes de nos casarmos.

– Por que eu faria isso? – perguntou ela.

O coração dele batia forte no peito.

– Porque você gosta de mim.

Ela não disse nada; ele não respirou.

– Não gosta? – sussurrou ele.

– É claro que sim. Acabei de lhe dizer isso. – A cabeça dela balançava levemente, como se estivesse tentando sacudir os pensamentos, forçá-los a se unirem em algo que pudesse compreender. – Por que eu esperaria? Por que não podemos simplesmente nos casar *agora*?

Por um momento, Peter só conseguiu encará-la. Ela não sabia. Como poderia não saber? Durante todo aquele tempo, ele estivera em agonia e ela sequer *pensara* a respeito.

– Não posso sustentar você – disse ele. – Você deve saber disso.

– Não seja bobo – disse ela com um sorriso aliviado. – Há o meu dote e...

– Não viverei de seu dote – disse ele, interrompendo-a.

– Por que não?

– Porque tenho meu orgulho – respondeu ele duramente.

– Mas você veio a Londres para se casar por dinheiro – protestou ela. – Você me disse isso.

Ele cerrou o maxilar com determinação.

– Não me casarei *com você* por dinheiro.

– Mas você não estaria se casando comigo por dinheiro – disse ela com suavidade. – Estaria?

– É claro que não. Tillie, você sabe como eu gosto de você...

A voz dela ficou mais aguda.

– Então não me peça para esperar.

– Você merece mais do que posso oferecer.

– Deixe-me decidir isso – sibilou Tillie, e ele se deu conta de que ela estava com raiva.

Não estava incomodada, irritada, mas real e verdadeiramente furiosa.

No entanto, Tillie também era ingênua. Ingênua como somente alguém que nunca enfrentou dificuldades pode ser. Não conhecia nada além da completa admiração da alta sociedade. Era festejada e adorada, admirada e amada, e não conseguia sequer conceber um mundo no qual as pessoas sussurrassem às suas costas ou olhassem para ela com desdém.

E sem dúvida nunca lhe ocorrera que seus pais poderiam lhe negar qualquer coisa que quisesse.

Mas negariam aquilo; mais especificamente, negariam *Peter* a ela. Ele tinha certeza. De jeito nenhum permitiriam que ela se casasse com ele, não com seus bens atuais.

– Bem – disse ela afinal, o silêncio entre eles tendo se alongado por tempo demais –, se você não quer aceitar meu dote, então que seja assim. Não preciso de muito.

– Ah, não precisa? – perguntou Peter.

Ele não tinha a intenção de rir dela, mas as palavras saíram vagamente irônicas.

– Não – disparou ela em resposta –, não preciso. Prefiro ser pobre e feliz a ser rica e triste.

– Tillie, você nunca foi nada além de rica e feliz, então duvido que compreenda como ser pobre poderia...

– *Não* me trate com condescendência – avisou ela. – Você pode me negar e pode me rejeitar, mas não ouse ser condescendente comigo.

– Não pedirei que viva com a minha renda – disse ele, acentuando cada sílaba. – Duvido que minha promessa a Harry incluísse forçá-la a viver na pobreza.
Ela ofegou.
– É disso que se trata. *Harry?*
– Que diabo você está...
– A questão toda se resume a isso? Alguma promessa tola ao meu irmão em seu leito de morte?
– Tillie, não...
– Não, agora permita que eu termine. – Os olhos dela faiscavam, os ombros tremiam, e ela lhe teria parecido magnífica se o coração dele não estivesse se partindo. – Não diga mais que gosta de mim – repreendeu Tillie. – Se gostasse, se ao menos tivesse noção do que isso significa, você se importaria mais com meus sentimentos do que com os de Harry. Ele está morto, Peter. Morto.
– Sei disso melhor do que ninguém – disse ele em voz baixa.
– Não acho que sequer saiba quem eu sou – disse ela, o corpo inteiro tremendo de emoção. – Sou apenas a irmã de Harry. A irmãzinha boba de Harry, de quem você jurou cuidar.
– Tillie...
– Não – disse ela de maneira enfática. – Não diga meu nome. Não fale mais comigo até que saiba quem eu realmente sou.

Ele abriu a boca, mas seus lábios silenciaram. Por um momento, os dois não fizeram nada além de olhar um para o outro, em um estranho e silencioso estado de choque. Não se moveram, talvez esperando que tudo aquilo fosse um engano, que se permanecessem ali por apenas mais um instante, tudo voltaria a ser como antes.

Mas isso não aconteceu, é claro, e enquanto Peter ficou ali parado, sem palavras e impotente, Tillie girou nos calcanhares e partiu, o passo uma dolorosa combinação de caminhada e corrida.

Alguns minutos depois, o cavalariço de Tillie apareceu, entregando a Peter as rédeas de seu cavalo sem dizer uma palavra.

E enquanto Peter as pegava, não conseguia deixar de sentir certa objetividade na ação, como se estivessem dizendo a ele, *pegue-as e vá. Vá.*

Aquele era, ele percebeu, surpreso, realmente o pior momento de sua vida.

CAPÍTULO 6

Pobre Sr. Thompson! Pobre, pobre Sr. Thompson.
Isso tudo adquire um novo significado, não é mesmo?

CRÔNICAS DA SOCIEDADE DE LADY WHISTLEDOWN,
17 de junho de 1816

Ele não deveria ter ido.
 Peter estava bastante convencido de que não desejava assistir a uma encenação da Batalha de Waterloo; a primeira fora terrível o bastante, muito obrigado. E apesar de não achar que a versão de Prinny – naquele momento em fúria à sua esquerda – fosse particularmente assustadora ou precisa, perceber que o cenário de tanta morte e destruição estava sendo transformado em entretenimento para as boas pessoas de Londres o deixava nauseado.
 Entretenimento? Peter balançava a cabeça de desgosto enquanto observava londrinos de todas as classes sociais rindo e se divertindo enquanto caminhavam pelos jardins de Vauxhall. A maioria nem sequer prestava atenção à batalha simulada. Será que não compreendiam que homens tinham morrido em Waterloo? Homens bons? Homens jovens?
 Quinze mil homens. E aquilo nem levava em conta o inimigo.
 Mas, apesar de todas as reservas, ali estava ele. Peter pagara seus 2 xelins e fora até os jardins – não para assistir àquele combate de mentirinha, comentar a espetacular iluminação a gás ou mesmo para se maravilhar com os fogos de artifício, os quais, haviam lhe assegurado, seriam os mais belos já vistos na Inglaterra.
 Não, ele fora para ver Tillie. Em princípio, deveria tê-la acompanhado, mas duvidava que ela tivesse cancelado seus planos só porque os dois não estavam mais se falando. Ela lhe dissera que precisava ver a encenação, ainda que apenas para finalmente se despedir do irmão.
 Tillie estaria ali. Peter tinha certeza.
 Só não estava certo de que conseguiria localizá-la. Milhares de pessoas já tinham chegado aos jardins e outras centenas estavam entrando. Os caminhos estavam repletos de espectadores, e ocorreu a Peter que, se havia uma coisa a respeito daquela noite que era uma representação precisa da batalha, era o cheiro. Faltava o odor penetrante de sangue e morte, mas sem dúvida havia o fedor característico de pessoas demais muito próximas uma das outras.

A maioria das quais, pensou Peter enquanto desviava do caminho para evitar um grupo de rufiões vindo em sua direção, não tomava banho havia meses.

E quem disse que se deveria deixar os prazeres do exército após a aposentadoria?

Não sabia o que diria a Tillie, supondo que fosse capaz de encontrá-la. Não sabia se diria alguma coisa. Só queria vê-la, por mais patético que pudesse parecer. Ela recusara todos os seus convites desde a discussão no Hyde Park na semana anterior. Ele a visitara duas vezes, mas em ambas as ocasiões fora informado de que ela não estava "em casa". Seus bilhetes foram devolvidos, embora não sem antes serem abertos. E, por fim, Tillie lhe enviara uma carta, simplesmente dizendo que, a menos que ele estivesse preparado para fazer uma pergunta muito específica a ela, não precisaria contatá-la outra vez.

Sem dúvida Tillie não era alguém que media as palavras.

Peter ouvira um boato de que a maior parte da alta sociedade planejava se reunir ao norte do gramado, onde Prinny montara uma área de observação da batalha. Ele precisou contornar o perímetro do campo, mantendo distância dos soldados, pois não estava certo de que todos possuíssem zelo suficiente para garantir que suas armas não estivessem carregadas com balas de verdade.

Peter avançou pela multidão, praguejando em voz baixa enquanto seguia na direção norte. Era um homem que gostava de andar rapidamente, a passos largos, e a aglomeração em Vauxhall era sua versão do inferno na Terra. Alguém pisou em seu dedo do pé, outra pessoa o golpeou no ombro e uma terceira, Peter tinha certeza, tentara enfiá-la em seu bolso.

Finalmente, depois de quase meia hora lutando para atravessar o enxame de pessoas, Peter emergiu em uma clareira; os homens de Prinny tinham obviamente evacuado o lugar, deixando ali apenas os mais nobres dos convidados e proporcionando ao príncipe uma visão desobstruída da batalha. A qual, Peter observou, com alívio, parecia se aproximar do final.

Ele esquadrinhou a multidão, procurando um familiar vislumbre de cabelos ruivos. Nada. Será que ela tinha decidido não comparecer?

Um canhão explodiu perto de seu ouvido. Ele se retraiu.

Onde diabo estava Tillie?

Uma explosão final, e então... Meu bom Deus, aquilo era Handel?

Peter olhou para a esquerda com indignação. Isso mesmo, uma orquestra de cem pessoas pegara seus instrumentos e começara a tocar.

Onde estava Tillie?

O barulho começou a se tornar uma balbúrdia. O público gritava, os soldados riam e a música – por que diabo havia música?

Em seguida, no meio de tudo aquilo, ele a viu, e pôde jurar que de repente tudo virou silêncio.

Ele a viu, e não havia mais nada.

<hr />

Tillie desejava não ter ido. Não que esperasse apreciar a encenação, mas achou que poderia... ah, não sabia... talvez *aprender* algo. Sentir alguma espécie de ligação com Harry.

Não era toda irmã que tinha a oportunidade de ver a reconstituição da cena da morte do irmão.

Mas, em vez disso, só o que desejava era ter levado algodão para os ouvidos. A batalha era ruidosa e, mais do que isso, ela estava ao lado de Robert Dunlop, que obviamente considerara uma obrigação fazer comentários durante a cena.

E tudo em que conseguia pensar era: *Deveria ser Peter.*

Era Peter quem deveria estar ao lado dela, explicando o que significavam as manobras de batalha, avisando-a para cobrir os ouvidos quando ficasse barulhento demais.

Se estivesse com Peter, poderia ter segurado discretamente a mão dele, depois a apertado quando a batalha ficasse intensa demais. Com Peter, teria se sentido confortável para pedir que lhe contasse em que momento Harry caíra.

Mas, em vez disso, estava com Robbie. Robbie, que considerava tudo aquilo uma grande aventura, que efetivamente se curvara e gritara: "Ótimo, muito divertido, hein?" Robbie, que, agora que a batalha chegara ao fim, continuava falando sobre coletes, cavalos e provavelmente algo mais.

Era muito difícil escutar. A música estava alta e, sendo sincera, era sempre um pouco difícil acompanhar Robbie.

Então, assim que a música chegou a um trecho mais silencioso, ele curvou-se e disse:

– Harry teria gostado.

Teria? Tillie não sabia, e de alguma maneira aquilo a incomodava. Harry seria uma pessoa diferente depois da guerra e ela lamentava não poder conhecer o homem que o irmão se tornara em seus últimos dias.

Mas Robbie era bem-intencionado, tinha bom coração, portanto Tillie apenas sorriu e assentiu.

– Uma pena a morte dele – disse Robbie.

– Sim – respondeu Tillie, porque, na verdade, o que mais poderia ser dito?

– Que maneira mais sem sentido de morrer.

Nesse momento, ela virou-se e olhou para ele. Parecia uma afirmação estranha vinda de Robbie, que não era inclinado a observações finas ou sutilezas.

– Toda guerra é sem sentido – disse Tillie lentamente. – O senhor não acha?

– Bem, suponho que sim – respondeu Robbie –, se bem que alguém precisava ir lá se livrar de Bonaparte. Não creio que um pedido de por favor teria dado conta do recado.

Aquela era, Tillie percebeu, a frase mais complexa que já ouvira de Robbie, e ela estava se perguntando se haveria algo mais a respeito dele quando, de repente... *soube*.

Não que tivesse escutado, não que tivesse visto. Apenas sabia que ele estava ali, e, de fato, quando virou o rosto para a direita, ela o viu.

Peter. Bem ao lado dela. Era chocante não ter sentido a presença dele antes.

– Sr. Thompson – disse ela, com frieza.

Ou, pelo menos, tentara. Mas duvidava que tivesse conseguido; estava tão *aliviada* por vê-lo.

Ainda estava furiosa com Peter, é claro, e não tinha tanta certeza assim de que queria falar com ele, mas a noite estava tão estranha, a batalha fora inquietante, e o rosto solene de Peter era como uma tábua de salvação para a sanidade.

– Estávamos falando sobre Harry – disse Robbie de maneira jovial.

Peter assentiu.

– Uma pena ele não ter participado da batalha – continuou Robbie. – Quero dizer, todo aquele tempo no exército, aí você vai e não participa da batalha? – Ele balançou a cabeça. – Uma pena, não acham?

Tillie olhou para ele, confusa.

– Como disse? Ele não participou da batalha?

Ela virou-se para Peter a tempo de vê-lo balançando a cabeça freneticamente para Robbie, que respondia com um sonoro "O quê? O quê?".

– O que quer dizer com "Uma pena ele não ter participado da batalha?" – repetiu Tillie, desta vez falando alto.

– Tillie – disse Peter –, deve entender...

– Disseram que ele morreu em Waterloo. – Ela alternava o olhar entre os dois, examinando o rosto deles. – Foram à minha *casa*. Disseram que ele morreu em Waterloo.

A voz dela começou a ficar esganiçada, em pânico. E Peter não sabia o que fazer. Seria capaz de matar Robbie; será que o sujeito não tinha bom senso?

– Tillie – disse ele, repetindo o nome dela, para ganhar tempo.
– Como ele morreu? – insistiu ela. – Quero que me diga agora mesmo.
Ele olhou para Tillie; ela começava a tremer.
– Conte-me como ele morreu.
– Tillie, eu...
– Conte...
BUM!
Os três deram um salto quando uma explosão de fogos de artifício ocorreu a menos de 20 metros de onde estavam.
– Que espetáculo maravilhoso! – gritou Robbie, o rosto voltado para o céu.
Peter ergueu os olhos para os fogos de artifício; era impossível não olhar. Rosa, azul, verde – explosões de estrelas nos céus, crepitando, fragmentando-se, chuvas de fagulhas nos jardins.
– Peter – disse Tillie, puxando a manga dele –, conte-me. Conte-me *agora*.
Peter abriu a boca para falar – sabia que deveria dedicar toda a sua atenção a ela –, mas de alguma maneira não conseguia tirar os olhos dos fogos de artifício. Ele olhou para ela, depois de volta para o céu, depois de volta...
– Peter! – Ela praticamente gritou.
– Foi uma charrete – disse Robbie de repente, olhando para ela durante uma pausa na pirotecnia. – Caiu sobre ele.
– *Ele foi esmagado por uma charrete?*
– Uma carroça, na verdade – corrigiu-se Robbie. – Ele estava...
BUM!
– Uau! – gritou Robbie. – Vejam só esse!
– Peter – implorou Tillie.
– Foi estúpido – disse Peter, enfim forçando os olhos a se desviarem do céu. – Foi estúpido e horrível e imperdoável. Aquela carroça deveria ter virado lenha semanas antes.
– O que aconteceu? – sussurrou ela.
E Peter lhe contou. Não tudo, não cada mínimo detalhe; aquele não era nem o momento, nem o lugar. Mas descreveu o ocorrido, falou o suficiente para que ela compreendesse a verdade. Harry era um herói, mas não tivera uma morte de herói, pelo menos não da maneira que a Inglaterra via seus heróis.
Não deveria importar, é claro, mas pela expressão dela podia ver que importava.
– Por que não me contou? – perguntou ela com a voz baixa e trêmula. – Você mentiu para mim. Como pôde mentir?
– Tillie, eu...
– Você *mentiu* para mim. Você me disse que ele havia morrido na batalha.

– Eu nunca...
– Você me deixou acreditar nisso – gritou ela. – Como pôde?
– Tillie – disse ele desesperadamente. – Eu...
BUM!
Os dois olharam para o alto; não conseguiam evitar.
– Não sei por que mentiram para você – disse Peter depois que a explosão virara uma espiral de fagulhas verdes. – Eu não tinha ideia de que você não sabia a verdade até o jantar de lady Neeley. E não sabia o que dizer. Eu não...
– Não – disse ela de maneira hesitante. – Não tente explicar.
Ela acabara de lhe *pedir* para explicar.
– Tillie...
– Amanhã – disse ela com dificuldade. – Fale comigo amanhã. Agora, eu... agora...
BUM!
Então, enquanto fagulhas cor-de-rosa choviam do alto, ela partiu, segurando a saia, correndo cegamente através do único espaço aberto na multidão, passando por Prinny, pela orquestra.
Para fora da vida dele.
– Seu idiota – sibilou Peter para Robbie.
– Hein? – Robbie estava ocupado demais olhando para o céu.
– Esqueça – ralhou Peter.
Precisava encontrar Tillie. Sabia que ela não queria vê-lo, e normalmente teria respeitado o desejo dela, mas para o inferno com aquilo tudo, ali eram os Jardins de Vauxhall e havia milhares de pessoas circulando ali, algumas para se divertir e outras mal-intencionadas.
Não era lugar para uma dama sozinha, sobretudo naquele estado de perturbação.
Ele seguiu-a pela clareira, murmurando desculpas quando trombou com um dos guardas de Prinny. O vestido de Tillie era verde-claro, muito claro, quase etéreo sob a luz de gás, e, quando ela foi obrigada a diminuir o passo pela multidão, foi fácil segui-la. Ele não conseguia alcançá-la, mas pelo menos era capaz de enxergá-la.
Ela movia-se rapidamente, pelo menos mais rapidamente do que ele. Era pequena e conseguia se espremer em espaços pelos quais ele só conseguia abrir caminho à força. A distância entre eles aumentou, mas Peter ainda conseguia enxergá-la, graças ao declive que ambos tentavam descer.
Então...
– Ah, droga – suspirou ele.

Ela estava indo na direção do pagode chinês. Por que diabo faria aquilo? Ele não fazia ideia de quem estava lá dentro, se é que havia alguém. Sem mencionar o fato de que provavelmente havia várias saídas. Seria muito difícil permanecer no rastro dela depois que ela entrasse.

– Tillie – murmurou ele, redobrando os esforços para diminuir a distância entre eles.

Ela nem imaginava que ele a estava seguindo e, ainda assim, escolhera a única maneira infalível de despistá-lo.

BUM!

Peter retraiu-se. Outro fogo de artifício, com certeza, mas este soara estranho, assobiando acima dele, como se tivesse sido lançado baixo demais. Ele olhou para trás, tentando entender o que ocorrera, quando...

– *Ah, meu Deus!*

As palavras saíram involuntariamente de seus lábios, baixas e trêmulas de terror. O lado direito do pagode chinês tinha explodido em chamas.

– Tillie! – gritou Peter, e se achava que antes estava se esforçando para atravessar a multidão, redobrou o esforço agora.

Peter movia-se como um louco, derrubando pessoas, pisando em pés e dando cotoveladas em costelas, ombros, até em rostos, enquanto lutava para alcançar o pagode.

Em torno dele, pessoas riam, apontando para o pagode em chamas, obviamente achando que fazia parte do espetáculo.

Enfim, conseguiu alcançá-lo, mas, quando tentava subir os degraus correndo, foi impedido por dois guardas corpulentos.

– O senhor não pode entrar aí – disse um deles. – É perigoso demais.

– Tem uma mulher lá dentro – rosnou Peter, lutando para se livrar deles.

– Não, não tem...

– Eu a vi. – Ele quase gritou. – Soltem-me!

Os dois homens entreolharam-se, depois um deles murmurou:

– O senhor é quem sabe.

E soltou-o.

Peter entrou às pressas na construção, segurando um lenço sobre a boca para se proteger da fumaça. Será que Tillie tinha um lenço? Estaria ao menos viva?

Ele procurou no andar inferior; estava sendo tomado pela fumaça, mas o fogo parecia contido nos andares superiores. Tillie não estava em lugar nenhum.

Por toda parte se ouviam estalidos e sons de coisas rachando, e ao seu lado caiu uma viga de madeira. Peter olhou para cima; o teto parecia se desfazer diante de seus olhos. Mais um minuto e estaria morto. Se fosse salvar Tillie, precisava rezar para que ela estivesse consciente e pendurada em uma das janelas do andar superior, pois não achava que os degraus o aguentariam.

Sufocando com a fumaça ácida, ele saiu aos tropeços pela porta dos fundos, examinando freneticamente as janelas superiores, ao mesmo tempo que procurava por um caminho para o outro lado da construção, que permanecia intacta.

– Tillie! – gritou ele uma última vez, embora supeitasse que ela não fosse ouvi-lo por cima do rugido das chamas.

– Peter!

O coração dele bateu forte quando se virou na direção da voz dela, e logo a viu do lado de fora, debatendo-se contra dois homens grandes que tentavam impedi-la de correr até ele.

– Tillie? – sussurrou ele.

De alguma forma, ela se libertou e correu para Peter, e foi só então que ele emergiu do transe, pois ainda estava perto demais da construção em chamas, e em cerca de dez segundos ela também estaria. Peter pegou-a antes que ela pudesse se jogar nos braços dele, sem interromper o passo até que estivessem a uma distância segura do pagode.

– O que você estava fazendo? – gritou ela, ainda agarrando os ombros dele. – Por que estava dentro do pagode?

– Salvando você! Vi você entrar correndo...

– Mas saí correndo logo depois...

– Eu não sabia disso!

Eles ficaram sem palavras, e por um momento ninguém disse nada, então Tillie suspirou.

– Quase morri quando o vi lá dentro. Vi você pela janela.

Os olhos dele ainda ardiam e lacrimejavam por causa da fumaça, mas de alguma maneira, quando olhava para ela, tudo era cristalino.

– Nunca senti tanto medo na vida como quando vi aquele rojão atingir o pagode – disse ele, e deu-se conta de que era verdade.

Dois anos de guerra, de morte, de destruição, e ainda assim nada tivera o poder de aterrorizá-lo como a possibilidade de perdê-la.

E ele soube – bem ali ele soube, até o último fio de cabelo, que não conseguiria aguardar um ano para se casar com ela. Não tinha a menor ideia de como faria os pais dela concordarem, mas encontraria uma maneira. E se não encontrasse... Bem, um casamento sem pompa fora bom o bastante para muitos casais antes deles.

Mas uma coisa era certa. Não podia nem pensar em uma vida sem ela.

– Tillie, eu...

Havia tantas coisas para dizer. Não sabia por onde começar, como começar. Esperava que ela pudesse ver em seus olhos, pois as palavras simplesmente não estavam lá. Não existiam palavras para expressar o que havia em seu coração.

– Eu amo você – sussurrou ele, e mesmo aquilo não pareceu o bastante. – Eu amo você e...

– Tillie! – gritou alguém, e ambos se viraram para ver a mãe dela correndo até eles em uma velocidade maior do que qualquer um, inclusive a própria lady Canby, sonharia que ela pudesse alcançar.

– Tillie, Tillie, Tillie – a condessa ficava repetindo depois que os alcançara e sufocava a filha com abraços. – Disseram que você estava no pagode. Disseram...

– Estou bem, mamãe – assegurou-lhe Tillie. – Estou bem.

Lady Canby parou, piscou e depois se virou para Peter, reparando em sua aparência fuliginosa e desgrenhada.

– O senhor a salvou? – perguntou ela.

– Ela mesma se salvou – admitiu Peter.

– Mas ele tentou – disse Tillie. – Ele entrou para me procurar.

– Eu... – A condessa parecia sem palavras, depois disse somente: – Obrigada.

– Não fiz nada – disse Peter.

– Creio que tenha feito – respondeu lady Canby, tirando um lenço da bolsa e pressionando-o contra os olhos. – Eu... – Ela olhou de novo para Tillie. – Eu não posso perder mais um, Tillie. Não posso perder você.

– Eu sei, mamãe – disse Tillie, com a voz reconfortante. – Estou bem. A senhora pode ver que estou.

– Eu sei, eu sei, eu... – Então algo pareceu se romper dentro dela, pois deu um passo para trás, agarrou os ombros de Tillie e começou a sacudi-la. – O que você pensou que estava fazendo? – gritou ela. – Correndo por aí sozinha!

– Eu não sabia que ia pegar fogo – disse Tillie, ofegante.

– Nos jardins de Vauxhall! Você sabe o que acontece com mulheres jovens em lugares como este! Eu vou...

– Lady Canby – disse Peter, pousando a mão suave no ombro dela. – Talvez agora não seja o momento...

Lady Canby parou e assentiu, olhando ao redor para ver se alguém tinha testemunhado sua perda de compostura.

Surpreendentemente, não pareciam ter chamado a atenção; quase todos estavam ocupados demais assistindo à derrocada do pagode. E, de fato, nem os três conseguiram desviar os olhos da estrutura quando ela por fim sucumbiu, desabando no chão em um inferno flamejante.

– Meu bom Deus – sussurrou Peter, respirando fundo.

– P-Peter – disse Tillie, gaguejando ao pronunciar o nome dele.

Foi apenas uma palavra, mas ele entendeu perfeitamente.

– Você vai para casa – disse lady Canby, severa, puxando a mão de Tillie. – Nossa carruagem está logo depois daquele portão.

– Mamãe, preciso falar com o Sr....

– Você pode dizer amanhã o que quer que precise. – Lady Canby lançou um olhar incisivo para Peter. – Não é verdade, Sr. Thompson?

– É claro – disse ele. – Mas as acompanharei até a carruagem.

– Isso não é...

– É necessário – afirmou Peter.

Lady Canby piscou diante do tom firme dele, depois disse:

– Suponho que seja.

A voz dela estava suave, apenas um pouco pensativa, e Peter imaginou que ela talvez tivesse acabado de perceber que ele gostava profundamente de sua filha.

Ele levou-as até a carruagem, depois observou-a sumir de vista, perguntando-se como esperaria até a manhã do dia seguinte. Era ridículo, na verdade. Pedira a Tillie que esperasse um ano por ele, talvez até dois, e agora não conseguia se conter por quatorze horas.

Ele virou-se para os jardins, depois suspirou. Não queria entrar lá de novo, mesmo quando isso significava pegar o caminho mais longo e circundar o parque até os fiacres que faziam fila para pegar passageiros.

– Sr. Thompson! Peter!

Ele virou-se e viu o pai de Tillie atravessando o portão correndo.

– Lorde Canby – disse ele. – Eu...

– O senhor viu minha esposa? – interrompeu o conde de modo frenético. – Ou Tillie?

Peter fez um breve relato dos acontecimentos da noite e assegurou ao conde que elas estavam em segurança, e não pôde deixar de reparar como o homem ficou aliviado.

– Elas partiram há menos de dois minutos.

O pai de Tillie sorriu de forma irônica.

– Esquecendo-se completamente de mim – disse ele. – Suponho que não tenha uma carruagem.

Peter balançou a cabeça com tristeza.

– Vim de fiacre – admitiu ele.

Aquilo revelava sua dramática falta de recursos, mas, se o conde ainda não estivesse ciente da condição precária de Peter, em breve estaria. Nenhum homem consideraria uma proposta de casamento para a filha sem investigar a situação financeira do pretendente.

O conde suspirou, balançando a cabeça diante da situação.

– Bem – disse ele, pousando as mãos na cintura enquanto olhava a rua acima. – Suponho que não haja nada a fazer além de caminhar.

– Caminhar, milorde?

Lorde Canby lançou-lhe uma espécie de olhar avaliador.

– Está disposto?

– É claro – disse Peter sem demora.

Seria uma caminhada até Mayfair, onde os Canbies moravam, e depois mais um pouco até sua residência na praça Portham, mas não era nada em comparação ao que ele fizera na península.

– Ótimo. Colocarei o senhor na minha carruagem quando chegarmos à Casa Canby.

Eles atravessaram a ponte rápida mas silenciosamente, parando apenas para admirar os ocasionais fogos de artifício que ainda explodiam no céu.

– Era de esperar que a esta hora já tivessem disparado todos – disse lorde Canby, apoiando-se na lateral do corpo.

– Ou parado de disparar – disse Peter de maneira enfática. – Depois do que aconteceu com o pagode...

– Tem razão.

Peter pretendia voltar a caminhar – tinha certeza de que pretendia –, mas de alguma maneira, em vez disso, deixou escapar:

– Quero me casar com Tillie.

O conde virou-se e o encarou diretamente nos olhos.

– Como disse?

– Quero me casar com sua filha.

Pronto, ele tinha dito. Duas vezes, até.

E, pelo menos, o conde não parecia pronto para matá-lo.

– Isto não é surpresa, devo dizer – murmurou o homem mais velho.

– E quero que o senhor reduza o dote dela pela metade.

– Mas isto é...

– Não sou um caça-dotes – declarou Peter.

Um canto da boca do conde se curvou – não exatamente um sorriso, mas pelo menos algo parecido.

– Se está tão determinado a provar isso, por que não eliminar totalmente o dote?

– Não seria justo com Tillie – disse Peter, com o corpo ereto. – Meu orgulho não vale o conforto dela.

Lorde Canby ficou calado pelo que pareceram os três segundos mais longos da eternidade, depois perguntou:

– Você a ama?

– Mais do que tudo.

– Ótimo. – O conde assentiu em aprovação. – Ela é sua. Desde que aceite o dote inteiro. *E que ela diga sim.*

Peter não conseguia se mover. Jamais sonhara que pudesse ser tão fácil. Preparara-se para uma briga, resignara-se a uma possível fuga com ela.

– Não fique tão surpreso – disse o conde com uma risada. – Sabe quantas vezes Harry escreveu sobre você? Apesar de seu jeito bonachão, Harry era um astuto juiz de caráter, e se ele disse que não havia ninguém além de você que preferia ver casado com Tillie, fico inclinado a acreditar.

– Ele escreveu isso? – sussurrou Peter.

Os olhos dele ardiam, mas desta vez não havia fumaça por perto. Apenas a memória de Harry, em um de seus raros momentos sérios. Harry, quando pedira a Peter que prometesse cuidar de Tillie. Peter nunca associara aquele pedido à ideia de casamento, mas talvez fosse o que Harry tivesse em mente o tempo todo.

– Harry amava você, meu filho – disse lorde Canby.

– Eu também o amava. Como a um irmão.

O conde sorriu.

– Muito bem, então. Isso parece bastante apropriado, não acha?

Eles viraram-se e voltaram a caminhar.

– Você visitará Tillie pela manhã? – perguntou lorde Canby enquanto deixavam a ponte na margem norte do Tâmisa.

– Bem cedo – assegurou Peter. – Será a primeira coisa que farei.

CAPÍTULO 7

A encenação da Batalha de Waterloo da noite passada foi, nas palavras de Prinny, um "sucesso esplêndido", levando-nos a nos perguntar se nosso Regente simplesmente não percebeu que um pagode chinês (dos quais há poucos em Londres) foi reduzido a cinzas.

Há rumores de que lady Mathilda Howard e o Sr. Thompson ficaram presos no interior do pagode, embora não (muito surpreendentemente, na opinião desta autora) ao mesmo tempo.

Nenhum dos dois ficou ferido e, em uma reviravolta intrigante, lady Mathilda partiu com a mãe e o Sr. Thompson, com lorde Canby.

Estariam eles dando-lhe as boas-vindas na família? Esta autora não ousa especular, em vez disso promete relatar somente a verdade, assim que ela estiver disponível.

CRÔNICAS DA SOCIEDADE DE LADY WHISTLEDOWN,
19 de junho de 1816

Havia muitas interpretações para "bem cedo", e Peter decidira escolher a que significava três da manhã.

Aceitara a oferta de lorde Canby de uma carruagem e logo chegara em casa, mas só o que conseguia fazer era caminhar de um lado para outro, irrequieto, contando os minutos até que pudesse se apresentar de novo à porta dos Canbies e perguntar formalmente se Tillie queria se casar com ele.

Ele não estava nervoso; sabia que ela aceitaria. Mas estava agitado – agitado demais para dormir, agitado demais para comer, agitado demais para fazer qualquer coisa além de caminhar por sua pequena moradia, ocasionalmente levantando o punho no ar com um triunfante "sim!".

Era tolo e era juvenil, mas ele não conseguia se controlar.

E foi praticamente pelo mesmo motivo que Peter se encontrou sob a janela de Tillie no meio da noite, jogando com habilidade pedrinhas no vidro.

Toc. Toc.

Sempre tivera boa pontaria.

Toc. Tump.

Oops. Aquela era provavelmente grande demais.

Toc.

– Ai!

Oops.

– Tillie?

– Peter?

– Acertei você?

– Era uma pedra?

Ela estava esfregando o ombro.

– Uma pedrinha, na verdade – esclareceu ele.
– O que está fazendo?
Ele sorriu.
– Cortejando você.
Ela olhou em volta, como se alguém pudesse se materializar de repente para colocá-lo em uma charrete com destino a uma instituição psiquiátrica.
– Agora?
– É o que parece.
– Você está louco?
– Não louco o suficiente para tentar escalar a parede – disse ele. – Venha até a entrada dos criados e deixe-me entrar.
– Peter, eu não farei...
– Til-lie.
– Peter, você precisa voltar para casa.
Ele inclinou a cabeça para o lado.
– Acredito que ficarei aqui até que a casa inteira desperte.
– Você não faria isso.
– Faria, sim – assegurou-lhe ele.
Algo no tom de voz dele deve tê-la impressionado, pois ela fez uma pausa para considerar aquilo.
– Muito bem – disse Tillie em um tom bastante didático. – Vou descer. Mas *não* pense que vai entrar.
Peter fez apenas uma reverência a Tillie antes que ela desaparecesse no quarto, depois enfiou as mãos nos bolsos e assobiou enquanto andava até a porta dos criados.
A vida era boa. Não, era mais do que isso.
A vida era espetacular.

⁓

Tillie quase morreu de surpresa quando viu Peter em seu jardim dos fundos. Bem, talvez isso fosse exagerar um pouco, mas céus! O que ele estava fazendo?
Ainda assim, mesmo enquanto o repreendia, mesmo enquanto o mandava ir para casa, não conseguiu conter a alegria vertiginosa que sentira ao vê-lo ali. Peter era correto e convencional; ele não *fazia* coisas desse tipo.
Exceto, talvez, por ela. Ele fazia aquilo por ela. Algo poderia ser mais perfeito?
Ela colocou um robe, mas deixou os pés descalços. Queria se mover o mais rápida e silenciosamente possível. A maioria dos criados dormia nos pavimen-

tos superiores da casa, mas o servente ficava perto da cozinha, e Tillie precisaria passar bem na frente da suíte da governanta.

Depois de uns dois minutos se apressando, chegou à porta dos fundos e virou a chave com cautela. Peter estava logo ali do lado de fora.

– Tillie – disse ele com um sorriso, e então, antes mesmo que ela tivesse a oportunidade de falar seu nome, tomou-a nos braços e capturou a boca dela na sua.

– Peter – murmurou ela, ofegante, quando ele finalmente a deixou –, o que está fazendo aqui?

Os lábios dele seguiram para o pescoço dela.

– Dizendo que amo você.

O corpo dela se arrepiou inteiro. Ele dissera aquilo mais cedo na mesma noite, mas ela ainda ficava excitada como se fosse a primeira vez.

Então ele se afastou, os olhos sérios quando disse:

– E esperando que você diga o mesmo.

– Eu amo você – sussurrou ela. – Muito, muito. Mas preciso...

– Você precisa que eu lhe explique por que não lhe contei sobre Harry – concluiu ele por ela.

Não era o que ela estava prestes a dizer; surpreendentemente, não estava pensando em Harry. Não pensara mais nele desde o momento em que vira Peter dentro do pagode em chamas.

– Eu gostaria de ter uma resposta melhor – disse ele –, mas a verdade é que não sei por que nunca lhe contei. Nunca era o momento certo, suponho.

– Não podemos conversar aqui – disse ela, de repente, percebendo que ainda estavam à porta. Qualquer um poderia despertar ao ouvi-los. – Venha comigo – acrescentou, pegando a mão dele e puxando-o para dentro.

Ela não poderia levá-lo para seu quarto – aquilo nunca poderia acontecer. Mas havia uma pequena sala no andar de cima que ficava afastada dos quartos. Ninguém jamais os ouviria ali.

Quando chegaram à sala, ela virou-se para ele e disse:

– Não importa. Entendo a respeito de Harry. Eu reagi de maneira exagerada.

– Não – disse ele, pegando as mãos dela –, não reagiu.

– Sim, reagi. Foi o choque, acho.

Ele levou as mãos dela até seus lábios.

– Mas preciso perguntar – sussurrou ela. – Você teria me contado?

Ele parou, ainda segurando as mãos dela.

– Não sei – falou em voz baixa. – Suponho que um dia teria que contar.

Teria. Não era exatamente a palavra que imaginava ouvir.

– Cinquenta anos é tempo demais para manter um segredo – acrescentou ele.

Cinquenta anos? Ela ergueu o olhar. Ele estava sorrindo.
– Peter? – perguntou ela, a voz trêmula.
– Você quer se casar comigo?
Os lábios dela se abriram. Ela tentou assentir, mas parecia não conseguir falar.
– Já pedi ao seu pai.
– Você...
Peter puxou-a para mais perto.
– Ele disse sim.
– As pessoas o chamarão de caça-dotes – sussurrou ela.
Ela precisava dizer aquilo; sabia que era importante para ele.
– *Você* quer?
Ela fez que sim com a cabeça.
Ele deu de ombros.
– Então, nada mais importa.
Em seguida, como se o momento não fosse perfeito o bastante, ele agachou-se sobre um joelho, sem soltar as mãos dela.
– Tillie Howard – disse ele, o tom solene e verdadeiro –, você quer se casar comigo?
Ela assentiu. Em meio às lágrimas, ela assentiu e, de alguma maneira, conseguiu dizer:
– Sim. Ah, sim!
Suas mãos apertaram as dela, então ele se levantou e, em seguida, ela estava em seus braços.
– Tillie – murmurou ele, os lábios quentes contra a orelha dela –, farei você feliz. Prometo, com todas as minhas forças, que farei você feliz.
– Você já faz. – Ela sorriu, olhando para o rosto dele, perguntando-se como ele se tornara tão familiar, tão precioso. – Beije-me – pediu ela impulsivamente.
Ele curvou-se, dando um leve beijo nos lábios dela.
– Preciso ir – disse ele.
– Não, *beije-me*.
A respiração dele ficou entrecortada.
– Você não sabe o que está pedindo.
– Beije-me – disse ela mais uma vez. – Por favor.
E ele o fez. Ele achava que não deveria; ela viu em seus olhos. Mas Peter não conseguiu se conter. Tillie estremeceu com uma excitação de poder feminino quando os lábios dele encontraram os seus, famintos e possessivos, prometendo amor, prometendo paixão.

Prometendo tudo.

Não havia mais volta agora, ela sabia disso. Ele era como um homem possuído, as mãos sobre ela com uma intimidade de tirar o fôlego. Havia pouco entre a pele dos dois; ela vestia somente uma camisola de seda e o robe e cada toque trazia uma pressão excitante e calor.

– Mande-me embora agora – implorou Peter. – Mande-me embora agora e obrigue-me a fazer a coisa certa.

Mas ele a segurou ainda com mais firmeza ao dizer aquelas palavras, e suas mãos encontraram a curva das nádegas dela e pressionaram-na de modo atordoante contra ele.

Tillie apenas balançou a cabeça. Ela desejava tanto aquilo. Ela o desejava. Ele despertara algo dentro dela, algo poderoso e primitivo, uma necessidade que era impossível de explicar ou negar.

– Beije-me, Peter – sussurrou ela. – E faça mais que isso.

Ele o fez, com uma paixão que roubou a própria alma dela. Mas quando se afastou, disse:

– Não vou possuir você. Não aqui. Não desta maneira.

– Não me importo – disse ela, quase chorando.

– Não até que você seja minha esposa – jurou.

– Então, pelo amor de Deus, tire uma permissão especial *amanhã* – ralhou ela.

Ele pressionou um dedo contra os lábios dela e, quando ela olhou para o rosto dele, percebeu que ele sorria. De forma muito maliciosa.

– Não farei amor com você – reiterou ele, os olhos ficando perversos. – Mas farei todo o resto.

– Peter? – sussurrou ela.

Ele tomou-a nos braços e deitou-a no sofá.

– Peter, o que você está...?

– Nada de que você jamais tenha ouvido falar – disse ele com uma risadinha.

– Mas... – murmurou ela, ofegante. – Ai, meu Deus! O que está fazendo?

Os lábios dele beijavam a parte interna de seu joelho, e estavam subindo.

– Exatamente o que você está pensando, imagino – sussurrou ele, a boca quente na coxa dela.

Ele ergueu o olhar de repente, e parar de sentir os lábios dele na sua pele foi uma sensação devastadora.

– Alguém vai reparar se eu rasgar este robe?

– Meu... não – disse ela, atordoada demais para formular algo mais elaborado.

– Ótimo – disse Peter, então ele deu um puxão na peça de roupa, ignorando o arquejo de Tillie quando a cinta da esquerda se separou do espartilho.

– Você tem ideia de quanto tempo faz que sonho com este momento? – murmurou ele, percorrendo o corpo de Tillie até que sua boca encontrasse o seio dela.

– Eu... ah... ah...

Ela esperava que ele não desejasse realmente uma resposta. Os lábios dele tinham encontrado seu mamilo, e ela não tinha ideia de como era possível, mas jurava que os sentia entre as pernas.

Ou talvez fosse a mão dele, que lhe fazia cócegas da maneira mais mal intencionada possível.

– Peter? – sussurrou ela, ofegante.

Ele levantou a cabeça, apenas tempo suficiente para olhar para o rosto dela e dizer com a voz arrastada:

– Me distraí.

– Você se dist...

Se Tillie tinha a intenção de dizer algo mais, perdeu o controle quando ele desceu de novo, os lábios substituindo os dedos na parte mais íntima de seu corpo. Dezenas de palavras inundaram sua mente, a maioria envolvendo o nome dele e frases como *você não deveria, você não pode*, mas tudo que ela parecia conseguir fazer era gemer e dar gritinhos e emitir um ocasional "Ah!" de prazer.

– Ah!

– Ah!

Então, uma vez, quando a língua dele fez algo particularmente malicioso:

– Ah, Peter!

Ele deve ter percebido o prazer no gemido dela, pois fez de novo. Depois de novo e de novo até que algo muito estranho aconteceu, e ela simplesmente explodiu sob ele. Ela ofegou, arqueou as costas, viu estrelas.

E quanto a Peter, apenas se levantou, sorriu olhando para ela, lambeu os lábios e disse:

– Ah, Tillie.

EPÍLOGO

Triunfo!

Para esta autora, pelo menos.

Não foi insinuado exatamente nestas páginas que um casamento poderia ser realizado entre lady Mathilda Howard e o Sr. Thompson?

Uma nota apareceu no Times *de ontem, anunciando o noivado. E no baile dos Frobishers, ontem à noite, lorde e lady Canby declararam estar satisfeitíssimos com o noivado. Lady Mathilda estava absolutamente radiante e quanto ao Sr. Thompson... esta autora está bastante satisfeita em relatar que o ouviram murmurar: "Será um noivado curto."*

Agora, se ao menos esta autora conseguisse solucionar o mistério de lady Neeley...

CRÔNICAS DA SOCIEDADE DE LADY WHISTLEDOWN,
21 de junho de 1816

Mia Ryan

A ÚLTIMA TENTAÇÃO

Para a minha Mamo.
Fazia muito tempo que eu queria dedicar algo a você, mãe.
Deus permita que você dê um tempo
em ser o anjo mais lindo aí de cima
para desfrutar de uma boa leitura. ☺

CAPÍTULO 1

Esta autora suspeita, no entanto, que, se algum dos convidados de lady Neeley fosse citar a verdadeira tragédia de ontem à noite, não mencionaria a pulseira perdida, mas sim a comida não consumida. (Os convidados foram, bastante tragicamente, arrancados da mesa quando ainda tomavam a sopa.) Esta autora soube de fonte segura que o cardápio incluía costeletas de cordeiro com pepino, ragu de vitela, galinha ao curry e suflê de lagosta como primeiro prato. O segundo tinha sela de cordeiro, galinha assada, frango cozido ao molho branco, presunto assado, vitela assada e torta salgada.

Esta autora não vai nem comentar a respeito das sobremesas, que permaneceram intocadas. É um assunto doloroso demais para ser abordado.

CRÔNICAS DA SOCIEDADE DE LADY WHISTLEDOWN,
29 de maio de 1816

A casa inteira cheirava a lagosta: velha e estorricada. Não era o aroma delicioso e convidativo que deixara Isabella com água na boca enquanto lady Neeley os fazia esperar pelo jantar na noite anterior. Ah, não. Nesta manhã, o cheiro de lagosta tinha se infiltrado em cada fio das almofadas de todos os sofás e cadeiras e, sem dúvida, deixara de ser atraente.

Em silêncio, Isabella Martin foi até a cozinha pela escada dos criados. Prendeu a respiração e pisou com cuidado no degrau que rangia. Não queria encontrar lady Neeley. Pelo menos, não ainda. E sem dúvida não podia lidar com seu terrível papagaio. Aquela ave estúpida tinha tornado quase insuportável uma noite que já era horrível. E o fato de lady Neeley não ter feito nada para ajudá-la deixara um gosto amargo em sua boca.

Após dez anos sendo sua companhia constante, Isabella merecia, no mínimo, que a mulher mais velha tivesse prendido aquela peste por uma noite. Mas não. Isabella passara a noite inteira se esquivando enquanto a ave idiota tentava beijá-la com seu bico terrivelmente afiado.

Maltratar o papagaio era o mesmo que maltratar lady Neeley, pensou Isabella quando enfim passou pela porta da cozinha.

Christophe estava ocupado fazendo algum tipo de massa com um cheiro estranho de lagosta. Ele ergueu os olhos quando ela entrou.

– Bom dia, Christophe – disse Bella com um sorriso radiante.

– Bom? – perguntou ele. – Você usa essa palavra e não consigo entender. Sim, talvez tenha ficado um pouco melhor agora que a linda Bella ilumina minha cozinha com seu sorriso.

Bella riu e seu semblante se iluminou. Sempre encantador, Christophe. Ela sentou-se em um banco à mesa, de frente para o cozinheiro francês que havia encontrado para lady Neeley cerca de cinco anos antes. Ele era um homem franzino, cerca de cinco anos mais novo que Bella e uns bons 30 centímetros mais baixo, tinha cabelos escuros e olhos mais escuros ainda. E sempre que Bella estava triste, sabia que podia se sentar na cozinha aconchegante de Christophe, cercada de aromas deliciosos, e receber um elogio atrás do outro.

Christophe balançou a cabeça e piscou, como se lutasse contra as lágrimas.

– Meu jantar arruinado! – gemeu. – Arruinado! E por quê, eu pergunto? Uma pulseira feia qualquer. Bem, vou lhe dizer, Bella, todos nesta casa vão comer sopa de lagosta e biscoitos de lagosta até ficarem verdes.

Bella sorriu.

– Os biscoitos ou as pessoas?

Christophe franziu a testa e sovou a massa.

– Não estou com vontade de rir agora, Bella, *ma chérie*. A sociedade está alvoroçada por conta das obras de arte que saem da minha cozinha? Deveria estar, *oui*? *Mais non! Ne pas c'est matin*. Não, esta manhã lady Whistledown fala sobre o jantar que não aconteceu e sobre uma pulseira horrorosa.

Christophe fungou de forma dramática e balançou a cabeça enquanto puxava violentamente pedaços da massa que tinha acabado de sovar e os colocava sobre uma forma untada.

– Já esgotei todas as minhas lágrimas, então você tem sorte de pelo menos não ter que ver um Christophe choroso esta manhã.

– Um Christophe choroso parece terrivelmente pouco apetitoso, devo admitir – disse Bella.

Christophe fez uma pausa, um pedaço oleoso de massa suspenso entre eles. Bella franziu a testa para o cheiro de peixe que emanava daquilo.

– Você me parece bem mais alegre do que deveria – disse Christophe. – Devo lembrar-lhe de que acabaram com sua festa ontem à noite? Era a minha comida, *oui*, mas é você quem organiza todas as recepções de lady Neeley. E, como sempre, mais uma vez vou lembrá-la de que você é um gênio.

Bella sorriu.

– Obrigada, querido.

– Você não está nem um pouco chateada?

– Bem, é claro que estou um pouco triste. Mas, na verdade, estou até contente por estar longe daquele papagaio.

Christophe fez uma careta.

– O que aconteceu com aquela ave terrível? Sempre foi uma coisa horrorosa, cuspindo em todo mundo, mas agora, do nada, está querendo fazer amor com você, eu juro. E, segundo a Sra. Trotter, agora fala sem parar. Não cala a boca. Está deixando a governanta louca.

– Sim, ontem à noite, em vários momentos, tive vontade de deixar uma janela aberta, na esperança de que aquela coisa fugisse – disse Bella.

Christophe riu como só um jovem francês poderia.

– E talvez lady Neeley seguisse aquele bicho horrendo.

– Christophe! – exclamou Bella, franzindo a testa para o cozinheiro.

Ele apenas revirou os olhos e deu de ombros, e então gritou:

– Minhas tortas! – E correu para o forno.

Ele girou o corpo, tirou um pegador de panela do gancho na parede, abriu o forno e puxou uma assadeira cheia de lindas tortas folhadas de morango.

– Sabia que estava sentindo o cheiro de algo que definitivamente não era uma variação de lagosta. – Bella suspirou e pressionou as mãos sobre o peito. – Elas estão lindas!

– Espere até prová-las, minha linda Bella – disse Christophe, pavoneando-se pela cozinha enquanto preparava um prato para ela. – Não devemos esquecer a *pièce de résistence* – disse ele, e polvilhou açúcar sobre toda a fornada.

Bella mal podia se conter e avançou na deliciosa torta no instante em que Christophe colocou o prato na sua frente.

– Humm – murmurou, dando uma mordida. – Você é divino, Christophe.

– Claro que sou – respondeu ele. – E, antes que eu me esqueça, preciso que me diga o que quer comer no seu aniversário. Qualquer coisa que seu coração desejar. Bem, em termos culinários, pelo menos.

– Meu aniversário? – perguntou Bella, lambendo os pedaços de torta de morango que ficaram grudados nos lábios.

Christophe bateu os cílios de forma afetada.

– Vou esperar você engolir antes de continuar essa conversa, muito obrigado.

Bella riu e engoliu.

– Meu aniversário *está* chegando, não é? – Ela gemeu. – Eu tinha esquecido.

– Claro que esqueceu, querida. É provável que eu também vá tirar completamente isso da cabeça quando chegar aos 30. Graças a Deus, isso não vai acontecer antes de cinco adoráveis anos.

Bella piscou.

– Trinta?

– Uma idade traumática, *je pense* – disse Christophe. – Então, é só escrever exatamente o que quer para o café da manhã, almoço e jantar, e terá, *ma chérie*.

– Mas eu não vou fazer 30 anos – retorquiu Bella. – São 29, tenho certeza absoluta disso.

– Ora, vamos, você nem se lembrava de que era seu aniversário. E, definitivamente, são 30.

A torta de morango, que antes era leve, doce e quase perfeita, de repente tinha gosto de terra na boca de Bella.

– Em 12 de junho de 1815, você fez 29, Isabella Martin. Lembro muito bem. Você ficou completamente bêbada e cantou uma música para a Sra. Trotter que fez lady Neeley chorar.

– Você prometeu que não repetiria isso – lembrou-lhe Bella.

– E isso significa que daqui a exatamente duas semanas você vai completar 30 anos – anunciou Christophe com um floreio de mão.

Bella afastou o prato. Tinha perdido o apetite.

– É meu aniversário de 30 anos – disse, calma.

Trinta. Não era o fim do mundo, é claro. Mas de repente percebeu que tinha esquecido de propósito sua idade exata.

Lembrou-se de ter pensado, no último aniversário, que era melhor que algo acontecesse durante o ano, algo que mudasse sua vida. Porque, se sua vida fosse a mesma quando chegasse aos 30, de fato não havia muita esperança de que algum dia fosse mudar.

Desde que chegara à casa de lady Neeley, dez anos antes, na época da morte de seus pais, Bella tinha certeza de que provavelmente passaria o resto da vida solteira, morando na casa dos outros. Ainda assim, até agora tinha se agarrado a uma pequena ponta de esperança em seu coração de que *alguma outra coisa* pudesse acontecer.

Mas, na verdade, depois que se chega aos 30, as chances de a vida mudar se tornam muito escassas. E elas não tinham sido tão numerosas assim ao longo de seus 29.

– Pois bem, seu menu, Bella?

Christophe estava de pé diante dela, uma pena de escrever na mão, um pedaço de papel na mesa entre eles.

– Hum... – murmurou Bella.

Comida era a última coisa que tinha em mente.

– Aí está, Srta. Martin! – gritou lady Neeley.

Bella e Christophe se viraram quando a mulher magra de cabelos brancos entrou na cozinha, o maldito papagaio empoleirado no ombro.

Christophe enrijeceu quando a ave guinchou:

– Martin, Martin, Martin.

E então se lançou para Bella.

As garras do papagaio perfuraram o tecido do vestido de Bella e arranharam seu ombro enquanto ele bicava impiedosamente seu pescoço e sua orelha. Ela ia matar aquele bicho.

– Posso sugerir um ensopado de papagaio? – sussurrou Christophe.

– Não sei por que de repente ele a achou tão atraente, Srta. Martin, mas é muito fofo, não é? – perguntou lady Neeley, com uma risada.

– Tire esse pássaro da minha cozinha – exigiu Christophe.

– Claro, Christophe, claro. Venha, Srta. Martin, tenho um grande favor a lhe pedir.

Lady Neeley então saiu com as saias farfalhando.

Bella se levantou, tentando manter o bico do papagaio longe de seu globo ocular ou de qualquer outra coisa que pudesse ser permanentemente avariada, e seguiu lady Neeley. Esperava que a mulher não lhe pedisse nada muito difícil. Bella realmente queria voltar para a cama e puxar as cobertas sobre a cabeça.

– Martin, Martin – guinchou outra vez o papagaio, e bicou a orelha dela.

Que maravilha, ia fazer 30 anos e até agora só tinha sido beijada por uma ave.

Isso era totalmente patético. E, naquele segundo, Bella decidiu que precisava fazer algo a respeito. Tinha duas semanas, afinal, antes de chegar aos 30.

Duas semanas.

Embora sua imaginação tendesse a dominá-la, Bella sabia que seu príncipe em armadura brilhante provavelmente não apareceria nas duas semanas seguintes. Afinal, em quase trinta anos ele não conseguira encontrá-la.

Mas talvez Bella pudesse ao menos achar alguém que a beijasse.

O papagaio a bicou de novo e Bella o afugentou. De preferência, alguém que não tivesse penas e um bico no lugar da boca.

CAPÍTULO 2

É de conhecimento de todos que as matriarcas da sociedade são as mais desesperadas por casamento (para sua prole, é claro, não para elas mesmas; longe desta autora insinuar que qualquer das principais damas de Londres sonhe secretamente com a bigamia).

No entanto, como sempre há uma exceção para confirmar a regra, poderia esta autora apontar o conde de Waverly? O cavalheiro em questão é um tipo muito afável, mas terrivelmente obcecado pelo estado civil de seu filho e herdeiro, ainda solteiro, lorde Roxbury.

Roxbury, que está, segundo esta autora foi informada, do lado mais sombrio dos 35 anos, ainda não mostrou particular interesse por qualquer uma das senhoritas casadouras. Como futuro conde, é considerado muito bom partido por todas as pessoas, não apenas por seus pais. (Esta autora assegura a todos os queridos leitores que este nem sempre é o caso.) Mas entra temporada, sai temporada, Roxbury escapa do laço matrimonial, e esta autora teme que o pobre lorde Waverly venha a morrer de frustração antes de o filho finalmente ceder aos seus desejos e levar alguma dama (qualquer uma) ao altar.

CRÔNICAS DA SOCIEDADE DE LADY WHISTLEDOWN,
29 de maio de 1816

Anthony Doring, lorde Roxbury, recostou-se na elegante seda vermelha que revestia sua cadeira favorita na sala de estar de sua casa e ouvia enquanto seu pai, Robert Doring, quarto conde de Waverly, o entretinha com todas as razões pelas quais ele deveria se casar. Anthony assentiu e sorriu, assentiu e sorriu mais um pouco, então olhou o relógio e assentiu de novo.

Na verdade, isso era algo comum. Toda quarta-feira pela manhã, lorde Waverly sentava-se com o filho na sala de estar da casa de Anthony. E toda semana a conversa era basicamente a mesma. As amenidades, como o clima e a saúde, eram deixadas de lado com rapidez, e eram sempre seguidas por uma enumeração das novas moças na cidade que dariam uma perfeita lady Roxbury. E então, é claro, lorde Waverly gostava de lembrar ao filho as razões pelas quais ele devia se casar.

Anthony sempre concordava, entusiasmado, com tudo o que o pai dizia, pois isso tornava a experiência muito mais palatável e, em geral, mais breve.

Naquele dia, bem quando estavam chegando à razão número cinco, uma ligeira batida à porta os interrompeu.

Anthony ergueu os olhos e viu seu mordomo, Herman, à porta.

– Perdoe-me, senhor, há uma dama...

Anthony impediu que o homem continuasse com um breve aceno de mão. Ele parou e caminhou até a porta.

– Leve-a à sala verde – ordenou calmamente antes que o mordomo pudesse prosseguir.

E então se virou sorrindo e assentindo para o pai.

Não esperava lady Brazleton tão cedo, mas a última coisa que queria era que lorde Waverly a encontrasse no corredor. Esbarrar em uma mulher casada sozinha no corredor sem dúvida desencadearia um longo sermão sobre os malefícios da boemia. E, como seu pai teria ao menos a decência de não sujeitá-lo a tal sermão na presença de lady Brazleton, isso provavelmente significaria uma aparição extra após a habitual visita de quarta-feira, e, para ser franco, havia um limite para o que um filho podia aguentar.

– Então, Roxbury – disse seu pai –, tomei uma decisão.

Anthony assentiu, mas não sorriu. As decisões do pai raramente eram algo que o fizesse sorrir.

– Você, filho, vai dar uma festa – afirmou o pai.

Anthony fez que sim com a cabeça e decidiu andar de um lado para outro em vez de se sentar. Tinha que gerenciar muita energia reprimida quando ouvia o pai. Andar ajudava. Um bom round no ringue no Gentleman Jim's era a solução perfeita, na verdade, e Anthony geralmente podia ser encontrado nesse estabelecimento toda quarta-feira à tarde.

– Uma festa? – repetiu Anthony.

– Sim, senhor, uma festa. Você conseguiu se tornar *persona non grata* para a maioria das jovens casadouras da sociedade, Roxbury. Todas acreditam que você é um cafajeste, e não um marido em potencial.

– Meu dever foi cumprido.

– Acredito que uma festa seja a coisa certa para colocá-lo em bons termos com as mães empenhadas em casar suas filhas – disse o pai, sem perceber que Anthony tinha dito alguma coisa.

– Ah, e esse é exatamente meu maior objetivo na vida.

– Não, seu objetivo é o casamento.

– Certo, mas antes uma festa, presumo – disse Anthony, parando um instante para contemplar um lindo pássaro na árvore do lado de fora da janela.

Primavera, enfim. O inverno tinha sido terrivelmente frio, e Anthony estava ansioso por um pouco de calor.

As mulheres tendiam a usar menos roupas quando estava quente. Isso tornava a vida muito mais interessante.

– Na verdade, foi lady Neeley que me deu a ideia – continuou o pai.

– Ah – murmurou Anthony.

Seu pai e lady Neeley passaram dez anos se cortejando. Na verdade, o pai a pedira em casamento em muitas ocasiões, mas a dama estava decidida a manter sua independência.

No entanto, parecia não se importar em conspirar para tirar a de Anthony.

– Imagino – disse ele ao pai – que essa festa que lady Neeley decidiu que devo dar vai preceder meu casamento?

Normalmente, Anthony sentia que estava alguns passos à frente do pai, mas toda essa ideia de festa sem dúvida o confundia.

– Isso mesmo – disse lorde Waverly, batendo no chão com a bengala de cabo de prata. – As mães verão que você não é de todo desprovido de graças sociais e as filhas verão que você tem uma casa adorável. Acho que isso vai ajudar bastante sua posição como um candidato a marido adequado.

– Que ótimo.

– Lady Neeley, é claro, é especialista em festas. As dela são sempre as melhores.

– Ouvi dizer que o jantar que ela ofereceu ontem não foi um grande sucesso. Na verdade, parece que os convidados nem sequer foram servidos e, para terminar a noite, ainda tiveram que ser revistados.

Lorde Waverly mordeu o lábio com uma expressão irritada.

– Não sei do que você está falando, garoto. Mas, veja, lady Neeley compartilhou o segredo do sucesso de suas festas comigo e eu vou enviá-la a você.

– Enviar-me lady Neeley?

Anthony esqueceu o passarinho com seu canto e continuou a andar de um lado para outro, determinado. Se tivesse que passar um minuto que fosse sozinho na companhia de lady Neeley, certamente enlouqueceria.

– Você vai entender mais tarde. – Lorde Waverly se levantou com a ajuda da bengala. – Vou me retirar. Espero receber o convite para a sua festa até o fim da semana, e gostaria que o evento fosse marcado para antes do fim de junho. É um bom mês para uma celebração, não é?

Anthony assentiu e sorriu. Decidiu que tinha que sair da cidade por algumas semanas. Seu pai havia deixado a amolação para trás e definitivamente cruzara a linha da intromissão. Isso não era nada bom.

Quando lorde Waverly saiu, o sorriso de Anthony se desfez e sua expressão ficou séria, mas logo se lembrou da delícia que o aguardava na sala verde e voltou a sorrir.

Lady Brazleton, exatamente do que precisava para distrair sua cabeça do pai, de lady Neeley e de festas. Anthony alisou o colete enquanto saía da sala de estar e atravessou o corredor em direção à sala verde. Ele assentiu para silenciar Herman, que parecia bastante ansioso para explicar a presença de lady Brazleton na sala verde, e cruzou a porta entreaberta.

Lady Brazleton estava inclinada sobre a mesa que ficava encostada na parede oposta, sem dúvida intrigada com a incrustação de marfim. Era uma bela mesa, ele tinha que admitir.

Mas podia afirmar que a visão que tinha no momento não se comparava a nenhuma outra. Permaneceu imóvel por um instante, admirando o modo como o tecido azul-claro do vestido de lady B. se aderia à curva de seu traseiro. Ela usava uma touca de aba enorme que tornava impossível ver qualquer parte do cabelo ou do rosto, mas deixava a nuca à mostra.

Ele não tinha percebido como o pescoço de lady B. era lindo. Era comprido e fino, e Anthony soube que precisava, naquele mesmo instante, pressionar os lábios no ponto macio em que seu pescoço encontrava as costas.

Ele avançou, pôs a mão na bela curva do traseiro de lady B. e encostou a boca aberta em sua nuca macia.

Em vez do som sensual que esperava, a mulher deu um grito alto de surpresa e levantou repentinamente a cabeça dura, que acertou com força seu nariz.

Anthony mordeu a língua e teve quase certeza de que seu nariz estava quebrado. Ele piscou os olhos enquanto parecia ver estrelas, e então notou olhos cinzentos e muito grandes encarando-o.

Lady Brazleton, se ele bem se lembrava, tinha olhos azul-claros, pensou, perplexo, quando a escuridão começou a invadir sua visão periférica.

Por um momento, Isabella só conseguiu olhar para lorde Roxbury, em estado de choque. Mas logo percebeu que ele sangrava profusamente e que parecia prestes a desmaiar.

– Ah, Deus – disse ela.

Então, pegou o lenço que podia ver despontando do bolso de seu colete e o levou ao nariz do homem.

– Pressione no nariz – ordenou. – Isso vai estancar o sangramento.

Ele piscou e não fez nada, por isso ela pressionou o lenço em seu nariz e o conduziu a um sofá.

– Deite-se e ponha a cabeça para trás – instruiu ela.

Desta vez, ele fez exatamente o que ela mandou. Com sorte, isso significava que sua mente estava clareando. Ela o atingira com muita força.

Isabella esfregou a parte de trás da cabeça. Ficaria com um galo terrível.

Ainda pressionando o nariz de lorde Roxbury, ela mordeu o lábio. Estava com vontade de rir, mas ali sem dúvida não era a hora nem o lugar.

– É claro que o senhor pensou que eu fosse outra pessoa – disse ela.

– *Bas* é claro – respondeu ele, fanho.

Ela riu.

Por cima do lenço, olhos castanho-escuros a encararam.

– Me desculpe – disse ela, tentando conter a risada. – O senhor tem que me perdoar, lorde Roxbury, nunca tocaram em mim assim, e isso me abalou. Nem o ouvi entrar na sala.

Ele não respondeu desta vez, mas ainda a olhava como se ela fosse uma criança travessa.

Aquilo não parecia nada justo.

– De qualquer forma, lamento tê-lo decepcionado – disse ela.

E então estragou o pedido de desculpas deixando escapar outra risada.

Lorde Roxbury continuou a encará-la, e a seguir piscou e pareceu mais confuso do que zangado. Isso era bom. Isabella realmente não via motivo para ele ficar com raiva dela.

Afinal, tinha sido ele que havia tocado seu traseiro.

E beijado seu pescoço.

De repente ela se deu conta de que tinha sido beijada, e seu rosto esquentou, provavelmente ficando vermelho. Meu Deus, havia sido tão rápido. Não tinha ideia de como conseguiria que um homem a beijasse antes de seu aniversário de 30 anos e já havia acontecido.

Tinha sido prazeroso também. Ela fechou os olhos por um momento e tentou se lembrar do toque fugaz. Lorde Roxbury tinha a reputação de ser um completo patife, então devia beijar muito bem. Bella lembrou que, na fração de segundo antes de reagir, os lábios quentes dele em seu pescoço eram muito macios.

Maldição. Ela de fato desejava poder voltar no tempo. Em vez de quebrar o nariz do homem, teria se virado em seus braços e tentado dar um beijo na boca antes que ele percebesse o engano.

Bella suspirou e abriu os olhos.

Lorde Roxbury a encarava.

Ela piscou, pois quase havia esquecido que ele estava ali.

Ele estendeu o braço e pôs a mão grande e morena sobre a dela.

Por um longo momento, Bella só conseguiu olhar para o dorso da mão de lorde Roxbury. Para ser honesta, ela nunca tinha estado tão perto de um homem. Na verdade, tinha certeza de que nunca um homem havia tocado sua mão, com exceção do pai, claro. Mas o pai era um homem franzino, com mãos leves.

Lorde Roxbury não era franzino. Ela o vira antes, é claro, mas sempre de longe. Agora Bella percebia que ele tinha ombros tão largos que mal cabiam no pequeno sofá. E suas mãos faziam as dela parecerem as de uma boneca de porcelana.

Ele ergueu as sobrancelhas escuras e, com um sobressalto, Bella percebeu que ele estava segurando o lenço e que ela já podia se afastar. Obviamente, ele estava esperando que ela retirasse a mão havia algum tempo.

Que constrangedor.

Bella se endireitou com rapidez e entrelaçou os dedos na frente do corpo.

Lorde Roxbury jogou as pernas para o lado e sentou-se, em seguida tirou o lenço do rosto com cuidado. Dobrou o tecido ensanguentado e o pôs sobre a mesinha de canto antes de olhar para ela.

– Quem é a senhorita? – perguntou, por fim.

Bella quase riu outra vez, mas conseguiu conter o impulso por conta do olhar severo no rosto de lorde Roxbury.

– Isabella Martin – respondeu. – Lady Neeley disse que o senhor estaria à minha espera.

– Lady Neeley – disse lorde Roxbury, balançando a cabeça. E então olhou ao redor. – A senhorita não deveria estar com uma acompanhante?

Dessa vez, Bella riu.

– Ah, não costumo sair com uma acompanhante. Não sou ninguém que... Quero dizer, ninguém nunca me nota. Ninguém percebe que não tenho uma acompanhante, então acho que não é necessário.

Lorde Roxbury estreitou os olhos para ela e então apoiou a cabeça nas mãos.

– Poderia se sentar? – disse.

As palavras formaram uma pergunta, mas o tom era uma ordem.

Bella rapidamente se sentou ao lado dele e então percebeu que o sofá era muito pequeno, mas seria constrangedor se levantar e se mudar para outra cadeira. Ela ponderou o problema por um momento, os olhos no espaço muito estreito entre seus joelhos e a coxa de Roxbury.

– A senhorita é a dama de companhia de lady Neeley – disse ele. – Agora estou reconhecendo.

Bella assentiu e não disse nada, embora uma pequena insolência dentro dela a incitasse a perguntar por quem ele esperava. Quem deveria ter recebido aquele beijo suave e o toque daquelas mãos grandes? Bella estremeceu e percebeu que novamente fitava a coxa de lorde Roxbury.

De fato não conseguia evitar. Ele tinha um músculo bastante visível ao longo da coxa. Bella achava que nunca tinha conseguido ver o músculo de um homem por baixo da roupa.

Esse pensamento a fez rir. Como se já tivesse visto um músculo desnudo. Bella levou a mão aos lábios para tentar conter o riso.

– A senhorita achou todo este incidente muito divertido, não é? – perguntou Roxbury, sombrio.

Bella apenas deu de ombros, pois, se falasse, riria. Não parecia capaz de manter a mente e os olhos longe da perna de lorde Roxbury. E, quando conseguiu erguer o olhar até seu rosto, a visão apenas confirmou o fato de que ela estava muito perto de um homem excepcionalmente bonito.

Ele tinha olhos cor de chocolate que pareciam brilhar, como se estivesse se divertindo de forma velada, mesmo quando estava irritado, como agora. Tinha o rosto comprido e o queixo firme, os cabelos castanhos e lisos que, no momento pelo menos, caíam sobre os olhos. Da posição privilegiada que Isabella costumava ficar durante as festas a que ia com lady Neeley, sentada nos cantos distantes dos salões de baile, Bella via lorde Roxbury. Sabia que, quando ele estava em uma festa, sempre usava o cabelo para trás.

E realmente nunca soubera que o corpo de lorde Roxbury parecia irradiar calor e alguma outra coisa que a fazia se sentir muito nervosa.

– Estranho – disse lorde Roxbury. – Na minha experiência, jovens donzelas costumam gritar, chorar e ficar histéricas se algo assim acontece.

Bella sorriu.

– Quer dizer que o senhor já fez isso com outras jovens donzelas? – perguntou.

– Bem, não bem assim, mas...

– De qualquer forma, lorde Roxbury, não sou uma jovem donzela. – Bella sentou-se um pouco mais ereta. – Fique sabendo que vou completar 30 anos daqui a exatamente duas semanas. E, graças ao senhor...

Bella tocou de leve o joelho dele e depois afastou a mão depressa. Honestamente, não tivera a intenção de tocá-lo, tinha sido um reflexo.

Um que nunca tivera, mas aconteceu.

Bella fechou os dedos na sua saia e pigarreou.

– Graças a mim...? – encorajou-a Roxbury.

– Graças ao senhor, pelo menos fui beijada antes de chegar aos 30.

Na verdade, não era isso que deveria ter dito. Lady Neeley teria caído dura no chão se a ouvisse.

Roxbury piscou. Então jogou a cabeça para trás e riu.

– Desculpe – disse Bella. – Isso foi ousado de minha parte.

– Bastante ousado – concordou Roxbury. – Mas, se a senhorita acha que foi beijada, então, obviamente, ser ousada não é algo com o qual esteja acostumada.

Bella franziu a testa.

– O senhor está zombando de mim?

– Com certeza. Agora, Srta. Martin, imagino que era à senhorita que meu pai se referia quando disse que lady Neeley me enviaria sua arma secreta para festas.

Bella suspirou aliviada. Enfim, um assunto com o qual se sentia no controle.

– Sim, devo ajudá-lo a organizar uma grande festa.

– E por que vai me ajudar?

– Porque sou muito boa com festas, senhor. Organizo todas as de lady Neeley. Com exceção da de ontem à noite, as recepções de lady Neeley são sempre maravilhosas. E o desastre de ontem estava completamente fora do meu controle.

– É claro que estava.

– Então, lorde Roxbury, eu estava pensando que poderíamos usar o tema asiático na decoração da sua casa. Talvez uma festa japonesa?

– Uma festa japonesa? – Lorde Roxbury parecia perplexo. – Como seria isso?

– Não tenho ideia – respondeu Bella com uma risada. – Mas poderíamos pesquisar. – Bella se levantou e se virou devagar, observando os painéis asiáticos pendurados nas paredes de lorde Roxbury. – Poderíamos fazer coisas maravilhosas com a decoração. E o senhor poderia contratar garotas para usarem quimonos e servirem as bandejas de aperitivos.

Roxbury não disse nada, então Bella continuou:

– Ou poderia pedir às convidadas que usem roupas japonesas. As pessoas gostam quando são envolvidas no tema da festa.

Roxbury se levantou lentamente.

– Foi a senhorita que organizou a festa mal-assombrada de lady Neeley, não foi?

Bella deu um sorriso largo.

– Sim, organizo todas as suas festas desde que estou com ela, mas a da Mansão Mal-Assombrada é a de que mais me orgulho.

– Como conseguiu fazer sair fumaça do chão daquele jeito? – perguntou Roxbury.

– Nunca contarei – respondeu Bella, erguendo a mão como se estivesse fazendo um juramento. – Com que fantasia o senhor foi?

Ele sorriu, e foi o sorriso mais perigoso que Bella já tinha visto. Realmente fez os joelhos dela fraquejarem.

– Bem, fomos *intimados* a ir fantasiados como nossa pessoa morta favorita...

Bella o deteve colocando a mão em seu braço.

– Ah, eu me lembro! – exclamou. – O senhor foi de Napoleão. O senhor é tão perverso, lorde Roxbury! Deveria ter ido como uma pessoa morta.

— Ele estava morto, em sentido figurado. Estou magoado por a senhorita ter esquecido — disse ele.

— Só por um momento.

— Mas achei que eu fosse inesquecível — rebateu lorde Roxbury.

Bella revirou os olhos.

— Sim, bem, tenho certeza de que o senhor é inesquecível para a maioria.

Ela riu e percebeu que a mão ainda descansava no braço de lorde Roxbury. Sua risada aos poucos perdeu intensidade, e ela pigarreou ao puxar a mão e a colocar na cintura.

Realmente tinha que parar de tocar nele. Lorde Roxbury ia pensar que ela era muito oferecida.

— Enfim — disse ela. — Estou certa de que vou fazer de sua festa um sucesso, lorde Roxbury.

Ele assentiu, mas sua expressão ficou um pouco sombria. Ele se afastou dela, caminhou em direção à janela e depois se virou.

— Sim — disse, enfim. — Estou certo de que vai, Srta. Martin.

— Então vou fazer algumas pesquisas, se quiser continuar com o tema asiático.

— Parece ótimo.

— Temos que nos apressar. Lady Neeley disse que o senhor gostaria que essa festa acontecesse logo.

— Em duas semanas, na verdade — disse lorde Roxbury. — Duas semanas a partir de hoje.

— Meu Deus! — exclamou Bella. — Isso nos dá muito pouco tempo. Devo começar a trabalhar já. Vou fazer um esboço do que pretendo e mandarei entregar aqui amanhã.

— Não, eu gostaria que a senhorita o trouxesse — pediu lorde Roxbury.

Bella assentiu.

— É claro.

Lorde Roxbury sorriu e, mais uma vez, foi um sorriso bastante perigoso.

— Vou levá-la à porta — disse ele, e segurou o cotovelo de Bella.

Ela quase não conteve o arrepio que a atravessou ao toque dele. Por Deus, estava agindo como uma boba. Ainda assim, não pôde deixar de notar como lorde Roxbury era alto perto dela e como era cheiroso. Devia usar um sabão especial, pois o aroma másculo parecia inebriar seus sentidos.

Ela sempre soube, é claro, que era uma pessoa sensual. Adorava cheiros bons e gostava de gastar qualquer dinheiro extra em óleos especiais para usar no banho. Também adorava roupas macias e até fizera um travesseiro de seda para sua cama.

Na verdade, havia decidido que, se um dia morasse sozinha, sua primeira aquisição seria lençóis de seda. E então deitaria sob as cobertas completamente nua.

Com essa fantasia, Bella soltou um suspiro definitivamente lânguido.

Lorde Roxbury olhou para ela com a expressão estranha. Bella piscou para ele, franziu os lábios e voltou o olhar para a frente. Aquilo não era nada bom. Ela sonharia com o toque de lorde Roxbury por meses, e se lembraria do seu cheiro até a velhice, tinha certeza. E para quê?

Ele era um libertino, um canalha, um cafajeste. Não queria ter qualquer ligação com ele.

Com esse pensamento, Bella caiu na gargalhada. Como se lorde Roxbury quisesse algo mais dela do que a produção de sua festa. Por Deus, como sua imaginação tendia a viajar por conta própria às vezes.

– Alguma coisa engraçada? – perguntou lorde Roxbury.

– Sim – respondeu ela, e cuidadosamente afastou o braço do toque dele quando chegaram à porta. – Eu o vejo amanhã, então?

Roxbury assentiu.

– Muito bem, então vou ler tudo sobre o Japão.

O homem baixinho que a deixara entrar apareceu do nada e lhe abriu a porta. Bella teve um sobressalto e depois riu de novo.

– Obrigada – disse ao mordomo.

Ele inclinou a cabeça e Bella saltou pelos degraus da casa de lorde Roxbury e virou à esquerda na direção da residência de lady Neeley.

⁂

Herman olhava para a Srta. Martin exatamente da mesma maneira que Anthony, que deixou o olhar se desviar para o mordomo por um momento.

– Por que está olhando assim para aquela jovem, Herman? – perguntou.

O homem teve um sobressalto e se virou para ele.

– Acho, meu senhor, que esta é a primeira vez que alguém me agradece por lhe abrir a porta.

Anthony assentiu.

– Sim, ela é diferente, não é, Herman?

O mordomo voltou a olhar para a rua.

– Muito.

– Há um lenço ensanguentado na sala verde, Herman. Peça a alguém que cuide disso... Por favor – disse Anthony ao mordomo.

– Claro, senhor.

– E não estou exagerando ao usar essa palavra. O lenço está mesmo ensanguentado.

– Sim, senhor.

Anthony passou mais um minuto olhando para a touca que adornava a cabeça da Srta. Martin. Ele ainda podia vê-la, saltitando pela rua. Havia algo na jovem que o fizera decidir que definitivamente a beijaria antes daquela maldita festa. Ele a beijaria de verdade, de modo que, antes de completar 30 anos, ela *realmente* tivesse sido beijada.

Mas, de repente, percebeu que não poderia fazer isso. Ela não era como as mulheres casadas e entediadas com as quais costumava se divertir. A Srta. Martin era diferente de qualquer mulher que já tinha conhecido.

Ela deveria ter lhe batido e o repreendido, no mínimo gritado com ele por tê-la agarrado daquele jeito. Em vez disso, riu.

Com um longo suspiro, Anthony fechou a porta. Não, ele não podia se aproveitar de alguém como a Srta. Martin. Com certeza se certificaria de não estar em casa quando ela voltasse no dia seguinte.

CAPÍTULO 3

... E na nossa lista de suspeitos, não podemos esquecer a evasiva Srta. Martin. Como dama de companhia de longa data de lady Neeley, ela, mais do que qualquer outro convidado, teria conhecimento íntimo da casa e da pulseira. E, novamente, devido à sua posição na casa de lady Neeley, é difícil imaginar que sua situação financeira seja tal que não tenha necessidade da renda que o adereço de rubis poderia proporcionar.

Mas esta autora seria injusta se não ressaltasse que lady Neeley se recusou a sequer considerar a sugestão de que um de seus criados e, em particular, sua devotada dama de companhia, pudesse ser responsável pelo roubo. E declarou, publicamente, que não mandará revistar os aposentos da Srta. Martin.

Então, talvez a única maneira de saber se a Srta. Martin é mesmo uma aventureira da pior espécie é se ela subitamente descer a Bond Street com as mãos cheias de moedas.

Improvável, mas, ainda assim, uma imagem interessante.

CRÔNICAS DA SOCIEDADE DE LADY WHISTLEDOWN,
31 de maio de 1816

Anthony se esforçou muito para fingir que não notou a Srta. Martin. Se ele estivesse em seu estado normal, nunca a teria visto. Ela tendia a se misturar com a decoração.

Lamentavelmente, ele não estava em seu estado normal. No segundo em que entrou pela porta do Grande Baile de Lady Hargreaves, ele a viu. Ela estava sentada em uma das poucas cadeiras disponíveis.

Tinha deixado a touca horrenda em casa, felizmente, e usava um casquete delicado preso no alto de seus cabelos escuros. Com a enorme touca, não percebera que a Srta. Martin tinha cabelos curtos. Não havia um fio de cabelo em sua cabeça com mais de 5 centímetros, se tanto. E cada cacho parecia ter vontade própria, enrolando para este ou aquele lado.

Anthony sempre gostou de mulheres com cabelos longos que caíam sobre ele enquanto faziam amor. Naquele exato momento, porém, decidiu que poderia ser interessante fazer amor com uma mulher cujos cabelos fizessem cócegas em seu nariz enquanto ela beijava seu pescoço.

Ele balançou a cabeça e decididamente desviou os olhos da Srta. Isabella Martin. Sem dúvida, ela era uma bruxa para fazê-lo pensar coisas tão estranhas em pleno salão. Sobretudo durante o Grande Baile de Lady Hargreaves. Nunca na vida tivera um pensamento lascivo no Grande Baile Anual de Lady Hargreaves.

Anthony deu suas voltas habituais beijando a mão das mais velhas, decrépitas, casadas e debutantes – a mão de quantas mulheres pudesse, para que as fofoqueiras não pudessem ligá-lo a ninguém em particular.

Muitos pensavam que esse era o jeito dele para deixar seu pai louco, mas, na verdade, era para o velho não criar esperanças.

Esta noite, estava difícil manter o controle de que mãos já havia beijado ou não. Seria o pior dos crimes beijar a mão de alguém duas vezes. As colunas de fofocas não falariam de outra coisa durante pelo menos uma semana. O pai anunciaria o noivado e encomendaria os convites.

Anthony decidiu que o melhor seria ir para a sala de carteado. Talvez não devesse ter comparecido, mas tinha que admitir um interesse perverso em ver lady Hargreaves manipular seus netos como marionetes. Pobres coitados, todos disputando a atenção dela para serem citados em seu testamento. Era provável que fosse viver mais que todos eles.

Enquanto desviava de grupos de pessoas, todos de pé por causa da lamentável falta de cadeiras, Anthony viu lady Easterly. Ele chamou sua atenção e piscou para ela, e Sophia piscou de volta com um sorriso. Anthony criara o hábito de sempre piscar para a loira imponente, porque ela sempre piscava de volta.

Ele tentara, na verdade, consolá-la de maneira calorosa quando o marido a abandonara, doze anos antes, mas fora educadamente rejeitado. Ela se manteve fiel ao marido, até onde Anthony sabia. Era uma boa mulher.

E, com esse pensamento, Anthony viu a Srta. Martin outra vez. O extremo oposto de lady Easterly, a Srta. Martin: uma garota franzina, morena, sentada em uma cadeira de canto.

Anthony hesitou um pouco, algo a que não estava nada acostumado. Nesse exato momento, a Srta. Martin o avistou e seus olhares se cruzaram. Mesmo de longe, Anthony podia ver o cinza de seus olhos realmente lindos. O que chamou a atenção dele, no entanto, foi o modo como eles brilharam quando o reconheceram.

E então ela se levantou.

Anthony não pôde fazer nada senão ficar parado, enquanto a Srta. Martin abria caminho na multidão, vindo em sua direção. Que corajosa, vindo atrás dele. Ele não conseguia se lembrar de uma única mulher em toda a vida que de fato tivesse se aproximado dele em uma festa. Ainda mais uma jovem solteira como a Srta. Martin. Na verdade, ela não era tão jovem assim. Só que parecia muito viçosa e moderna. Ela o fazia se sentir um velho cansado e triste.

Finalmente conseguiu alcançá-lo.

– Lorde Roxbury! – disse, um pouco sem fôlego. – Que bom que o encontrei.

Ela se inclinou para ele e encostou uma das mãos enluvadas em seu antebraço.

– É mesmo? – perguntou ele, um pouco abalado pelo contato.

Ela nem percebeu. Mas ele, sim. E notou que ela o havia tocado quando eles se conheceram.

Ele gostava disso. Mas não devia.

E, droga, ela não devia ser tão ingênua aos 30. Algum homem por certo se aproveitaria dela. Por que lady Neeley não dava mais atenção a essa garota?

– Entreguei o esboço pessoalmente, como pediu, mas o senhor não estava em casa – disse ela com um sorriso. – Percebi que não tínhamos marcado uma hora. Espero que o tenha recebido.

– Ah, sim, Herman garantiu que eu o recebesse.

– Ah, ótimo, e o que o senhor achou, então?

Ela esperou a resposta, o rosto miúdo erguido na direção do dele, os olhos cinzentos brilhando como estrelas. Ela de fato era uma coisinha atraente: tão ansiosa e tão feliz. Por que essa garota era tão feliz?

– Pareceu bom – respondeu ele, embora não tivesse olhado duas vezes para o esboço.

O que, aliás, lhe rendeu um olhar repreensivo de Herman. Anthony estava quase certo de que seu mordomo estava se apaixonando por aquela mulher.

– Ótimo, então devo prosseguir. Preciso que abra contas para mim em seu nome nos locais que listei, para que eu possa encomendar tudo. Fiz uma lista, é claro, de tudo o que vou gastar. Estou bem orgulhosa, na verdade. Consegui reduzir bastante as despesas fazendo os convites eu mesma. Tive uma ideia maravilhosa para os convites. Vão ficar adoráveis. Aprendi a fazer aquelas aves em dobradura de papel, e vou dobrar os convites assim.

– Hum – murmurou Anthony, pois não conseguia se concentrar nas palavras da Srta. Martin.

Tudo porque havia percebido que ela possuía uma boca adorável – os lábios eram como os de uma boneca pintada com perfeição. De fato, ele decidiu, naquele momento, que adorava o arco perfeito de seu lábio superior. Tinha certeza de que gostaria de se tornar íntimo da boca dessa mulher.

Ela sorriu para ele.

– Está satisfeito com tudo?

– Ah, sim – disse ele.

– Bom, fico muito feliz. Nunca trabalhei com ninguém além de lady Neeley, e ela me deixa fazer o que eu quiser.

– Percebi – disse Anthony, sombrio.

Honestamente, a Srta. Martin precisava de um acompanhante. Era uma mulher adorável e inocente, à espera de que algum cafajeste a arruinasse por completo. Ele olhou ao redor.

– Onde está lady Neeley?

A Srta. Martin deu de ombros.

– Estava conversando com o Sr. Thompson e lady Mathilda, e então logo encontrei uma cadeira afastada. Não estou muito contente com a forma como lady Neeley está lidando com a questão de sua pulseira desaparecida, então tento ficar longe quando ela fala disso.

– Ouvi dizer que ela não está sendo sutil em acusar as pessoas que estavam em sua festa.

A Srta. Martin revirou os olhos.

– Não é horrível?

– Também percebi que a senhorita parece ser uma das suspeitas.

A Srta. Martin riu.

– Ah, isso é só coisa da coluna de lady Whistledown. Lady Neeley nunca acusaria nenhum de seus criados.

A maioria das mulheres teria ficado de cama, mortalmente doente, ao ver seu nome ligado a um roubo na coluna de lady Whistledown. Era óbvio que isso não valia para a risonha Srta. Martin.

– Dá para acreditar, lorde Roxbury? – perguntou ela, os olhos se iluminando. – Meu nome apareceu na coluna de lady Whistledown. Nunca fiquei tão emocionada na vida. Concluí que é por causa do meu aniversário. Fiquei um pouco chateada quando lembrei que ia completar 30 anos com tantas coisas ainda por realizar. E, veja só, meu aniversário é daqui a duas semanas e fui citada em uma coluna de fofocas e beijada por um lorde!

Este último trecho lhes rendeu alguns olhares.

– Opa – disse a Srta. Martin. – Acho que devo ser um pouco menos extravagante em público, ou vou aparecer na coluna de lady Whistledown outra vez. Vou me retirar, e enviarei uma amostra do convite para o senhor amanhã. Seu pai me passou uma lista de convidados, então não preciso que faça isso.

Isso era péssimo.

– Não – contestou Anthony. – Vou lhe enviar uma lista de convidados. Pode queimar a que meu pai lhe deu.

– Tem certeza? – perguntou ela. E então riu e pôs a mão no antebraço dele, enquanto se inclinava em sua direção. – Seu pai parecia muito decidido quanto a convidar as pessoas escolhidas por ele.

Anthony apenas assentiu. Nunca uma mulher flertara com ele desse jeito. E o pior era que ela nem percebia que estava flertando.

Podia ver em seus olhos. Ela não fazia ideia de que, quando se inclinava em sua direção, ele sentia o ligeiro perfume da água de rosas que ela usava. E que isso o deixava absolutamente excitado.

– Tenho que lhe perguntar – começou ele –, a senhorita faz parte da equipe de criados de lady Neeley?

A Srta. Martin se empertigou e piscou.

– Como?

– Bem, a senhorita disse que lady Neeley confiava em todos os seus criados, e fiquei me perguntando se foi contratada por ela. Em algum lugar no fundo da minha mente, eu poderia jurar que meu pai certa vez me disse que a senhorita era parente de lady Neeley.

A Srta. Martin deu um sorriso largo.

– É mesmo? O senhor se lembra de ter ouvido falar de mim? – Ela bateu palmas. – Que adorável!

– A senhorita se diverte mesmo com facilidade.

– É verdade. – Ela sorriu ainda mais, obviamente nem um pouco incomodada de rir de si mesma. – Mas, de toda forma, sou as duas coisas. Sou uma parente contratada. Lady Neeley me paga pelo trabalho de dama de companhia. E é prima em segundo grau de minha mãe.

– E onde estão sua mãe e seu pai?

A Srta. Martin inclinou a cabeça para o lado, os olhos cinzentos ficando um pouco mais escuros.

– Ambos já partiram.

– Ah, sinto muito.

– Tudo bem. Eles já eram mais velhos quando fui concebida. Sinto-me abençoada por ter passado vinte anos completos com eles.

Anthony desviou o olhar por um momento. Embora a mãe tivesse morrido vinte anos antes, ele ainda tinha o pai. O fato de nunca ter pensado nisso como uma bênção agora o fazia se sentir uma pessoa desprezível.

Quando olhou a sala ao redor, Anthony percebeu que havia algumas pessoas o observando com a inocente Srta. Martin. Droga!

– Por quê? – perguntou ela então.

Ele virou-se para ela outra vez.

– O quê?

– Por que o senhor quer saber sobre minha relação com lady Neeley? Está preocupado com a festa? Quer que eu apresente amostras do meu trabalho?

– Ah, não, não é isso – disse Anthony. – Eu estava interessado...

Suas próprias palavras o detiveram. Ele estava interessado, tinha dito. E era verdade. Simplesmente estava interessado nessa estranha criatura que era a Srta. Martin.

E, verdade seja dita, ele não achava muitas coisas interessantes. Portanto, achou bastante alarmante que estivesse interessado nas respostas que a Srta. Martin estava dando a suas perguntas. Além desse fenômeno estranho, Anthony percebeu que de fato queria mostrar à Srta. Martin que ela não tinha sido beijada... não de verdade, e não ainda.

Pelo menos, essa última parte era muito mais condizente com seu caráter.

Ainda assim, Anthony olhou para a Srta. Martin por um momento, tentando entender melhor por que gostaria tanto de beijá-la, já que isso só poderia acabar em algum desastre – provavelmente para os dois.

– Eu o aborreci? – perguntou a Srta. Martin, sem um pingo de medo. – O senhor parece querer arremessar alguma coisa. De preferência a minha pessoa.

– Não, mas tenho que ir. Sua reputação está em jogo.

A Srta. Martin inclinou-se para a frente, os ombros tremendo, e, por uma fração de segundo, Anthony acreditou que ela estivesse chorando. Mas então ela endireitou os ombros, os olhos cintilando sobre ele, e ele percebeu que ela estava era rindo.

Ela manteve a mão sobre a boca por um momento, sem dúvida tentando se controlar.

– Ah, lorde Roxbury, eu não tenho reputação. – Ela gesticulou com a mão para as pessoas que os cercavam. – A maioria dessas pessoas não tem ideia de quem eu sou. Acho que é a sua reputação que o senhor tem medo de arruinar. – Então ela sorriu para ele.

– Claro que não.

A Srta. Martin riu.

– Eu só estava brincando. Mas já arruinou sua reputação aos meus olhos, senhor. Gosta que todos acreditem que é um perfeito cafajeste quando, na verdade, é um perfeito cavalheiro.

Agora havia duas coisas das quais ele se sentia obrigado a dissuadir a Srta. Martin: que ela tivesse sido adequadamente beijada e que ele fosse um cavalheiro.

– Posso lhe garantir que não sou um perfeito cavalheiro, Srta. Martin.

– Como quiser, senhor. Agora, também gostaria que soubesse que há uma adorável mostra japonesa no Museu Britânico. Se fosse vê-la, talvez tivesse algumas ideias para a festa. Duas cabeças são sempre melhores do que uma quando se trata desse tipo de coisa.

Anthony ainda estava tentando assimilar o fato de que essa moça acreditava que ele fosse um perfeito cavalheiro. Ele olhou ao redor outra vez e soube que a Srta. Martin estava completamente errada. Ele sem dúvida a estava arruinando para sempre.

– De fato, Srta. Martin, não devíamos ficar conversando por tanto tempo e tão intensamente em público.

– Estamos conversando intensamente? – perguntou a Srta. Martin, os olhos arregalados, a voz um sussurro. Ela se aproximou mais dele. – Isso é intenso, não é, senhor? – Ela olhou ao redor e depois de volta para ele.

Ele estava sendo provocado. Fazia muito tempo que ninguém ousava provocá-lo, mas percebeu que estava acontecendo agora. Ele revirou os olhos e a Srta. Martin deu uma risadinha.

Verdade seja dita, Anthony nunca gostara de mulheres que estavam sempre rindo. Mas a Srta. Martin era diferente. Suas risadas não eram nem um pouco estridentes e, sem dúvida, não eram uma tentativa de fazer com que parecesse mais ingênua e inocente. Ela obviamente não sabia como usar qualquer coisa para fazer parecer algo que não era. As risadas da Srta. Martin eram puras, suaves e contagiantes. Elas o deixavam com vontade de rir também.

Rir, pelo amor de Deus. Ele definitivamente estava ficando louco.

– Vou libertá-lo de seu sofrimento, senhor – disse ela então. – Preciso mesmo de um ponche, minha boca está tão seca quanto o Saara, juro. Vou deixar o senhor. No entanto, tenho que fazê-lo intensamente.

Ela espiou ao redor, olhou para ele e ergueu dramaticamente as sobrancelhas, depois se virou com um gesto amplo e majestoso e o deixou.

Em seu rastro, Anthony ouviu o débil som de sua risada.

Ele balançou a cabeça enquanto a observou por um momento. Desejou, na verdade, que estivessem sozinhos. Queria continuar conversando com ela. Queria fazê-la rir de novo.

Estranho. Em toda a sua vida, nunca encontrara uma mulher com quem quisesse estar sozinho porque desejava conversar com ela.

Anthony fechou os olhos e pôs as costas da mão na testa. Talvez estivesse com febre.

CAPÍTULO 4

Não se pôde deixar de notar que a dama de companhia de lady Neeley talvez tenha sido a única mulher que não foi beijada por lorde Roxbury no Baile dos Hargreaves.

Bem, esta autora está se referindo apenas a mãos, não a lábios, mas, de fato, o sujeito precisa ser um pouco mais seletivo.

CRÔNICAS DA SOCIEDADE DE LADY WHISTLEDOWN,
3 de junho de 1816

Era para Bella estar fazendo esboços. Olhou para o caderno de desenho aberto à sua frente e depois de volta para o quimono exposto no museu. Ela se contorceu, tentando encontrar uma posição mais confortável na cadeira de espaldar reto que Ozzie lhe arrumara.

Ozzie avançava pelo corredor naquele segundo, uma pequena almofada quadrada na mão.

– Achei que isto poderia ajudar – disse ele, oferecendo a almofada.

Bella sorriu para o jovem e se levantou.

– Muito obrigada, Ozzie, é muito gentil da sua parte.

Um forte rubor tomou o pescoço de Ozzie. Onde a maioria das pessoas tinha a pele escura, clara ou mesmo amarela, a de Ozzie só podia ser descrita como vermelha. Havia um tom avermelhado em todo o seu rosto, o que fazia com que as sardas que lutavam por espaço em sua face parecessem angustiantemente laranja. Os cabelos dele também pareciam da cor de uma laranja madura, embora, na verdade, fossem de um louro bem claro.

Bella pegou a almofada e a pôs no assento da cadeira, em seguida colocou o caderno de desenho sobre ela.

– Mas acho que vou andar um pouco antes de continuar com os desenhos.

Ozzie olhou para a almofada.

– Você fez um trabalho incrível. É muito talentosa.

Bella sorriu.

– Obrigada. Como estou sempre planejando decorações para festas, saber desenhar ajuda. Mesmo assim, não desenho bem, a menos que esteja copiando algo. Então, acho que se pode dizer que é um talento limitado. – Ela riu de forma autodepreciativa quando começou a andar pelo corredor.

Ozzie seguiu ao seu lado e ela estava feliz. O menino era uma companhia encantadora. Ela o conhecera na semana anterior, quando viera buscar informações sobre coisas do Japão. Ele trabalhava no museu, ajudando a restaurar e preservar os artefatos em exibição. E sabia muito sobre artigos japoneses, o que tornou o trabalho dela muito mais fácil. Na verdade, foi Ozzie quem lhe ensinou a dobrar os convites com uma técnica japonesa chamada origami.

– Eu queria poder ver essa festa que você está decorando – disse ele.

Bella parou.

– Sabe, tenho certeza de que pode. Você me ajudaria a arrumar a festa no dia anterior? Assim, pode ver tudo quando estiver pronto.

Os olhos verdes de Ozzie ficaram vidrados enquanto ele assentia rapidamente.

– Ah, sim, eu adoraria.

Ele parecia um filhotinho ansioso. Bella deu uma risadinha.

– Eu reconheceria esse som em qualquer lugar – disse uma suave voz masculina atrás deles.

Bella deu um salto e Ozzie se encolheu.

– Ai, meu Deus! – exclamou Bella. – É lorde Roxbury, em carne e osso.

Com muita dificuldade, ela tentou parecer indiferente, o que era quase impossível, visto que cada nervo de seu corpo tinha começado a vibrar, por incrível que pareça.

Bella pressionou os dedos contra o peito, se perguntando se estava prestes a ter um colapso, o coração aparentemente batendo rápido demais.

– Vim ver a exposição japonesa de que me falou, Srta. Martin – disse ele, o olhar percorrendo Ozzie devagar, até que o menino balbuciou uma desculpa ininteligível e saiu apressado.

Lorde Roxbury observou Ozzie se afastar por um minuto e depois voltou-se para Bella. Por Deus, ser o foco da atenção de lorde Roxbury era bastante assustador, concluiu Bella. Não era de admirar que Ozzie tivesse corrido como um rato diante do maior gato do mundo.

Seus olhos castanhos, que ela lembrava claramente de admirar porque sempre havia uma faísca de humor neles, tinham perdido o brilho. Ele parecia estar de mau humor, na verdade. E Bella precisou reprimir o impulso de afastar uma mecha de cabelos castanhos da testa dele e lhe perguntar qual era o problema.

Em vez disso, apertou as mãos com firmeza na frente do corpo, como precaução.

– Recebeu o convite, senhor? – indagou, com um sorriso.

– Sim, e meu pai também. Ele estava nas nuvens com o design exclusivo.

Bella sorriu.

– Ah, que bom. Fico muito feliz.

– Infelizmente, porém, meu pai não estava na minha lista de convidados.

– Ah, bem, decidi que o melhor a fazer era combinar sua lista com a de seu pai, então isso significa que ele recebeu um convite.

– É mesmo? Estou pagando por essa festa, mas meu pai decide quem será convidado? – questionou lorde Roxbury.

– Não, não de forma geral. – Bella apertou os dedos. – Notei que cada um tinha extremos na lista.

– Extremos?

– Quero dizer, notei que a lista do seu pai era composta por muitas jovens solteiras e suas mães e sua lista era predominantemente composta por homens e senhoras casadas – explicou Bella.

– E?

– E então cortei os extremos e juntei os meios. Dessa forma, o senhor tem uma mistura muito melhor de pessoas.

Lorde Roxbury assentiu, mas ficou sem dizer nada por um bom tempo.

– Não acha que ultrapassou os limites, Srta. Martin? – disse ele por fim.

– De jeito nenhum. Estou aqui para fazer da sua festa um sucesso, e isso significa que eu tinha que assumir o controle da lista de convidados. Se isso o incomoda tanto, meu senhor, deixo esse trabalho.

– Eu nunca a contratei exatamente.

– Isso mesmo – concordou Bella, com um sorriso. – Seu pai pediu a lady Neeley que me deixasse ajudá-lo. Por isso, senti que precisava levar em consideração a lista dele, e não apenas queimá-la, como o senhor sugeriu. Mas, como no fim a festa é sua, também quis convidar pessoas da sua lista.

– Em outras palavras, a senhorita está bancando a diplomata entre mim e meu pai? – perguntou lorde Roxbury.

– Eu estava apenas assumindo o papel da mulher diante de dois homens teimosos – respondeu ela em tom suave.

Lorde Roxbury piscou.

Ele ficava uma graça quando estava nervoso. Embora ela pudesse jurar que ninguém na sociedade atribuiria essa qualidade a lorde Roxbury.

Mesmo agora, ele estava se esforçando muito para parecer irritado e altivo, e não estava funcionando nem um pouco. No dia em que o conheceu, tinha percebido que ele provavelmente era um dos homens mais gentis que conhecera.

Ela de fato gostava disso nele.

– Agora, senhor, quer ver a mostra japonesa? É requintada, e devo dizer-lhe que estou muito feliz por ter tido a oportunidade de aprender sobre outra cultura e ainda por cima me divertir.

Roxbury ficou parado olhando para ela como se fosse um fantasma. Ou uma mulher. Obviamente, ele nunca conhecera uma que de fato falasse com ele. Ou ele nunca prestara atenção nas mulheres que conheceu. Bella mordeu o lábio inferior para não rir.

– Senhor? – chamou ela. – Gostaria de ver a mostra? Ou prefere continuar discutindo sobre algo que já foi feito?

Mais tarde, Bella percebeu que tinha ficado tão presunçosa nesse ponto da conversa que era bem provável que tivesse começado a parecer uma professora chata e sabe-tudo. Ela de fato merecia ser posta em seu lugar, mas não esperava o que aconteceu depois... embora tenha gostado muitíssimo.

CAPÍTULO 5

Alguém percebeu que lorde Roxbury tem estado muito mais sério ultimamente? Depois de todos aqueles beijos em mãos no Baile dos Hargreaves, ele se tornou um verdadeiro monge.

Não compareceu a nenhuma festa a semana toda. O que não é típico dele.

Só podemos nos perguntar se o pai dele se regozija ou chora em desespero. A falta de alegria pode indicar certa vontade de sossegar, mas, por outro lado, uma pessoa não consegue encontrar uma jovem pretendente se nunca sai de casa, consegue?

CRÔNICAS DA SOCIEDADE DE LADY WHISTLEDOWN,
7 de junho de 1816

Anthony estava muito mal-humorado quando foi procurar a Srta. Martin. Foi informado por lady Neeley que sua dama de companhia estava desenhando no museu. Isso o incomodou mais do que tudo. Aquela senhora não se importava nem um pouco que sua jovem e adorável dama de companhia estivesse sozinha no museu. A Srta. Martin precisava de uma acompanhante.

Ao guiar seu cavalo em direção ao museu, Anthony ficou ainda mais agitado. Passara o fim de semana num humor que só podia ser chamado de sombrio. E, como a maioria das pessoas que o conhecia sabia, Anthony nunca estava nada diferente de alegre e tranquilo. O último fim de semana, no entanto, tirara qualquer dúvida de que ele era de fato filho de seu pai, pois tinha começado a parecer exatamente como ele: berrando ordens para o pobre Herman e fuzilando com os olhos quem o perturbasse, sempre sentado encurvado à sua mesa.

E, o mais estranho de tudo, Anthony não estivera com uma mulher desde quarta-feira.

Passara todo o fim de semana sem nem mesmo ter vontade de ver uma mulher, muito menos falar com uma ou, tremia só de pensar, tocar em uma. Claro, a Srta. Martin se infiltrara em seus pensamentos da forma mais enervante possível e o desejo de tocá-la quase o dominou.

Afinal de contas, o que havia de errado com ele?

Quando descobriu que seu pai tinha recebido um convite, Anthony se sentiu muito aliviado, porque agora podia ficar bravo com a Srta. Martin. Isso parecia algo mais seguro do que o que ele sentira por ela antes.

Mas então a viu caminhando com um garoto que, por mais estranho que possa parecer, teve vontade de botar para correr. Ela era tão frágil, magra, os cabelos de fada formando cachos na cabeça. Usava um vestido simples, cinza, que teria ficado horrível em outra pessoa, mas acrescentou uma faixa azul-clara que acentuava a cintura e fazia seus olhos parecerem neblina. Ela também havia prendido um ramalhete de flores no colarinho e, quando ele se aproximou, a fragrância o atingiu em cheio.

Na verdade, todos os pensamentos em seu cérebro eram como os de um jovem inexperiente. E então ela riu para ele e falou com ele daquele jeito franco e inteligente, e Anthony sentiu um desejo de beijá-la de verdade.

E então o fez, enfim.

Depois, não tinha muita certeza de por que fizera aquilo exatamente, mas se lembrava de naquele momento ter vontade ou de bater nela ou de beijá-la, e como nunca tinha batido em uma mulher, agarrou seu braço, puxou-a para si e tomou sua boca.

E então ela retribuiu o beijo, e ele realmente se entregou como nunca.

Foi agressivo no início, mas ela logo se abriu para ele: os braços envolveram seu pescoço, seu corpo se moldou ao dele, e sua boca era macia.

Ele ficou rígido de desejo em segundos, definitivamente um jovem inexperiente. Passou um braço pela cintura dela e se inclinou sobre o seu corpo, beijando-a como nunca havia beijado outra mulher. Ele a beijou com uma urgência que ia além do físico.

Quando enfim voltou a si e percebeu que estavam em um lugar público e que ele poderia arruiná-la naquele segundo se uma única pessoa os visse, afastou-se dela.

Segurou seu braço por um instante para se certificar de que ela estava equilibrada, mas depois a soltou e até se afastou alguns passos.

Ela apenas o encarou, e Anthony realmente desejava que ela não fizesse aquilo. Estava fora de si. Não sabia mais quem era nem o que estava sentindo, mas não era normal, isso ele sabia.

– O senhor faz isso com todas as mulheres que o irritam? – perguntou ela, por fim.

– Não.

– Agora posso dizer que fui beijada, não posso?

Ele balançou a cabeça, confuso.

– O senhor pareceu se divertir por eu ter achado que havia sido beijada quando beijou meu pescoço. Isso, porém... – Ela agitou a mão entre eles. – Isso sem dúvida foi um beijo, não foi?

Ele fechou os olhos por um momento. Ela não fazia ideia de que tinha sido um beijo e tanto.

– Sim – disse ele. – Isso foi um beijo.

Ela sorriu.

– Que bom então. O senhor queria ver a mostra, certo? – perguntou ela.

Mostra? Anthony não conseguia se lembrar do que ela estava falando. Ele parecia incapaz de se lembrar de onde estavam ou de quem ele era. A intenção era chocar a mulher à sua frente, mas, em vez disso, foi ele que ficou entorpecido.

– Ah – balbuciou ele.

– Então venha – disse ela, virando-se e saindo pelo corredor.

Que ótimo, ele foi mudado para sempre por um beijo, e a mulher que o inspirou não poderia se importar menos. Anthony ficou um momento olhando para o teto. Sem dúvida, essa era a maneira perversa de Deus castigá-lo por sua devassidão.

Com um gesto de cabeça, Anthony seguiu a pequena ninfa que era a Srta. Isabella Martin.

– Não é adorável? – perguntou ela quando ele a encontrou, gesticulando com a mão para um painel.

Anthony tentou apreciar a obra, mas o olhar ficou preso na mão da Srta. Martin. Era tão linda, delicada, com unhas perfeitamente arredondadas. Provavelmente, naquela noite, se sentaria e escreveria um soneto para as mãos da Srta. Martin. Tinha chegado a esse ponto.

Ou talvez apenas precisasse se entregar para outra mulher? Talvez isso quebrasse esse estranho feitiço.

– Srta. Martin – disse ele. – Como conseguiu ter um nome como Isabella?

Essa era apenas uma das muitas coisas que ele se perguntara enquanto passara o fim de semana encurvado, sentado à sua mesa.

Ela balançou a cabeça, obviamente confusa pela mudança de assunto, mas depois sorriu.

– Ah, foi minha mãe. Herdei a imaginação dela. Vivia me contando histórias de princesas espanholas e príncipes ingleses. Ela me deu o nome de Isabella em homenagem à rainha da Espanha.

Está vendo?, pensou Anthony, *nada tão extravagante a ponto de merecer um fim de semana inteiro de reflexão.*

– Meus pais já eram mais velhos quando me tiveram e sabiam que morreriam quando eu ainda fosse relativamente jovem, então tiveram certeza de que eu teria um lugar para onde ir e alguém para cuidar de mim.

– Lady Neeley?

– Sim, lady Neeley se ofereceu para me receber como sua dama de companhia. Mas minha mãe sempre insistiu que tudo era possível. Que eu devia sonhar com todo tipo de coisas extravagantes e maravilhosas, porque nunca se sabe, tudo é possível.

A Srta. Martin suspirou e seus grandes olhos cinzentos pareceram tristes pela primeira vez desde que Anthony a conhecera.

– Eu me mantive aferrada a essa ideia ao longo dos anos, mas, na verdade, parece que agora é o fim.

– Como? – perguntou Anthony, um pouco alarmado.

– Quero dizer, vou fazer 30 anos na próxima semana. Não acho que um príncipe inglês vá fugir com uma princesa espanhola de 30 anos.

– Mas a senhorita não é uma princesa espanhola.

A Srta. Martin riu.

– É claro que o senhor não tem muita imaginação.

Isso era discutível. Ele poderia, de fato, naquele exato momento, imaginar a Srta. Martin nua em sua cama.

– Só estou dizendo, Srta. Martin, que uma senhorita inglesa de 30 anos talvez tenha mais esperança do que uma princesa espanhola da mesma idade.

A Srta. Martin riu baixinho.

Ele pensou, naquele momento, que não se importaria de ouvir aquele som todos os dias pelo resto da vida; o fazia se sentir bem.

Ela olhou para ele; a cabeça estava inclinada, de modo que seus olhos o espiavam sob os cílios longos e escuros. Ah, sim, sua imaginação ia muito bem, obrigado. Ele definitivamente podia se imaginar dando beijos na curva do pescoço da Srta. Martin.

Anthony se forçou a desviar os olhos da pessoa atraente ao lado dele e olhar para a mostra de artefatos japoneses. Eles eram encantadores – ele sempre gostara das cores e do visual da arte oriental. Foi por isso que usou tantas peças japonesas quando decorou sua casa.

Na verdade, ficou encantado ao ver os convites que a Srta. Martin havia feito. Eram perfeitos. Também recebera o cardápio e uma amostra de cada prato que serviria aos convidados, e eram requintados. Até o momento, a Srta. Martin vinha realizando um trabalho magnífico. Ele não podia imaginar que a festa fosse ser outra coisa que não um verdadeiro sucesso.

Ele se virou para ela de repente.

– Por que a senhorita não está sendo paga por isso? – perguntou.

Ela olhou ao redor e depois de volta para ele.

– Perdão?

– A senhorita está fazendo um trabalho incrível, e está trabalhando muito. Por que não estou lhe pagando?

– Porque estou fazendo um favor a seu pai.

– Ninguém deve fazer favores a meu pai. Ele tem dinheiro suficiente para pagar qualquer um para fazer qualquer coisa.

A Srta. Martin deu uma risadinha, o que o fez sorrir.

– Srta. Martin – disse ele. – A senhorita realmente tem talento para isso. Sua habilidade de organização é impecável, mas também tem uma criatividade impressionante que dá a cada festa que organiza uma característica diferente. Os convidados se lembram delas e as apreciam. Por que a senhorita não cobra por isso? Poderia ganhar bastante dinheiro, eu lhe garanto.

A Srta. Martin parecia um tanto surpresa. Ela olhou para ele por um momento e então se virou para o quimono à frente deles.

– Eu poderia fazer isso? – perguntou ela. Mas ele sabia que não era com ele.

Ela voltou-se para ele, um sorriso se espalhando pelo rosto – o mais lindo que Anthony já vira em todos os seus 37 anos de vida.

– O senhor acabou de me salvar. O senhor é meu príncipe inglês e mudou a minha vida. Só não foi como eu imaginei que seria. – Ela bateu palmas uma vez e depois agarrou os ombros dele, ficou na ponta dos pés e lhe deu um beijo no rosto. – Obrigada!

Anthony não sabia muito bem o que estava acontecendo e ainda tentava se recuperar da sensação dos lábios macios dela em sua bochecha. Como já tivera mulheres o tocando de maneiras que faziam um beijo no rosto parecer brincadeira de criança, pareceu-lhe muito estranho que o beijo da Srta. Martin o tivesse paralisado. Ainda assim, ele não conseguiu dizer nada quando a jovem pegou o caderno de desenho e o lápis, balançou os dedos para ele e foi embora.

De repente, Anthony percebeu que estava sozinho e terrivelmente atordoado. Sem mencionar que se sentia muito irritado, tudo por causa de um beijo na bochecha. Devia estar delirando com aquela febre que parecia nunca se mostrar.

O velho Barney estava sentado no topo da elegante carruagem de lady Neeley, esperando Bella, como sempre fazia, e então ela embarcou. Mas não conseguiria permanecer sentada durante a viagem; o coração batia rápido demais para que o corpo ficasse quieto. Então pediu a Barney que a deixasse em Mayfair e voltou andando para casa. Charles, um dos lacaios de lady Neeley, veio correndo quando Bella tinha andado apenas um quarteirão.

– Barney me enviou – disse ele como saudação, e se posicionou dois passos atrás dela.

Normalmente, Bella detestava isso e, quando lady Neeley não estava junto, convidava os rapazes para caminhar ao seu lado, mas hoje ficou feliz pelo tempo sozinha.

Sua mente estava tão acelerada que tinha certeza de que sua boca não poderia acompanhar o ritmo. Ali estava: a forma como sua vida mudaria. Sabia que faria isso. Sabia que poderia. E estava emocionada.

Meu Deus! Os pés de Bella avançavam rapidamente pela calçada, ela quase corria pelo resto do caminho até em casa. Tirou o casaco e o chapéu assim que cruzou a porta da frente da casa de lady Neeley.

– Ela está em casa? – perguntou à Sra. Trotter, de pé à espera da roupa de Bella.

– Na sala dos fundos, Srta. Martin, mas...

Bella não titubeou. Depois de trinta anos à espera de que algo acontecesse, ela não conseguiu aguardar nem mais um minuto para tornar sua nova vida uma realidade.

– Lady Neeley – disse, já quase atravessando as portas abertas da sala dos fundos.

Lady Neeley ergueu os olhos, uma xícara de chá a meio caminho dos lábios, e o pai de lorde Roxbury, lorde Waverly, sentado diante dela, com a boca cheia de uma das tortas de Christophe.

– Srta. Martin – disse lady Neeley. – Você voltou do museu antes do que eu esperava.

– Sim – disse ela, e hesitou.

Queria muitíssimo conversar com lady Neeley sobre isso. Lorde Waverly costumava demorar uma eternidade quando ia tomar chá com lady Neeley.

– Boa tarde, querida – disse lorde Waverly assim que engoliu a maior parte da torta. – Recebi o convite da festa de meu filho. É extraordinário. A senhorita é uma jovem muito criativa e tem minha admiração.

– Obrigada, senhor – disse Bella com uma ligeira reverência. – Na verdade, é sobre isso que preciso falar com a senhora, lady Neeley. Assim que tiver tempo.

Lady Neeley pousou a xícara de chá sem tomar um gole, e as sobrancelhas brancas se arquearam numa pergunta.

– Sente-se, querida. Estou certa de que pode falar comigo agora sobre qualquer coisa.

Bella respirou fundo e olhou para lorde Waverly. Podia ser bom tê-lo ali. O comentário sobre sua criatividade tinha sido uma bênção.

Ela se sentou no pequeno sofá, ao lado de lady Neeley.

– Quero começar meu próprio negócio – disse depressa.

Era melhor ser direta com o que precisava ser dito a lady Neeley. Nunca era possível saber como ela reagiria às coisas. Às vezes, podia ser uma velha egoísta, mas de repente fazia algo completamente oposto, como trazer um lindo vestido novo para Bella só porque a cor combinava com os olhos dela.

– É mesmo? – foi a reação de lady Neeley a essa declaração.

Ela pegou a xícara de chá novamente e, desta vez, tomou um pequeno gole.

– Que tipo de negócio? – perguntou lorde Waverly.

– Ela quer organizar festas – respondeu lady Neeley. – Estou certa? – Ela olhou para Bella.

Bella assentiu.

– Devo dizer que a senhorita é genial nisso, Srta. Martin – acrescentou lorde Waverly.

Definitivamente, ter lorde Waverly ali tinha sido uma grande sorte.

– Sim, ela é, mas foi muito bom tê-la só para mim – disse lady Neeley. – Eu sempre soube que minhas festas seriam melhores que as de qualquer outra pessoa. Exceto, é claro, por esta última – acrescentou, contraindo os lábios.

A pulseira. Bella entrelaçou as mãos com força sobre o colo e fez uma pequena oração pedindo a Deus que apagasse esse último pensamento da mente de lady Neeley. Ultimamente, no instante em que começava a falar sobre a pulseira perdida, o humor da mulher se alterava e ela começava a balbuciar sobre como lorde Easterly estava bronzeado e como a sociedade se tornaria um inferno se não se pudesse mais confiar em um semelhante.

– Ora, ora, minha querida, não se preocupe. Já lhe disse que vou lhe comprar uma pulseira nova – disse lorde Waverly.

– Você não vai fazer nada disso, Waverly.

Lady Neeley olhou para o lorde Waverly, que ainda era bem-apessoado. Ele a tinha pedido em casamento pelo menos umas dez vezes na última década, e ela sempre dissera não. Lady Neeley tinha dito a Bella que já havia se casado e criado três filhos e estava preparada para viver para si mesma e mais ninguém.

Bella podia entender, mas de fato lhe parecia uma existência solitária, sobretudo porque lorde Waverly aparentava ser um homem amável e gentil. Pelo menos sempre se comportava assim com ela e lady Neeley, embora o *tivesse* ouvido gritar com seu cavalariço uma vez.

– Eu sabia que um dia você acabaria decidindo se virar sozinha – disse lady Neeley.

Bella fez uma pequena oração de agradecimento. A pulseira fora temporariamente esquecida.

– Vou precisar de alguns investidores – disse Bella. – E ficaria muito grata se a senhora pudesse dizer às pessoas que organizei suas festas.

– É claro, e serei sua primeira investidora – afirmou lady Neeley.

Bella bateu palmas uma vez, surpresa.

– É sério? – perguntou.

– Por que está tão surpresa, Bella? Farei todo o possível para ajudá-la a ter sucesso. Na verdade, pode ficar aqui o tempo que precisar e vou deixá-la levar Christophe quando partir.

– O quê? – gemeu lorde Waverly.

– É verdade? – perguntou Bella.

– Ele está me deixando gorda – disse lady Neeley com um aceno de mão. – Todos esses doces e tortas são muito pesados para o meu velho corpo. Preciso de um cozinheiro ruim por um tempo. Quero voltar a usar meu vestido favorito, de baile de seda azul, antes de morrer.

Lorde Waverly parecia absolutamente desesperado.

– Vou sentir falta das tortas de morango – disse ele, com tristeza, e pegou outra da bandeja, como se elas pudessem desaparecer a qualquer momento.

– Toda mulher deve experimentar a independência – declarou lady Neeley, acariciando o joelho de Bella. – Seria uma coisa boa para o nosso gênero. Fortalece o caráter. Tudo do que você precisar, é só pedir, Bella.

Sem pensar, Bella se inclinou sobre o sofá e colocou os braços em volta da companheira de dez anos.

Lady Neeley ficou rígida sob o abraço de Bella.

– Obrigada – disse Bella baixinho, e se afastou.

A pobre lady Neeley parecia prestes a chorar naquele momento. Mas agitou a mão entre elas e disse de maneira brusca:

– Sim, bem, vou ter que encontrar uma nova dama de companhia, acho.

– E um novo cozinheiro – lembrou lorde Waverly.

Ela franziu o cenho para ele.

– É tudo o que represento para você? Um lugar onde comer tortas de morango?

– Eu... é... não... hum...

Bella se levantou depressa.

– Eu já vou então. Aproveitem o chá.

E saiu apressada. Mal podia esperar para começar. E definitivamente não queria ver lorde Waverly perder mais uma discussão com lady Neeley.

CAPÍTULO 6

O segredo foi revelado! As fabulosas festas de lady Neeley não tinham nada a ver com a organização (ou a criatividade) da anfitriã, mas com a de sua dama de companhia de longa data (resignada?), a Srta. Isabella Martin.

Parece que a criativa Srta. Martin enfim reconheceu o valor de sua experiência, porque esta autora soube de fonte confiável que ela pretende abrir seu próprio negócio e, mediante pagamento, qualquer anfitriã poderá contratá-la para planejar uma festa.

Isso significa, é claro, que a Srta. Martin está agora no comércio, o que, com certeza, é um passo atrás. Mas, de fato, levando-se em conta seus longos anos de serviço a lady Neeley, quem poderia condená-la?

CRÔNICAS DA SOCIEDADE DE LADY WHISTLEDOWN,
10 de junho de 1816

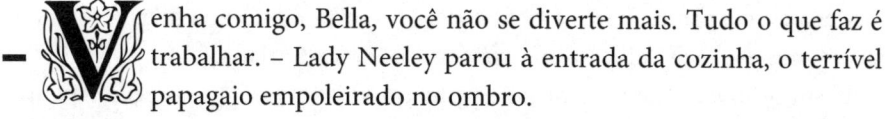

— Venha comigo, Bella, você não se diverte mais. Tudo o que faz é trabalhar. — Lady Neeley parou à entrada da cozinha, o terrível papagaio empoleirado no ombro.

Bella olhou para o menu que ela e Christophe mais uma vez repassavam. A festa de lorde Roxbury seria na noite seguinte e na última semana Bella não tinha conseguido dormir de tão nervosa que estava.

— Vá — disse Christophe empurrando o ombro de Bella. — Olhe para fora! O sol. Está brilhando pela primeira vez desde o início dos tempos, acho. Você parece uma coruja. Vá.

Bella revirou os olhos e suspirou.

— Obrigada, Christophe, você sabe exatamente o que dizer para deixar uma garota lisonjeada.

Christophe deu de ombros, mas se virou, levando com ele o menu. Estava tão nervoso quanto Bella. Eles seriam sócios naquele negócio, então a festa de lorde Roxbury também poderia mudar sua vida.

— Só vou passear no parque se deixar a ave em casa — exigiu Bella, apontando para o terrível papagaio.

Pelo menos, aquele idiota não estava gritando e tentando beijá-la.

A mulher mais velha jogou a cabeça para trás e empinou o nariz pontiagudo.

– Uma moça muito presunçosa você, agora que é independente. – Ela se virou. – O pássaro fica, então.

Bella sorriu e foi se trocar. Lady Neeley podia provocá-la por ser presunçosa, mas a jovem sabia que era exatamente isto: uma provocação. Lady Neeley parecia quase tão entusiasmada quanto ela com o novo empreendimento. Outro dia mesmo tinha dito a Bella que, quando jovem, gostaria de ter podido fazer algo como o que ela estava planejando fazer.

E estava contando a todo mundo sobre o talento de Bella e dando o crédito de todas as suas festas bem-sucedidas a sua jovem dama de companhia. Ninguém tinha procurado Bella ainda, mas Christophe disse que tinha certeza de que se amontoariam à porta da Bella do Baile depois que a festa de lorde Roxbury fosse um sucesso.

Nada como uma pequena pressão.

Em apenas uma semana, lady Neeley, Christophe e Bella haviam encontrado um pequeno prédio muito bonito, do lado da Oxford Street. Tinha uma janela curva na frente que era perfeita, dois escritórios no andar de baixo e um apartamento pequeno no andar de cima. Lorde Waverly havia comprado o imóvel como investimento, e lady Neeley mobiliara os escritórios com mesas e pusera uma placa pintada na porta: Bella do Baile.

Bella estava pronta para se mudar para o apartamento no andar de cima no dia seguinte ao seu aniversário. Até contratara uma criada.

O sol brilhava e fazia calor pela primeira vez desde o que parecia ser uma eternidade. Pelo menos estava mais quente do que ultimamente. Bella ainda se sentia contente por ter vestido seu casaco de lã. Havia uma brisa fresca o suficiente para fazê-la esfregar as mãos enquanto se acomodava com lady Neeley nos bancos de couro da pequena carruagem aberta. O velho Barney mantinha os cavalos em um passo perfeito para que quase não sacudissem.

Bella inclinou a cabeça para trás para sentir o sol no rosto.

– Podemos firmar um compromisso, querida? – perguntou lady Neeley.

Bella olhou para sua companheira.

– Um compromisso?

– Um passeio no parque toda terça-feira à tarde, se o tempo permitir. Chá lá em casa quando o clima estiver ruim? – Lady Neeley parecia bastante desesperada quando pediu isso.

Por impulso, Bella pegou sua mão e entrelaçou seus dedos com os de lady Neeley.

– Claro, está combinado. Como pretendo vê-la com mais frequência do que isso, espero que não se canse de mim.

– Nunca – disse lady Neeley, sucinta. – Olhe lá, acho que alguém está fazendo uma corrida, imagine só! Tão inadequado.

Lady Neeley fez um som enojado com a língua contra os dentes e Bella recostou a cabeça para trás e fechou os olhos outra vez. Abriu-os depressa, porém, porque podia jurar que acabara de ver alguém se esconder atrás de uma cerca. Ergueu o pescoço. Certamente, acabara de ver lorde Easterly espreitando por trás dos arbustos. No entanto, deu de ombros e não o mencionou. A última coisa que queria era citar o nome de lorde Easterly em uma conversa. Quando se tratava dele, lady Neeley sempre se sentia obrigada a começar uma ladainha sobre roubo e pulseiras, e a tarde inteira seria arruinada.

Não, ela não citaria lorde Easterly. Bella fechou os olhos de novo.

– A senhorita não deveria estar na minha casa organizando uma festa? – perguntou uma voz ao seu lado.

Bella teve um sobressalto e abriu os olhos para um cavaleiro com uma armadura brilhante. Ou, melhor, para lorde Roxbury, alto, moreno e lindo a cavalo. Ele trotava ao lado de sua carruagem aberta.

Bella ergueu a mão para proteger os olhos.

– Boa tarde, lorde Roxbury – disse lady Neeley. – Estou muito ansiosa por essa festa que o senhor decidiu dar no dia do nascimento da minha querida Bella.

– Também estou ansioso por ela, na verdade – disse ele.

Bella parecia não conseguir falar. Não via lorde Roxbury desde o dia em que sua vida mudara. O dia em que a beijara como um homem deveria beijar uma mulher.

Ela afastara o beijo para um canto pequeno de seu cérebro, e ele só saía de lá à noite. Tropeçava em sua cabeça e corria até seu coração, e não a deixava dormir de jeito nenhum.

Certa noite, ela realmente brincou com a ideia de ser amante de lorde Roxbury. Ele parecia interessado. Pelo menos achava que ele estava. E agora que tinha uma nova vida como uma mulher independente, talvez pudesse de fato ser uma mulher independente.

A ideia voltou a provocá-la agora. Roxbury era um dos homens mais bonitos que já vira. E quando conversava com ele, não via o canalha de que todos falavam aos sussurros.

No baile, ele dissera que estava interessado nela. E, ela tinha que admitir, nutria os mesmos sentimentos por ele. Desejava poder lhe fazer perguntas e ouvir suas respostas.

Queria que ele a beijasse como da outra vez.

Mas não queria ser sua amante. Não achava que conseguiria ser uma amante. Ela se lembrou de como ele a havia tocado no primeiro dia, quando não sabia quem ela era.

Ele havia pensado que ela era outra pessoa. Se fosse sua amante, ele a tocaria daquele jeito. Mas também tocaria outras mulheres.

Não, ela não podia ser sua amante.

De repente Bella riu. Como se ele tivesse de fato lhe pedido isso! Como se fosse sequer uma possibilidade. Bella balançou a cabeça. Sua imaginação às vezes era seriamente ultrajante.

Lady Neeley estava acostumada a suas risadas súbitas. Mas lorde Roxbury, não. Ele piscou e deu-lhe um olhar estranho.

– Alguma coisa engraçada, Srta. Martin?

– Sim – respondeu ela, com um sorriso. – Não se preocupe com sua festa, lorde Roxbury. Está tudo sob controle. Bem cedo estarei à sua porta, animada, para organizar tudo. O senhor nem precisará estar presente – assegurou.

Ele a vinha evitando desde o encontro no museu.

– Eu acho, lorde Roxbury, que sua festa já teve o efeito desejado! – comentou lady Neeley. – Antes mesmo de acontecer. – Ela acenou para o veículo que passava.

Bella franziu a testa e olhou para lady Neeley.

– Efeito desejado? – perguntou ela.

– Sim, querida. Lorde Waverly queria que seu filho desse uma festa para mostrar à sociedade que ele não é apenas um libertino irresponsável. Ele quer que as mães entendam isso e que suas filhas vejam a casa de lorde Roxbury e a queiram para si. Ele quer que Roxbury se case.

– Ah! – exclamou Bella. As listas de convites tão diferentes enfim faziam algum sentido. – Ah! – repetiu.

Roxbury a observava intensamente.

– Enfim, Roxbury – continuou lady Neeley. – Ouvi uma conversa outro dia. A Sra. Fitzherbert estava dizendo a lady Reese-Forbes que você havia sossegado. As duas têm filhas entre 15 e 20 anos e as moças têm um dote considerável.

Roxbury parecia sentir dor.

– A senhora mencionou isso ao meu pai?

– Claro! – exclamou lady Neeley.

– Que ótimo.

– Agora veja só quem está vindo em nossa direção neste exato momento. Sente-se direito, Roxbury! – sussurrou lady Neeley.

Bella teve que morder a língua com força para evitar rir alto. Sente-se direito mesmo.

– Oláááá, lady Neeley! – gritou uma mulher corpulenta, com um chapéu enorme. Fez um aceno amplo quando a carruagem aberta em que estava se aproximou. – Lady Neeley, eu gostaria de apresentar-lhe minha filha. Esta é lady Meliscent. – Ela gesticulou para uma pobre menina que ninguém podia ver.

A jovem olhou para fora por trás da sombra da mãe e Bella soube que a menina estava completamente aterrorizada com o mundo.

As apresentações foram feitas enquanto lady Reese-Forbes tentava desesperadamente forçar a filha tímida a conversar com Roxbury.

A pobre garota estava fazendo papel de tola, ou melhor, sua mãe a estava obrigando a fazer papel de tola. A menina não conseguia articular mais de duas palavras sem gaguejar.

Bella queria salvá-la. Queria pular na carruagem e tomar a menina nos braços.

E então, Roxbury fez isso. Bem, ele a salvou, pelo menos. Desceu do cavalo de repente e caminhou até a lateral da carruagem de lady Reese-Forbes.

– Posso ter o prazer de sua companhia, lady Meliscent? – perguntou.

A conversa entre lady Neeley e lady Reese-Forbes morreu por completo. A pobre Meliscent parecia prestes a vomitar. Mas a mãe enfim percebeu o que estava acontecendo e tirou a garota da carruagem.

Roxbury deu um sorriso caloroso e estendeu o braço, para ajudar a menina a se apoiar em seu cotovelo, já que ela não se mexeu.

Lady Reese-Forbes bateu na cabeça do jovem cavalariço com a alça de seu pequeno leque.

– E você, vá junto. Siga-os para que minha filha mantenha sua reputação intacta, por favor.

O garoto saltou de trás da carruagem e seguiu Roxbury e lady Meliscent.

Roxbury se encolheu. Era como se tivesse diminuído seu corpo: os ombros estavam para dentro, os joelhos dobrados, a cabeça baixa. Obviamente, estava tentando não ser tão grande e assustador para a jovem.

Bella sorriu e balançou a cabeça. Ela disse que ele era um perfeito cavalheiro. E ali estava ele, provando isso mais uma vez.

Um perfeito cavalheiro, com um beijo perfeito. Ela o adorava. Sorriu e então cobriu a boca com a mão quando percebeu o que tinha acabado de dizer para si mesma.

Ela o adorava. Ela o amava.

Isabella Martin amava lorde Roxbury.

Teve um momento de pura felicidade seguido de completa dor.

E, é claro, assim era o amor: dor e felicidade em pé de igualdade.

CAPÍTULO 7

Lorde Roxbury pode estar sossegando? Com lady Meliscent Reese-Forbes? Parece uma combinação muito improvável, mas os dois foram vistos andando de braços dados no Hyde Park ontem, e lorde Roxbury estava inclinado para a jovem senhorita, como se estivesse completamente absorto em sua conversa.

Esta autora não se atreve a especular além disto. Talvez tudo seja revelado na festa japonesa de lorde Roxbury esta noite, que, aliás, é o evento de estreia do novo empreendimento da Srta. Isabella Martin, a Bella do Baile.

CRÔNICAS DA SOCIEDADE DE LADY WHISTLEDOWN,
12 de junho de 1816

A festa foi perfeita. Enquanto Bella corria de um lado para outro certificando-se de que as tigelas de ponche estivessem cheias e as garotas vestidas de gueixa estivessem com seus quimonos perfeitamente amarrados, cinco pessoas haviam pedido que ela planejasse suas festas. Lady Neeley lhe disse que pelo menos vinte outras haviam pedido o contato de Bella.

Ela havia feito cartões com suas informações e eles já tinham acabado.

O único pequeno contratempo da noite foi quando uma das garotas vestidas de gueixa tropeçou sobre os tamancos de madeira e caiu em cima de Ozzie. A garota estava bem, embora tivesse torcido o tornozelo. E Ozzie não parecia nada mal. Na verdade, Ozzie tinha se oferecido para levar a garota em casa e Bella não o via desde então. Obviamente, Ozzie estava mais do que bem.

Lorde Waverly parecia entusiasmado com a festa. E Roxbury, claro, agiu como um perfeito cavalheiro.

A festa tinha acabado, enfim. E Bella reservou um momento para se sentar em uma cadeira acolchoada no grande salão de lorde Roxbury. Tinha mandado Christophe para casa e agora supervisionava as criadas que havia contratado para a noite. Algum dia teria uma equipe de limpeza permanente e de confiança. Por ora, porém, observava cada peça de prataria como um falcão.

Mas seus pés a estavam matando, e ela estava louca de cansaço. Concluiu que dez minutos sozinha em uma sala escura a restaurariam o suficiente para que pudesse terminar, pelo menos. Tirou os sapatos e apertou os dedos dos pés.

Uma porta se abriu e Roxbury entrou.

Bella pôs os pés no chão e ajeitou as saias de um jeito recatado.

Roxbury foi direto até ela como se já soubesse que estava ali.

– Diga-me uma coisa – começou ele.

Bella inclinou a cabeça e sorriu.

– Qualquer coisa – disse ela.

– Por que diabos está tão feliz?

– Como? – perguntou ela, surpresa. – Por que eu *não* estaria feliz? Acabei de planejar essa linda festa e tudo funcionou perfeitamente, o que é um bom presságio para meus negócios.

Roxbury fez um gesto com a mão na frente do rosto.

– Sim, sim, sim – disse ele. – Tem isso. Mas, duas semanas atrás, a senhorita também estava feliz. E não tinha um negócio bem-sucedido. Tinha um papagaio tentando fazer amor com sua orelha.

Bella riu.

– O senhor está bêbado. Estou impressionada que esteja conseguindo andar direito.

– A senhorita não faz ideia.

Bella suspirou e olhou para os pés doloridos. E, de repente, Roxbury estava lá, ajoelhando-se ao lado dela. As mãos dele entraram na saia e pegaram um pé. Ele o pousou em seu colo e começou a massageá-lo com as mãos grandes. Não havia nada melhor do que aquilo.

– Ohhhh – sussurrou ela, com um longo suspiro. – Ahhhhh.

– Não me provoque – alertou ele.

Ela franziu a testa, confusa.

– Por quê? – insistiu ele. – Diga-me por que a senhorita é feliz.

Ela deu de ombros e recostou-se na cadeira. Pensou sobre a pergunta por um momento e então disse:

– Este momento nunca mais vai acontecer. Este segundo acabou agora.

– Isso é um tanto profundo.

– Não me provoque se quer a minha resposta.

– Não provocarei.

Bella fechou os olhos.

– Alguns momentos são fáceis. São bons, divertidos e bonitos, e fico feliz com eles. Outros não são tão fáceis. Mas minha decisão é ser feliz durante os tempos difíceis, assim como nos fáceis. Não consigo controlar a maioria das coisas, mas *posso* controlar meus sentimentos. E *quero* ser feliz. Então encontro algo em cada momento que eu possa desfrutar.

– Então a senhorita nunca chora? – perguntou ele.

– Claro que choro. Chorar é maravilhoso. É como espanar as teias de aranha. Eu adoro chorar. – Ela abriu os olhos e sorriu para ele.

Ele parou de massagear seu pé, e então ela de fato sentiu vontade de chorar. Em vez disso, pôs o outro pé no colo de lorde Roxbury. Ele balançou a cabeça e riu. E então massageou o pé negligenciado.

– Fiz minha festa no seu aniversário por um motivo – disse ele, por fim.

– É mesmo? E que motivo foi esse?

– Bem, foi porque eu teria certeza de que estaria em minha companhia no dia em que completasse 30 anos para poder beijá-la. Então saberia que ainda não tinha sido beijada. Mas já fiz isso.

– E um beijo é tudo que eu ganho? – perguntou ela, esperando de todo o coração que estivesse errada.

Ele apenas balançou a cabeça, o que realmente poderia significar qualquer coisa, droga.

– Mas agora algo mudou – disse ele, pegando um embrulho de dentro do casaco. – Feliz aniversário! – exclamou, entregando-lhe a lembrança.

– Obrigada – respondeu ela, aceitando. Segurou o embrulho por um momento nas palmas das mãos. – Este é meu único presente de aniversário.

– A senhorita está desfrutando o momento? – perguntou ele, com um sorriso.

Ela sorriu de volta.

– Sempre.

– Bem, deixe-me desfrutar o meu momento enquanto a senhorita o abre.

Bella desembrulhou o presente e viu na palma de sua mão uma linda caixa de prata quadrada. Ela a virou e, na parte de trás, havia gravado "Bella do Baile".

– É um estojo de cartões – explicou ele, estendendo a mão para abrir a tampa.

Dentro dele, havia um monte de lindos cartões referentes ao seu negócio. Eles eram muito mais caros do que aqueles que ela própria mandara fazer.

– Tenho uma caixa inteira deles no meu escritório. Mas não cabiam todos no estojo.

– Obrigada, lorde Roxbury.

– De nada, Srta. Martin.

– Tenho uma pergunta para o senhor agora – disse Bella. – Por que nunca se casou?

– Meu pai é inflexível quanto a que o título permaneça em nossa família, e eu não vejo problema algum se isso não acontecer. Se eu apenas viver minha vida e morrer, o título vai para o meu primo de terceiro grau, Richard Millhouse. Richard é um homem muito bom. Ele é honesto e generoso e provavelmente honrará o título melhor do que eu.

– Ah.

– Eu seria um péssimo pai e um marido pior ainda. Por que devo infligir isso a uma pobre moça e a uma criança?

Bella assentiu, mas a raiva fez com que desviasse o olhar por um minuto. Não sentia raiva com muita frequência, mas o sentimento logo queimou em seu coração e fez com que ela desejasse acertar a cabeça de lorde Roxbury.

– Isso é covardia – disparou ela.

Roxbury piscou.

Bella puxou os pés das mãos de Roxbury e enfiou-os nos sapatos.

– O senhor fala sobre seu título como se fosse um fardo do qual quer se livrar o mais rápido possível. Como ousa? Isso é um legado, uma história, uma tradição com a qual você foi presenteado. O senhor tem uma família e poderia dar esse nome aos seus filhos, e eles também teriam essas coisas. Neste momento, pode sair e ir até a casa do seu pai e pegar a mão dele. Pode aprender com ele. Pode conversar com ele. Isso é uma bênção que o senhor simplesmente joga fora e com a qual não se importa.

Bella balançou a cabeça.

– Não entendo isso. Eu daria tudo o que tenho, cada objeto material, meu negócio, minha própria alma, para ter uma família. Nunca darei meu nome a um filho. Nunca presentearei alguém com a memória da minha mãe linda e criativa e do meu pai trabalhador e amoroso. Minha história vai desaparecer quando eu morrer. O senhor tem a oportunidade de continuar um legado. Em vez disso, finge ser um canalha libertino para que ninguém queira se casar com o senhor.

Bella emitiu um som de puro desgosto.

– Como pode ser tão ingrato?

– Não sei. Mas não quero mais ser um ingrato. Seja minha esposa. – Ele se levantou rapidamente e pegou as mãos dela. – Fui um idiota e não quero mais ser. Quero ter filhos com você. Quero dar-lhes o meu nome e quero que tenham seus olhos. Quero que você lhes ensine o que me ensinou. Apenas se certifique de fazer isso antes que arruínem a maior parte de suas vidas sendo ingratos. Por favor. – Ele deu um sorriso largo para ela.

Bella sentiu a boca seca. Não podia falar. As palavras não saíam de sua garganta.

– Não – disse, por fim.

– Não? – perguntou ele. – Isso é um não de surpresa ou um categórico não, você não vai mesmo se casar comigo?

Ela fechou os olhos e balançou a cabeça.

– Não posso. O senhor não pode se casar comigo, Roxbury.

– Por favor, me chame de Anthony.

– Não, não, não. – Ela puxou as mãos. – Não sou do que você precisa. Não tenho nada para lhe oferecer. E agora sou uma mulher de negócios. Seria um escândalo. Seu pai ficaria arrasado. Não somos do mesmo lugar. E não posso. Ainda mais agora!

– Eu não pediria que você abrisse mão do seu negócio.

Bella simplesmente balançou a cabeça. Ela não podia acreditar naquilo. Ali estava tudo pelo que sempre esperou, mas não podia se casar com lorde Roxbury. Ele precisava de outra pessoa. Precisava de alguém com o legado do qual ela havia acabado de falar. O pai dela fazia sapatos, pelo amor de Deus! Não poderia levar isso para a árvore genealógica de lorde Roxbury.

– Eu o amo o suficiente para dizer não – disse para ele, se virou e o deixou.

CAPÍTULO 8

Como lorde Roxbury não deu a menor atenção a lady Meliscent Reese-Forbes em sua festa japonesa na noite de quarta-feira, esta autora deve concluir que a caminhada de terça-feira no Hyde Park, mencionada anteriormente, não passava de um passeio inocente.

Na verdade, lorde Roxbury não deu especial atenção a nenhuma dama em sua festa (para desgosto do pai, esta autora tem certeza), exceto a intrépida Srta. Martin, mas não se pode concluir nada daí, porque ela, obviamente, estava a seu serviço.

Sem falar que ela agora está no mundo dos negócios e é difícil imaginar um conde como o pai de Roxbury ignorando um detalhe como este.

CRÔNICAS DA SOCIEDADE DE LADY WHISTLEDOWN,
14 de junho de 1816

Lady Neeley organizou a própria festa e Bella foi convidada como se fosse uma das amigas dela, em vez de uma criada. Era muito estranho, pensou Bella, sentada diante do sobrinho de lady Neeley, o Sr. Henry Brooks. Eles estavam em uma celebração especial nos jardins de Vauxhall, que o regente organizara para comemorar o aniversário de um ano da vitória de Wellington em Waterloo.

Lady Neeley tinha reservado um gazebo particular e, enquanto todas as outras pessoas no local bebiam ponche aguado e comiam as fatias de presunto mais finas que Bella já tinha visto, sua pequena festa para dez convidados se deliciava com pato assado e salada de agrião, acompanhada por uma seleção de vinhos que estavam deixando Bella meio zonza.

Lady Neeley havia pegado Christophe emprestado para este pequeno jantar, já que seu novo cozinheiro era péssimo e mal conseguia fazer biscoitos comestíveis. Mas ela também estava visivelmente mais magra, então estava feliz.

Esse pensamento deixou Bella com vontade de chorar. Agora, sempre que pensava em felicidade, era como se uma adaga fosse enfiada um pouco mais fundo em seu coração. Na semana seguinte ao seu aniversário, a vida de Bella mudara de forma ainda mais dramática.

Tinha a própria casa. Comprara seda e fizera lindos lençóis para sua cama. Era como dormir nas nuvens. Estava com a agenda cheia por um ano inteiro e, com todos os depósitos que exigira de seus clientes, a Bella do Baile até já tivera lucro.

Lorde Waverly ficou tão encantado que chegou de fato a gargalhar.

– Minha jovem – dissera para ela outro dia –, acho que nenhum outro negócio na cidade teve lucro tão rápido. A senhorita é um prodígio.

Bella sorriu, mas sabia que faltava algo. E também sabia exatamente o que era. E de repente não conseguia mais encontrar prazer nas pequenas coisas, como antes.

Sentada agora, tomando seu vinho enquanto a lua se elevava e a escuridão caía, Bella se perguntou se talvez não fosse melhor que nada tivesse mudado.

– Minha querida menina – soou uma voz acima dela. Ela sorriu para lorde Waverly. – Venha caminhar comigo – disse ele.

– Claro, senhor – respondeu ela, e se levantou.

Ela puxou o xale sobre os ombros por causa da brisa fresca que começava a soprar agora que o sol tinha se posto, e apoiou os dedos no braço de lorde Waverly.

Pediu licença ao Sr. Brooks e deixaram o gazebo em direção às multidões. Bella nunca tinha vindo aos jardins de Vauxhall. Os músicos tocavam o tempo inteiro e havia mágicos e malabaristas itinerantes.

Era incrível, e Bella desejou poder ficar parada e observar tudo. Mas eles ultrapassaram a agitação e desceram em direção ao rio.

– Eu soube – começou lorde Waverly quando estavam em um passeio tranquilo – que a senhorita recusou o pedido de casamento de meu filho.

Bella engoliu em seco e começou a tossir.

– A senhorita está bem, querida? – perguntou lorde Waverly, batendo nas costas dela, o que, na verdade, piorava a situação em vez de ajudar.

Bella finalmente respirou fundo. Ela empertigou-se, a mão descansando no peito.

– Não queria assustá-la – disse lorde Waverly.

– Claro que não – murmurou Bella.

– A senhorita percebe – continuou lorde Waverly – que passei os últimos dezessete anos da vida do meu filho o visitando uma vez por semana? Ele nunca foi me ver. Mas agora, nesta última semana, esteve na minha casa todos os dias.

– É mesmo?

– Verdade, e ele está me deixando louco. Quero que a senhorita se case com ele e o faça largar do meu pé.

Bella parou.

– Mas...

Lorde Waverly balançou a cabeça e não a deixou continuar.

– Eu sei, eu sei... Escândalo e tudo o mais. Um monte de bobagens. – Ele se virou para ficar de frente para ela e segurou seu rosto entre as mãos. – Ele já é um escândalo, não é? A senhorita não vai manchar nosso nome, prometo. Netos com a sua inteligência seriam uma bênção indescritível. – Ele pontuou a declaração beijando a testa dela. – Pois bem – continuou ele, virando-se e voltando a caminhar em direção ao rio –, eu prometi ao meu menino que não falaria nada com a senhorita. Respeito a prerrogativa de uma mulher dizer não. Lady Neeley não me diz não há dez anos?

Ele parou como se quisesse que ela respondesse, então ela o fez:

– É... sim, senhor.

– Não seja insolente, menina.

– Desculpe-me.

– Mas eu estava sentado àquela mesa esta noite e simplesmente não consegui entender. A senhorita parecia um cachorro que perdeu o osso favorito.

– Adorável.

– Não, é pura e simplesmente desanimador – disse lorde Waverly.

O homem, era óbvio, nunca aprendera o significado de tato.

– A senhorita costumava brilhar, menina. Quando não tinha absolutamente nenhum motivo para brilhar. Agora que tem algo para ser feliz, é como uma nuvem escura.

Bella estava começando a se sentir muito pouco atraente, graças às metáforas de lorde Waverly.

– Agora, eu diria que precisa se alegrar e aceitar o pedido de meu filho. E não quero ouvir falar de escândalos nem de manchar nomes. Se fizer meu filho feliz e me der netos, isso é tudo que eu poderia lhe pedir.

Bella não sabia o que dizer.

– Aí está ele – disse lorde Waverly.

Bella ergueu os olhos e lá estava lorde Roxbury a uma curta distância. Ela parou, o coração batendo forte no peito enquanto ele caminhava na direção deles, afastando-se dos grupos de pessoas na margem do rio que esperavam que o show do regente começasse.

– Obrigado por trazê-la para mim, pai – disse Roxbury.

O velho apenas assentiu.

– Então já vou indo. Deve avisar a Brooks que não o acompanhará para o show, minha querida – disse-lhe lorde Waverly.

– Ah, Deus – exclamou Bella, de repente se lembrando do pobre Sr. Brooks.

Ela se mexeu para segurar o braço de lorde Waverly, mas lorde Roxbury a segurou com firmeza.

– Ah, não, você fica.

Bella fitou os olhos suaves e castanhos de Roxbury.

– Não posso dizer sim – disse ela.

– Sim, pode – contestou ele. – Experimente, é fácil. Basta pôr a língua atrás dos dentes e expelir o ar de leve...

Ele parou quando Bella revirou os olhos.

– Escute, Bella – disse ele. Ela piscou, pois ele nunca dissera seu nome. Gostava do som dele em seus lábios. – Eu preciso contratá-la.

– Me contratar?

– Sim, preciso contratar você para planejar todas as festas que eu oferecer pelo resto da vida. E parece que seria mais fácil se morasse na minha casa. Não acha?

Bella balançou a cabeça e riu.

– Isso é bom, rir é bom – disse Roxbury. – Dizer não é ruim.

– Mas...

– Dizer *mas* também é ruim. Você não pode dizer *mas*.

Bella deu uma risadinha.

– Isso também é bom – afirmou Roxbury.

– Tudo bem, sim, eu organizarei todas as suas festas.

– Começando com a minha festa de casamento? – perguntou ele. – Na qual você será a estrela como minha esposa?

Bella parou por um momento e apenas olhou o rosto de Roxbury. Um rosto tão belo. Um homem tão bom. Ela sabia que ele era um bom homem desde que se conheceram.

– Eu sei por que amo você – disse ela. – Mas por que você me ama?

– Não sei – disse ele.

Bella franziu a testa.

– Mas amo. Nunca me senti assim na vida, Bella. A ideia de casamento e de uma família sempre me pareceu mortalmente tediosa, mas agora, se você for minha esposa, é uma aventura que desejo. Eu adoro você, Bella. Você me faz acreditar que posso ser um perfeito cavalheiro.

Bella sorriu.

– E então? – insistiu ele.

– Então, sim, eu vou me casar com você – disse ela depressa, antes que fugisse.

Ela estava com um pouco de medo, mas também sabia que não poderia viver como na última semana, temendo todos os dias e desejando que pudesse voltar e viver no passado. Também poderia apenas seguir em um futuro bastante assustador, mas promissor, em vez de ficar em um presente triste.

Os olhos de Roxbury brilharam e então escureceram, e sua cabeça inclinou-se para ela.

– Venha comigo – disse ele.

Ela não pôde deixar de rir quando Roxbury a puxou, passando entre inúmeros convidados, e depois entrou em um passeio sem iluminação. Era escuro como breu, na verdade.

Bella se aconchegou mais perto do corpo de Roxbury. A agitação cintilante de Vauxhall foi deixada para trás e, de repente, estavam em um lugar onde coisas ruins poderiam acontecer.

– Roxbury, não gosto nem um pouco disso.

– Shh – sussurrou ele, puxando-a mais para o fundo do caminho escuro.

E então saíram do caminho e foram para trás de um arbusto bem grande. Roxbury puxou Bella para seus braços.

– Eu não poderia continuar a viver sem ter você perto de mim assim.

– Ah – murmurou Bella. – Bem, eu gosto disso. – Ela fechou os olhos e se aconchegou no corpo alto e forte de Roxbury.

– Diga novamente, Bella. Diga que você vai se casar comigo.

– Eu vou me casar com você, Anthony.
Ele emitiu um som profundo vindo da garganta.
– Prometa – pediu.
– Prometo. Posso lhe pedir um favor? – disse ela então.
– Qualquer coisa.
– Tenho lençóis novos que fiz para a minha cama. São de seda. Podemos colocá-los na nossa cama?

O corpo de Anthony ficou imóvel contra o dela.

– Em primeiro lugar, a ideia de lençóis de seda torna muito difícil manter minhas mãos longe de você. E, em segundo lugar, a maneira como você diz "nossa cama" torna ainda mais difícil manter minhas mãos longe de você.

Bella afastou-se um pouco e inclinou a cabeça para trás.

– Então, não mantenha as mãos longe de mim.
– Como quiser. – Ele sorriu para ela.

Bella podia ver o branco de seus dentes no escuro. Sentiu que ele se inclinava para ela e então seus dentes mordiscaram o lóbulo de sua orelha.

– Oh – murmurou ela, a respiração entrecortada, e se arqueou contra ele.

Se o som dela tinha sido leve, o que veio de Anthony era pesado. Isso fez Bella tremer até os dedos dos pés.

Ele deslizou a língua pela orelha de Bella e ela sentiu as pernas bambas. Os braços de Anthony se apertaram em volta da jovem e a boca dele se moveu para tomar a dela. Ela ofegou novamente, sentindo o cheiro e o gosto de Anthony, e de repente precisava dele mais do que de qualquer outra coisa.

Bella passou as mãos pelo peito de Anthony e as uniu no pescoço dele. Anthony beijava seus lábios de maneira suave, sentindo seu gosto enquanto ela sentia o dele. Ele gemeu quando ela intensificou o beijo, e Bella sentiu uma alegria que jamais conhecera. Sentia-se segura, sentia-se amada, mas também sentia vontade, desejo e excitação como nunca antes. Era inebriante. Emocionante.

Ela inclinou a cabeça para trás, para que seu amante pudesse tomar sua boca sem obstáculos, e ele mergulhou a mão em seus cabelos, segurando-a contra ele. Ela pressionou o corpo contra o dele, desejando que pudesse estar dentro dele. Ele estava rígido contra ela, a coxa pressionada entre suas pernas, e ela se abriu. O ponto mais íntimo da mulher pressionou o músculo da perna de Anthony e ela sabia que acabara de encontrar uma nova excitação. Ela não conseguiu evitar o som lânguido e quente que escapou dela.

Os dedos de Anthony se enrolaram em seus cabelos quase dolorosamente.

– Por Deus, Bella, eu vou explodir – disse ele contra sua boca.

Ela riu, sem fôlego.

– Eu já explodi, meu amor – disse ela.

– Como eu queria que fosse verdade – sussurrou Anthony, e Bella sentiu suas palavras em cada terminação nervosa de seu corpo.

O instinto disse a ela exatamente o que deveria acontecer então, e ela ansiava por isso. Queria respirar o ar dele, sentir sua voz em vez de ouvi-la. Precisava de mais. Precisava que eles fossem um só.

Ela puxou o casaco dele, a palma da mão contra sua camisa ligeiramente úmida. Seu peito era duro e quente e ela desejava poder rasgar cada peça de roupa de seu corpo nesse instante e conduzi-lo para dentro dela.

E então os arbustos ao redor deles farfalharam e de repente havia pessoas em sua área particular.

– Oh! – gritou Bella.

– Desculpe – disse uma voz grave.

Bella pôde apenas distinguir um homem alto e uma mulher magra e loura com ele, antes de se afastarem.

– Aqueles eram?...

– Easterly e sua esposa – disse Anthony.

– Foi o que pensei. Sabe, eu poderia jurar que os vi cavando buracos atrás de um arbusto no Hyde Park no outro dia. Eles parecem estar se enfiando em locais estranhos ultimamente. Nunca imaginei que lady Easterly fosse o tipo de mulher que ficasse se escondendo por aí.

– Sim, mas você também está se escondendo por aí, não é?

Bella riu.

– E acho que nunca imaginei que você fosse o tipo de pessoa que ficasse se escondendo por aí.

– Não, isso é completamente por causa da sua má influência, senhor.

– Eu tento, cara lady.

– Oh, Deus – exclamou Bella, o corpo tremendo pela lembrança de que seria uma lady.

Era algo muito assustador, pensou.

Os braços de Anthony se apertaram ao redor dela.

– Estamos tendo um momento, Bella, desfrute.

Ela riu.

– Eu criei um monstro.

– Você não faz ideia. – Ele beijou seus lábios e ela estremeceu. – Agora, onde estávamos?

– Nossa cama e lençóis de seda – disse ela.

– Certo.

Ele tomou sua boca em um beijo que era ainda melhor do que o anterior. E Bella simplesmente fechou os olhos e desfrutou o momento. Ela sabia, do fundo do coração, que não teria muita dificuldade em desfrutar os próximos inúmeros momentos de sua vida.

Suzanne Enoch

O melhor dos dois mundos

*Para meu tio, Beal Whitlock,
cuja risada vai me fazer falta.
E para minha tia, Kathleen,
a quem eu mando um cesto cheio
de beijos e abraços.*

CAPÍTULO 1

... mas chega de falar do desafortunado jantar de lady Neeley. Por mais difícil que seja para a maior parte da alta sociedade acreditar, existem outros temas dignos de fofoca... Particularmente o conde com os olhos mais azuis de Londres, lorde Matson.

Embora o título não lhe fosse destinado (seu irmão mais velho morreu de maneira trágica no ano passado), lorde Matson não parece estar tendo dificuldades em assumir o papel de membro da alta sociedade. Desde que chegou a Londres, no início da temporada, todo dia é visto de braços dados com uma nova pretendente.

E, à noite, na companhia de senhoras que não seriam de modo algum consideradas apropriadas!

CRÔNICAS DA SOCIEDADE DE LADY WHISTLEDOWN,
31 de maio de 1816

– Mas não fomos convidadas – disse Charlotte Birling.

A mãe de Charlotte, sentada à escrivaninha de carvalho da sala de estar, ergueu os olhos da nova coluna do *Whistledown*.

– Isso não quer dizer nada, pois de todo modo não teríamos comparecido. E graças a Deus. Imagine só nós duas lá socializando e tendo que ver Easterly entrar. Aquele infame.

– Sophia não precisou imaginar. *Ela* tinha sido convidada.

Charlotte deu uma olhada no relógio da lareira. Eram quase dez horas. Com o coração acelerado, deixou o bordado de lado. Precisava ir até a janela sem que a mãe reparasse.

– Verdade. Pobre Sophia – disse a baronesa Birling, em um tom de desaprovação. – Doze anos tentando esquecer aquele homem e, justo quando começa a refazer a vida, ele reaparece. Sua prima deve ter ficado péssima.

Charlotte não tinha tanta certeza disso, mas emitiu um som de concordância assim mesmo. O enfeitado ponteiro dos minutos moveu-se para a frente. *E se o relógio estivesse atrasado?* Não tinha pensado nessa hipótese. *Ou adiantado?* Incapaz de se conter, ela se levantou.

– Chá, mamãe? – ofereceu Charlotte de repente, quase tropeçando no gato. Beethoven saiu do caminho, as patas pisando na bainha do vestido.

– Hã? Não, obrigada, querida.

– Bem, vou querer um pouco.

Olhando pela janela, ela serviu o chá na xícara. A rua em frente à casa dos Birlings ostentava algumas folhas caídas, levadas pelo tempo frio, dando a impressão de que ainda fosse inverno; afora isso, nada mais se mexia. Nem mesmo um vendedor ambulante ou uma carruagem dirigindo-se ao Hyde Park. Acima do farfalhar do jornal na escrivaninha, o ponteiro do relógio fez soar mais um tique. Charlotte bebeu um gole de chá, quase sem reparar que estava quente demais e que se esquecera de pôr açúcar.

E então, por um instante, parou de respirar. Anunciado pelo som de rédeas, um cavalo negro surgiu na alameda, vindo da High Street. O mundo, o relógio, o som dos cascos, as batidas de seu coração, tudo pareceu ficar mais lento enquanto contemplava o cavaleiro.

Os cabelos âmbar-escuros movimentavam-se ligeiramente na suave brisa matutina. A cartola azul-escura fazia sombra sobre seus olhos, mas ela sabia que eram cor de cobalto desbotado, como um lago em um dia nublado. O paletó combinava com o chapéu e o culote apertado e as botas de montaria lustrosas diziam de forma tão evidente quanto um cartão de visitas com relevo em dourado que se tratava de um cavalheiro. A boca do homem formava uma linha reta, relaxada mas séria, e ela se perguntou em que ele estaria pensando.

– ...lotte? Charlotte! Por que diabo você está com esse olhar embasbacado?

Ela deu um salto, afastando-se da janela, mas era tarde demais. A mãe a empurrou para o lado, se inclinando para espreitar o cavaleiro que passava.

– Nada, mamãe – disse Charlotte, tomando outro gole de chá e quase engasgando com o gosto amargo. – Eu estava só pensando...

– Lorde Matson – declarou a baronesa, estendendo os braços para fechar as cortinas. – Você estava olhando para lorde Matson. Pelo amor de Deus, Charlotte, e se ele se virasse para cá e a visse?

Bem que ela queria. Fazia cinco dias que se plantava à janela e ele não tinha virado o rosto para ela uma única vez. Xavier, o conde Matson. Era muito provável que ela nem existisse para ele.

– Não sou proibida de olhar pela minha janela, mamãe – disse ela, contendo um suspiro à medida que o cavalo árabe e seu maravilhoso cavaleiro desapareciam por trás do cortinado de veludo verde. – Se ele me visse, provavelmente pensaria que eu estava olhando para as nossas lindas roseiras, o que é verdade.

– Ah, e você costuma ficar ruborizada quando olha as rosas? – A baronesa Birling voltou para o seu lugar na escrivaninha. – Tire esse patife da cabeça. Você tem que se preparar para o baile dos Hargreaves hoje à noite.

– São dez da manhã, mamãe – protestou Charlotte. – Não levo dez horas para colocar um vestido e fazer um penteado. No máximo duas.

– Não me refiro a preparações físicas. Estou falando de preparações mentais. Não se esqueça de que você vai dançar com lorde Herbert.

– Ai, que tédio. A única preparação que vou precisar é tirar um cochilo.

Ela só percebeu que havia falado em voz alta quando a baronesa ficou de pé novamente.

– É óbvio, minha filha, que você se esqueceu dos esforços do seu pai em procurar o lorde Herbert Beetly e se certificar de seu interesse em encontrar uma esposa.

– Mamãe, eu não quis...

– Se você precisa de um cochilo para poder se comportar de maneira apropriada, então vá imediatamente. – Fechando a cara, a baronesa amassou o *Whistledown*. – E tome cuidado com essa sua língua, para não terminar aqui também.

– Eu nunca faço nada, então não vejo como isso poderia acontecer.

– Ah, o único erro de Sophia foi se casar com Easterly doze anos atrás. E mesmo tendo ficado todo esse tempo sem vê-lo, mesmo levando uma vida impecável por mais de uma década, no minuto em que ele reaparece, o nome *dela* é mais uma vez associado a escândalo. Pense o que quiser sobre lorde Herbert, mas *ele* não vai provocar um escândalo. Mas já não se pode dizer o mesmo a respeito desse homem para quem você olhava embasbacada. Lorde Matson está na cidade há menos de três semanas e já conseguiu ser notado por lady Whistledown.

– Eu não estava embasba...

Charlotte fechou a boca rapidamente. Aos 19 anos, conhecia todos os meandros das advertências da mãe. Interferir naquele momento só pioraria as coisas.

– Vou para o meu quarto tirar um cochilo, então – disse ela com firmeza e saiu.

Além do mais, com toda a sinceridade, ela *tinha* olhado embasbacada para lorde Matson. Não via mal naquilo. O conde era muito atraente, e admirá-lo por uma janela ou passar por ele a caminho da mesa de refrescos era o mais perto que ela provavelmente chegaria dele. Heróis de guerra solteiros e elegantes com certeza não eram recebidos na residência dos Birlings. Deus do céu, era capaz de haver um escândalo só de alguém piscar para ela.

Não significava que quisesse ou esperasse se casar com ele, ou coisa do gênero. Mesmo se os pais não fossem obcecados por respeitabilidade e decência, ela sabia que não valia a pena. Homens atraentes e ousados só serviam para dançar e flertar. Casar com alguém que sempre tinha um dos olhos voltado para a conquista seguinte lhe parecia um caminho certo para a infelicidade.

Entretanto, ele não havia flertado com ela *nem* a convidado para dançar. Charlotte suspirou quando chegou ao quarto, com o gato Beethoven em seus calcanhares. Isso nunca aconteceria. Podia jurar que seus pais enxotariam qualquer homem que tivesse uma única mácula na reputação. E, de qualquer maneira, ela jamais atrairia a atenção de um homem desses.

Considerando que acordara duas horas antes, cochilar não lhe parecia uma opção muito agradável, embora Beethoven já estivesse aconchegado no travesseiro ressonando com suavidade. Em vez disso, pegou o livro que estava lendo e afundou na confortável cadeira sob a janela. Normalmente teria aberto a vidraça, mas, como o verão se recusava a chegar e o céu já começava a liberar mais uma chuva fina, ela jogou uma manta de tricô sobre as pernas e se acomodou.

Era assim que se preparava para seus encontros com lorde Herbert Beetly: fingindo estar em outro lugar. Em seus romances prediletos, abundavam príncipes e cavaleiros, e até os terceiros filhos de marqueses inferiores eram heróis ou vilões. E não havia ninguém do mundo dos contos de fada que pudesse ser considerado enfadonho.

Charlotte ergueu a cabeça e encarou seu reflexo desbotado na janela rajada de chuva. Deus do céu, e se esse adjetivo a descrevesse? Será que era enfadonha? Teria sido por isso que o pai escolhera lorde Herbert como seu par perfeito? Estreitando os olhos, ela intensificou seu exame minucioso.

Sua beleza não era estonteante, é claro; mesmo sem os ocasionais comentários sussurrados que depreciavam sua altura e seu busto pouco farto, já havia se visto no espelho do toucador vezes o suficiente para saber. Ela gostava de seu sorriso e do cabelo castanho com tons de vermelho. Os olhos também eram castanhos, mas ela tinha dois, e ficavam a uma distância adequada do nariz. Não, não tinha a ver com a aparência. Tinha a ver com o fato de sempre se sentir um patinho feio, grasnando entre cisnes elegantes.

Então apreciava admirar Xavier, o lorde Matson, cavalgando para seu treino diário de pugilismo na Gentleman Jackson's. E, para falar a verdade, ela não era a única que gostava de admirá-lo – pelo menos não rabiscava o nome dele junto com o dela nas festas, como já tinha visto outras moças fazerem. Ela estava com a cabeça no lugar. Mas, ainda assim, de vez em quando era agradável sonhar acordada.

Quando o relógio do saguão bateu as nove horas da noite, Xavier, o conde Matson, livrou-se do sobretudo e entregou a roupa molhada aos cuidados de um dos lacaios dos Hargreaves. Ocupou seu lugar na fila dos nobres que esperavam ser conduzidos ao salão principal e acolheu a lufada de ar quente que vinha do lado de dentro. Embora extremamente perfumado, ainda notava-se um leve cheiro de mofo no ambiente. Ele imaginou que em muito pouco tempo o acharia sufocante. O próprio evento o sufocava, o fazia querer arrancar a gravata e voltar correndo para a noite escura e fresca.

Ainda se impressionava com o fato de um evento tão lotado fazê-lo se sentir tão... sozinho. Preferia um jogo de cartas mais íntimo em algum clube ou mesmo uma noite no teatro, onde pelo menos havia algo em que se concentrar além de na multidão de pessoas falando da vida alheia. Principalmente quando grande parte dela parecia tê-lo como foco.

Sim, ele acabara de chegar à cidade e, sim, possuía uma considerável fortuna em seu nome. Mas, pelo amor de Deus, passara o ano anterior em Farley, a propriedade da família, a propriedade dele, em Devon, e após doze malditos meses dedicados a remexer em documentos e se vestir de luto, não era da conta de absolutamente ninguém, a não ser dele próprio, se queria gastar algumas libras jogando e apreciando um bom cálice de vinho do Porto. E quanto a uma atriz ou duas? Ou a uma viúva jovem e afável, de reputação incerta, mas dona de um sorriso sedutor e pernas longas e bonitas?

Lugares como o baile dos Hargreaves, porém, eram onde as jovens aceitáveis e casadouras exibiam suas plumagens e, naquela noite, estava à caça de presa mais respeitável. Desse modo, entregou o convite ao mordomo e caminhou em direção ao salão principal à medida que seu nome e título eram anunciados em voz alta e potente.

– Matson – retumbou outra voz à sua esquerda, e Xavier se virou. O visconde Halloren se aproximou a passos largos, agarrou a mão do conde e a apertou com vigor. – Veio para o espetáculo, não é? Parece que todo mundo veio.

– "O espetáculo"? – repetiu Xavier, embora tivesse uma boa ideia do que Halloren estava falando.

Aparentemente todo mundo lia o *Whistledown*.

– Aquele desastre com a pulseira de lady Neeley. Parece que todos os suspeitos resolveram aparecer.

Xavier não se importava muito com a pulseira desaparecida, mas pelo menos a colunista de mistérios tinha algo para discutir além do seu calendário social. Ele assentiu.

– Parece que todo mundo em Londres resolveu comparecer.

— Pois é. É preciso ser visto no Grande Baile dos Hargreaves, não sabe? Já lhe disse, este é o lugar para começar se está em busca de uma moça para casar. O público daqui é mais animado do que o do Almack, disso eu tenho certeza. — O visconde se inclinou para mais perto. — Só um pequeno conselho. Não beba o xerez. E se sirva logo do Porto.

— Grato.

Quando Halloren parecia pronto para começar um discurso sobre bebidas alcoólicas, Xavier pediu licença.

Ele nunca havia comparecido ao tradicional baile dos Hargreaves, mas a decoração era quase inexistente de tão escassa, e não era preciso ser um matemático para constatar que não havia cadeiras nem para a metade dos presentes. Aparentemente isso era esperado, porém, porque a maioria dos convidados evitava os coquetéis e os petiscos; em vez disso, se reuniam de pé, em grupos, debatendo quem poderia ter furtado a famosa pulseira de lady Neeley. Parecia que havia aterrissado na capital da fofoca. Por mais que estivesse grato por não ser o tema das conversas, era apenas uma maldita pulseira, pelo amor de Deus.

— Mãe, só porque lady Neeley decidiu acusar lorde Easterly, não significa que temos que seguir a multidão — disse uma voz feminina ao seu lado.

— Shhh, Charlotte. Ela só está dizendo o que todo mundo já está pensando.

— Nem *todo mundo* — retrucou a voz. — Pelo amor de Deus, não passa de uma pulseira detestável. Não saber seu paradeiro não se compara com arruinar a reputação de um homem.

Xavier virou a cabeça. Era impossível discernir quem havia falado, já que uma centena de moças, de variadas idades, tamanhos e cores de vestidos, se aglomerava para formar uma sólida fatia de encantos femininos. No entanto, ele não era o único interessado em ficar por ali. Uma brecha se abriu na multidão para revelar um cavalheiro alto, de cabelos castanhos: lorde Roxbury, se não lhe falhava a memória.

Ele pegou a mão de uma dama, fez uma reverência e murmurou um elogio que a fez estremecer e em seguida se dirigiu à mulher que estava ao lado, alta, magra, de cabelos escuros.

— Boa noite, Srta. Charlotte — falou Roxbury com a voz arrastada, e beijou a mão da jovem.

— Para o senhor também, lorde Roxbury.

Ela sorriu para o barão.

Aquela era a voz que tinha chamado a atenção de Xavier. O sorriso que ofereceu ao barão foi um pouco enviesado, e não confiante e perfeito, como os treinados por horas em frente ao espelho. Um comportamento autêntico, em um mar de reverências e humores fingidos. *Charlotte*. Com um suspiro impaciente, Xavier esperou que um risonho Roxbury se afastasse e então se aproximou antes que as moças fechassem a roda novamente.

– Charlotte, eu já disse para não incentivar esse tipo de pilantra – sibilou a mulher mais velha que a acompanhava.

Ela pegou a mão da jovem e a esfregou com a ponta de seu distinto xale.

– Ele não me deixou nenhuma marca, mamãe – contestou Charlotte, os olhos castanhos agitados. – E ele está beijando a mão de todo mundo, pelo amor de Deus.

– Esse é o erro dele, que você não precisa incentivar. Fique agradecida por lorde Herbert não ter visto você dispensando favores a outro cavalheiro.

– Como se ele fosse not... – Ela ergueu o olhar, os olhos castanhos encontrando os de Xavier.

A cor fugiu de seu rosto e a boca formou um suave "O" antes de voltar a se fechar com firmeza.

Alguma coisa contraiu-lhe as entranhas e o incentivou a dar mais um passo à frente. Surpreendentemente, a sensação não era nem um pouco desagradável.

– Boa noite – disse ele.

– Boa... olá – retribuiu ela, fazendo uma reverência. – Lorde Matson.

– A senhorita me coloca em desvantagem – disse ele calmamente, e reparou que a mãe de Charlotte se retesara, parecendo uma tábua de tão rígida. – A senhorita sabe o meu nome, mas eu não sei o da senhorita.

– Charlotte – disse ela, engolindo em seco, para logo depois estufar o peito, puxando o ar. – Charlotte Birling. Senhor, essa é minha mãe, a baronesa lady Birling.

O nome não lhe soava nada familiar, mas estava em Londres havia apenas algumas semanas.

– Minha senhora – disse ele, estendendo a mão para segurar os dedos da mulher.

– Mi... lorde.

Ele a soltou antes que ela tivesse um ataque histérico e voltou sua atenção para Charlotte.

– Srta. Charlotte – disse ele, dessa vez pegando a mão dela e imitando a maneira como Roxbury a havia cumprimentado.

Os dedos de Charlotte estavam cálidos através da fina luva de renda, e, apesar de ter gaguejado no início, tanto seu olhar quanto seu aperto de mão permaneciam firmes. De repente, ele não queria soltar a mão dela.

– Estou surpresa de ver o senhor aqui.

Com um olhar de lado para a mãe, ela puxou os dedos do aperto de mão.

– E por quê?

Um sorriso surgiu na boca de Charlotte mais uma vez.

– Limonada quente, licor aguado, bolo solado e uma orquestra que mal se pode escutar, sem nenhuma dança.

Xavier levantou a sobrancelha.

– Ouvindo a senhorita falar assim, era para não haver ninguém aqui. – Ele olhou rapidamente para o rosto pálido da mãe de Charlotte e se inclinou mais um pouco. – Então, qual é a atração? – perguntou ele em voz mais baixa. *Além desta mulher surpreendente, claro.*

– Fofocas sobre a vida alheia e curiosidade mórbida – respondeu ela sem pestanejar.

– Já ouvi as fofocas, mas a senhorita poderia me contar o resto, se possível.

– Ah, é fácil. Lady Hargreaves tem pelo menos 100 anos de idade, e setenta ou oitenta netos e bisnetos. Ela se recusa a escolher um herdeiro, então todos vêm aqui para ver quem é seu mais recente queridinho.

Percebendo que sentia algo que jamais esperara daquela noite, ou seja, que estava se divertindo, Xavier deu uma risadinha.

– E quem está em primeiro lugar atualmente?

– Bem, a noite ainda está começando...

– Charlotte, você ficou de me acompanhar até a mesa do bufê – interrompeu a baronesa, dando um passo para ficar entre os dois.

Xavier piscou. Tinha se esquecido por completo de que havia outras pessoas ali, o que era muitíssimo incomum, tendo em vista a multidão e o barulho, além de seu usual e bastante aguçado senso de autopreservação. Prestar atenção em uma moça adequada era uma boa maneira de ser alvo de fofocas, ou pior, ficar preso... e seu processo de seleção ainda estava muito no início para que isso acontecesse.

– Boa noite, então.

– Foi um prazer conhecer o senhor, lord...

– Ah, lá está o seu pai – voltou a interromper lady Birling, agarrando o braço da filha.

Por alguns minutos, ele acompanhou com o olhar as duas abrirem caminho na aglomeração. Ela sabia quem ele era, e, ainda que isso não fosse nem um pouco surpreendente, considerando a atenção que as colunas de lady Whistledown dispensavam à sua pessoa, Xavier ficou aborrecido de ter passado quase um mês em Londres sem que a notasse. Certamente ela não tinha uma beleza clássica, mas sem dúvida ele a colocaria no rol das mulheres bonitas. Além do mais, o sorriso e o olhar eram... irresistíveis.

– Aí está você, Xavier – disse uma voz feminina de maneira carinhosa, e uma mão delgada envolveu seu braço em seguida.

– Lady Ibsen – replicou ele, contendo os devaneios.

– Hum. Na noite passada era *Jeanette* – sussurrou ela, pressionando o peito contra ele.

– Aquilo foi em particular.

– Ah, entendo. E hoje o senhor está ocupado de outras maneiras. Bem, também estou de olhos bem abertos. Tenho em mente várias candidatas para o senhor. Venha comigo.

Ele fitou o rosto oval e a cabeça erguida da mulher, e encarou seus olhos escuros, que traíam uma ascendência espanhola.

– Noivas que não se importariam que o marido continuasse flertando com uma mulher de reputação questionável, imagino?

Ela sorriu apenas o suficiente para sugerir seduções íntimas.

– É claro.

Com um suspiro, ele fez um gesto para que ela o guiasse. Quando passaram no meio da multidão, porém, ele não conseguiu resistir a se virar para um último olhar na direção de uma jovem alta de dedos cálidos e um sorriso enviesado.

CAPÍTULO 2

E, finalmente, notícias mais tranquilas. Lorde Herbert Beetly foi visto no início da semana comprando um chapéu marrom para combinar com o casaco e as calças da mesma cor, os quais, sem dúvida, combinam com seus cabelos e olhos castanhos.

O que nos leva à seguinte pergunta: Se lorde Herbert estivesse em um restaurante, escolheria bolo de chocolate por ser marrom? Esta autora acha que não. Batatas coradas parecem estar muito mais de acordo com o seu gosto.

CRÔNICAS DA SOCIEDADE DE LADY WHISTLEDOWN,
31 de maio de 1816

– Achei que o erro cometido por sua prima com lorde Easterly tivesse sido uma boa lição para você, Charlotte. Charlotte?

Charlotte desviou os olhos do prato de torrada com geleia, consternada ao perceber que não ouvira uma palavra do que o pai tinha dito.

– Sim, papai – disse assim mesmo, concluindo que seria uma resposta segura.

– Bem, obviamente não foi. Sua mãe me contou que você não só falou com lorde Matson, mas que ainda incentivou a conversa.

– Eu só estava sendo educada – argumentou ela, fazendo o possível para manter a atenção no diálogo e não voltar a sonhar acordada com Xavier Matson.

– Existe um momento em que a educação deve ceder lugar à responsabilidade – afirmou o barão. – Graças ao erro de julgamento de sua prima, nossa família está de novo em uma situação precária. Mais um escândalo poderia...

– Papai, Sophia se casou com Easterly doze anos atrás. Eu tinha 7 anos, pelo amor de Deus. Além disso, não consigo ver o que houve de tão escandaloso assim.

Lorde Birling franziu as sobrancelhas.

– Como disse, você tinha 7 anos de idade. Não testemunhou o alvoroço que foi quando Easterly simplesmente partiu da Inglaterra e abandonou Sophia. Eu, sim. E ninguém desta família vai ser a causa de outra comoção desse tipo. Fui claro?

– Sim, foi claro. Perfeitamente claro. Não se preocupe, papai. Estou certa de que lorde Matson nunca mais vai ter motivos para falar comigo de novo.

Em especial, não depois do modo como a mãe dela tinha ficado praticamente histérica ao vê-lo. Charlotte suspirou. Primeiro o milagre de ele ter olhado para ela, e falado com ela, depois o desastre: se algum dia ele pensasse nela outra vez seria com um sentimento de gratidão por ter escapado.

– Fico aliviado de saber que lorde Herbert ainda não tinha chegado para presenciar você falando com outro homem – acrescentou a baronesa do lado oposto da mesa.

Dessa vez, Charlotte franziu a testa.

– Quer dizer então que agora não tenho permissão para falar com mais ninguém?

– Você sabe muito bem ao que estou me referindo. Não estamos sendo cruéis, querida, e espero que entenda isso. Estamos fazendo o máximo para proporcionar a você o melhor futuro possível, e acho razoável esperar que não vá fazer nada para sabotar o que é do seu próprio interesse.

Ela detestava quando os pais tinham razão, sobretudo quando o seu melhor futuro possível chegava a um patamar tão baixo quanto lorde Herbert Beetly.

– Claro – disse ela, esticando o braço para dar um tapinha na mão da mãe. – É só que animação parece algo tão terrivelmente raro na minha vida que, quando alguém é atraente assim, às vezes fica difícil ignorar.

– Hum. – O pai dela deu um leve sorriso. – Então tente.

– Vou tentar.

Naquele momento, como se a manhã estivesse esperando sua deixa para surgir, o mordomo abriu a porta da sala de café.

– Meu senhor, minha senhora, Srta. Charlotte, lorde Herbert Beetly.

Charlotte reprimiu um suspiro, levantando-se da mesa enquanto os pais cumprimentavam o convidado.

– Milorde – disse ela, fazendo uma reverência, e desejando por um segundo que, apesar da promessa de ignorar o entusiasmo, pudesse ser alguém atraente como lorde Roxbury ou lorde Matson vindo visitá-los.

A insipidez de Herbert não era culpa dele, presumia ela; a família inteira parecia sofrer de uma singular falta de perspicácia e imaginação. Enquanto Herbert terminava de cumprimentar seus pais e se aproximava, Charlotte tinha que admitir que ele tinha uma aparência agradável: realmente se vestia bem. E ainda que seu olhar fosse um pouco... sem graça, o semblante era atraente.

– Srta. Charlotte – disse ele, curvando-se sobre os dedos melados de geleia de Charlotte –, seu acompanhante para as compras chegou.

Ele também tinha uma tendência a afirmar o óbvio.

– Assim percebo. Se o senhor me der um minuto, podemos sair.

– Com prazer.

Enquanto ela pedia licença e subia correndo a escada para buscar o chapéu e as luvas, ouviu o pai perguntar se Herbert já havia comido. É claro que sim; naquela manhã ele já teria feito a barba, se vestido, comido e escolhido a carruagem adequada para o passeio dos dois, bem, porque era isso que as pessoas faziam antes de visitar alguém.

– Ah, cale a boca, Charlotte – disse ela para si mesma enquanto pegava seus pertences e descia os degraus. – Sua vida é tão metódica quanto a dele.

Com Alice, sua criada, acompanhando-os, Charlotte e Herbert seguiram para a Bond Street na carruagem dele. Ela teria preferido um coche menor e aberto, de forma que pudesse olhar a rua mais livremente; porém, como estava chuviscando, a carruagem fechada fazia mais sentido.

– Espero que não se importe com a carruagem – disse Herbert quando desembarcaram –, mas com a chuva não achei que o coche aberto fosse apropriado.

Meu Deus, eles estavam até pensando parecido. Lutando contra uma onda de pânico, Charlotte forçou um sorriso e entrou rápido pela porta da loja mais próxima. Ela *era* tão sem graça quanto Herbert. Será que as amigas dela, que sempre tinham histórias emocionantes para contar, mesmo que não acreditasse muito em todas, a achavam tão enfadonha quanto ela achava Herbert?

Tentando deixar para trás a própria insipidez, ela só viu o manequim quando se chocou com ele. Antes de conseguir agarrá-lo, o pesado mostrengo reforçado com metal tombou para o outro lado e caiu fazendo um estrondo nos braços do freguês mais próximo.

– Ah! Mil perdões! Eu não estava olhando para onde... Lorde Matson.

Apertando os lábios, o conde empurrou sem esforço a coisa de volta para o lugar.

– Charlotte Birling.

Olhos de cobalto desbotado a avaliaram dos pés à cabeça, e ela desejou ter escolhido uma roupa menos fechada apesar do clima. Pelo amor de Deus, ela parecia uma velha e deselegante solteirona.

– Peço desculpas, milorde.

– A senhorita já fez isso. O que...

– Charlotte – a voz de Herbert, tensa e aguda, surgiu às suas costas –, por que diabo entrou aqui? Não é nada apropriado.

Desviando o olhar do libertino vestido em cinza e preto diante dela, Charlotte olhou em volta. E franziu a testa. *Que droga.* Por mais que estivesse afoita para fugir dos próprios pensamentos, deveria ter escolhido um lugar mais apropriado do que uma alfaiataria masculina.

– Maldição – murmurou ela.

– A senhorita está tentando se ver livre daquele sujeito? – sussurrou o conde, inclinando a cabeça para examinar sua expressão.

– Não, só de mim mesma – replicou ela, e depois corou.

O que havia de errado com ela, afinal? Dizer uma coisa tão íntima para qualquer pessoa, ainda mais para um, apesar de atraente, quase estranho, era uma atitude que não combinava com ela em nada.

Algo cintilou nos olhos dele, mas desapareceu antes que ela pudesse começar a adivinhar o que poderia ser. Para surpresa de Charlotte, ele tirou um estojo de cartões do bolso e o colocou rapidamente entre os dedos dela.

– Não – continuou ele, o tom de voz inalterado –, eu não me daria conta da falta do estojo até chegar em casa. Obrigado, Srta. Charlotte. Pertencia ao meu avô. E lá fora, na chuva, teria se estragado.

Xavier estendeu a mão, e ela, entorpecida, recolocou o estojo na palma da mão dele.

– Estou contente de ter percebido que o deixou cair, milorde. – Ela fez uma reverência, lutando para manter a voz firme quando, na verdade, queria proclamar que aquilo havia sido a coisa mais adorável que alguém já tinha feito por ela. – Se o senhor me der licença...

Charlotte teria saído, mas, com Herbert bloqueando a passagem atrás dela, a única maneira de sair seria derrubando mais uma vez o manequim. Fazendo um gesto para o homem que praticamente subia por cima de seus ombros, ela escondeu o nervosismo e a frustração com um sorriso.

– Lorde Matson, posso lhe apresentar lorde Herbert Beetly? Sr. Herbert, esse é o Sr. Xavier, lorde Matson.

Num gesto louvável, Herbert passou por ela e ofereceu a mão.

– Milorde.

Matson retribuiu o cumprimento.

– Beetly.

Um atendente surgiu do fundo da loja.

– Tem certeza de que não vai precisar de mais nada, milorde? – perguntou ele, esperançoso, colocando um embrulho sobre o balcão.

O conde mantinha a atenção voltada para Herbert.

– Não, obrigado. Pode me mandar a conta?

– É claro, milorde. – O atendente enfim olhou na direção de Charlotte. – Como posso ajudar a senhorita? – perguntou ele, conseguindo soar formal e ao mesmo tempo em dúvida.

Hum. Pode não ter sido sua intenção, mas Charlotte podia entrar em uma loja masculina, se quisesse. E se estivesse ali procurando um presente para o pai ou coisa parecida? Ainda assim, se Herbert contasse aos seus pais que ela havia falado com lorde Matson de novo, já estaria em maus lençóis sem acrescentar mais nada à história.

– Não, obrigada – respondeu ela. – Já estávamos de saída.

Matson pegou o embrulho e o enfiou embaixo do braço.

– Eu também – disse ele, fazendo um gesto para Charlotte e Herbert saírem da loja primeiro.

Deus do céu. Desejando que o conde tivesse a intenção de acompanhá-los em suas compras, Charlotte parou embaixo da marquise mais próxima. A realidade certamente havia fugido do controle nas últimas 24 horas. Após quase nocauteá-lo na alfaiataria, o coração dela começou a bater tão forte que imaginou que até o vendedor da loja devia ter ouvido.

Desde a noite anterior, Charlotte não parava de pensar na expressão dos olhos de lorde Matson e em sua atitude impassível e confiante, própria de quem não se importava com o que os outros achavam. Desde que tinha 7 anos e a família decidira que os problemas de Sophia significavam a desgraça de todos, Charlotte desejava poder ser fria e indiferente à opinião alheia.

— Mais uma vez obrigado, Srta. Charlotte — falou o conde devagar. Segurando a mão dela, ele afagou a pontas dos dedos com o polegar e depois a soltou.
— Beetly.
— Matson.

Ela observou o conde descer a rua até desaparecer numa confeitaria. Um minuto depois, ela percebeu que lorde Herbert estava parado sob a chuva, a água pingando da aba do chapéu, encarando-a. Charlotte limpou a garganta.

— Preciso de um par de fitas de cabelo prateadas — falou ela, e começou a atravessar a rua sem verificar se ele a seguia.

༺༻

Xavier permaneceu na vitrine da confeitaria, observando Charlotte Birling entrar em uma modista de chapéus, o acompanhante e a criada a seguindo. Então, a jovem de olhos bonitos realmente tinha um admirador. Na noite anterior, achou que a mãe dela tivesse inventado um a fim de escapar da conversa.

Tinha gostado de segurar os dedos de Charlotte; no dia anterior, pensara diversas vezes na sensação daquela mão cálida na sua. Tocá-la parecia a melhor ideia que teve em semanas.

Ele já se sentira fisicamente atraído por mulheres; logo, tratava-se de uma sensação familiar. O estranho em relação ao surpreendente interesse na Srta. Charlotte Birling era sua obsessão com a boca da jovem. Assim que vira seu sorriso, pensara em beijar aqueles lábios macios, em dizer e fazer coisas para agradar a moça, para que pudesse ver seu sorriso torto, genuíno.

Teria sido divertido, exceto pelo fato de que, quando observou lorde Herbert Beetly agir como se fosse a sombra dela, não achou graça nenhuma. Estava acostumado a avaliar o caráter de inimigos e supostos amigos em um piscar de olhos e Charlotte parecia ser alguém tentando com muito empenho se manter silenciosa e reservada, e achando aquilo tudo uma tarefa difícil. Por motivos que poucas pessoas entenderiam, ele sentia empatia.

Duas mulheres passaram apressadas pela vidraça, seus frágeis guarda-chuvas lutando contra o vento forte. Lady Mary Winter e a mãe, lady Winter. A Winter mais jovem havia sido incluída em sua lista de esposas em potencial, apesar de, na verdade, ele ter passado mais tempo riscando e acrescentando nomes do que efetivamente buscando um casamento.

Xavier sabia que fazia sentido se casar; ele agora era o conde Matson, e um conde precisava de herdeiros. Se a própria família pudesse servir de exemplo, ele precisaria de dois herdeiros. Assim, o primeiro poderia morrer de pneumonia e o segundo, abandonar a carreira militar e voltar correndo para casa a fim de assumir o lugar do irmão, como se aquele sempre tivesse sido o plano.

– Senhor? O senhor deseja comprar alguma coisa?

Xavier deu um salto, relutantemente voltando as costas para a vitrine e olhando o atendente da confeitaria que o mirava por trás de uma bancada repleta de produtos. Já que ele estava usando a vista da loja, supôs que deveria pagar pelo privilégio. Ele se aproximou, apontando para uma pilha promissora de bolinhos.

– Uma dúzia daqueles – disse, colocando algumas moedas sobre o balcão.

– Muito bem, senhor.

Depois de pagar pelo lugar na vitrine, Xavier voltou a apreciar a vista enquanto o atendente embrulhava sua compra. Charlotte e seu pequeno séquito ainda estavam na loja de chapéus, Beetly sem dúvida fazendo sugestões de moda com muita seriedade e Charlotte ignorando-as de maneira educada. Era divertido achar que conhecia o caráter dela bem o suficiente para deduzir os temas de sua conversa. Ficou imaginando o que ela escolheria e se o usaria fora da loja.

No entanto, agora que começava a dar asas à imaginação, a mente não se satisfez em tentar adivinhar a cor do chapéu ou das fitas de cabelo. Ele a visualizava os tirando, os expressivos olhos castanhos vendo-o observá-la se despir, a pele quente e radiante à tênue luz de velas. E ouvia os suaves gemidos e gritos de êxtase de Charlotte enquanto ele lhe ensinava algumas coisas que uma moça decente, que considerava lorde Herbert seu melhor pretendente, não seria capaz de saber.

Xavier engoliu em seco. *Meu Deus*. Ele pegou os bolinhos e voltou a passos largos para a rua chuvosa. Na esquina, um pequeno grupo de moleques se espremia contra o muro, seu habitual entusiasmo em mendigar e bater carteiras refreado pelo clima. Dando um rápido assovio para chamar a atenção, Xavier lhes lançou o pacote de doces.

Obviamente, precisava ir para casa examinar seus planos de casamento sob um ponto de vista mais sério. Sentir empatia por uma moça certamente puritana e que era o extremo oposto do seu usual gosto por mulheres era uma coisa. Mas aquilo estava começando a parecer uma obsessão, o que era perturbador.

– Pensei que estivéssemos aqui para comprar fitas de cabelo – disse Herbert, franzindo o rosto em uma expressão de impaciência.

Charlotte ergueu o olhar da estante de colares de bijuteria que ficava no canto da loja.

– Estamos, sim. Só estava olhando. Não acha bonitos alguns desses colares?

Ela manuseava em particular um colar com uma intricada corrente prateada e uma esmeralda em formato de gota em uma delicada armação de prata. Só valia alguns xelins e o comprimento era longo demais para usar com qualquer um dos seus vestidos, mas gostava dele.

– Não vale nada – respondeu lorde Herbert. – E é um pouco espalhafatoso, não acha? O que a senhorita iria fazer com isso?

– Hum – soou uma voz feminina da entrada. – Essa é a intenção.

Charlotte inclinou a cabeça para se desviar de um cabideiro de chapéu e ver quem havia falado. Olhos escuros em um rosto pálido e liso como porcelana a encaravam.

– Lady Ibsen – disse ela, encolhendo-se por dentro.

Falar com lorde Matson duas vezes em dois dias já lhe traria problemas suficientes. Conversar com Jeanette Alvin, lady Ibsen, provavelmente a deixaria trancada no quarto por uma semana. A jovem esposa do falecido marquês de Ibsen já fora uma mulher respeitável, Charlotte tinha certeza disso. Contudo, desde a morte do marido, ficou conhecida por promover festas permissivas e manter relações com um grande número de cavalheiros, tanto solteiros quanto casados. O mais recente, de acordo com os rumores, era ninguém menos que lorde Matson.

– Srta. Charlotte – respondeu a marquesa, sacudindo gotas de água do xale e entregando o guarda-chuva para a criada.

O rosto de Herbert ficou corado no momento em que Jeanette apareceu atrás dele.

– Minha senhora – cumprimentou ele, ajeitando a gravata.

Então mesmo os cavalheiros decentes não conseguiam exatamente se controlar na presença de lady Ibsen. Hum. Herbert nunca ficou ruborizado por causa *dela*. Não ajudava o fato de que em diversas ocasiões Charlotte desejou ter a reputação da marquesa... e sua popularidade com homens jovens e atraentes.

– Por que essa é a intenção? – perguntou Charlotte, principalmente porque ela sentia o oposto.

Lady Ibsen foi até a estante de colares e ergueu um deles em seus dedos longos e delicados.

– Chama atenção – disse ela, suspendendo um rubi *faux* de modo a captar a luz do lampião.

– Assim como as pedras genuínas – retrucou Charlotte.

– Ah, sim, mas não é só o brilho. – Ela prendeu o fecho atrás do pescoço e deslizou a mão pela corrente. O rubi pendia simetricamente entre seus seios, reluzindo. – É também o comprimento.

– Meu Deus – sussurrou lorde Herbert e, por um minuto, Charlotte ficou preocupada que ele fosse desmaiar.

Com uma risada abafada, lady Ibsen devolveu o colar à estante.

– E veja como é eficaz – murmurou ela, dando um peteleco no rubi para fazê-lo girar lentamente, brilhando.

Charlotte não conseguiu evitar um sorriso.

– Entendo.

Ela voltou às fitas de cabelo enquanto lady Ibsen comprava um chapéu azul de um surpreendente bom gosto e saía da loja. Herbert emitia sons estridentes em desaprovação o tempo todo, mas não tirava o olhar da figura miúda e robusta da marquesa.

Com um suspiro, Charlotte levou as fitas até o balcão. Quando Herbert andou até a janela para observar a marquesa se afastar, Charlotte rapidamente se curvou e pegou o colar de esmeralda. Erguendo a sobrancelha para indicar que gostaria de incluir o colar em sua lista de compras, ela o enfiou no bolso de sua capa.

Assentindo, a atendente colocou as fitas em uma caixinha, e lhe entregou.

– Oito xelins, senhorita – disse ela, a voz revelando certo senso de humor.

Charlotte pagou e apanhou o pacote, entregando-o a Alice. Quando deixaram a loja, Herbert franziu a testa em direção à atendente.

– Só quero dizer que a senhorita não deveria mais comprar nesta loja. Oito xelins por duas fitas é escandaloso.

Eles voltaram para a carruagem e Charlotte não se conteve e olhou para trás em busca de algum sinal de lorde Matson.

– Escandaloso – repetiu ela suavemente, tocando o colar no bolso.

CAPÍTULO 3

Rumores parecem indicar que o esplendidamente mal-intencionado lorde Matson pode estar à procura de uma esposa, mas é difícil dar crédito a esse falatório. Afinal, que homem com intenções de se casar pediria conselhos a lady Ibsen?

CRÔNICAS DA SOCIEDADE DE LADY WHISTLEDOWN,
3 de junho de 1816

O visconde de Halloren estava atrasado. Xavier checou o relógio de bolso pela terceira vez, depois tornou a se concentrar na edição do *London Times* que supostamente estava lendo havia quarenta minutos.

Ao meio-dia e meia, o clube White's estava lotado. Era, portanto, compreensível que o chefe dos garçons não parecesse muito satisfeito em manter uma mesa com um único ocupante que pedira um cálice de vinho do Porto e se recusara a fazer o pedido do almoço.

Xavier, porém, não estava com o melhor dos humores e não iria sair dali enquanto não tivesse uma conversa com William Ford, o lorde Halloren. Ele e William eram primos distantes e, embora só tivesse encontrado o visconde uma única vez antes de sua atual estadia em Londres, o parente estava se mostrando uma valiosa fonte de informação, sobretudo porque a famigerada coluna de lady Whistledown parecia obcecada com o roubo da pulseira de lady Neeley e dava um espaço mínimo para o desfile de moças solteiras que se exibiam pela cidade na atual temporada.

E ele precisava encontrar uma noiva. Depressa. Essa caçada, sem pistas, o deixava louco. Ainda mais porque, nas duas noites anteriores, havia sonhado com uma jovem alta, de cabelos escuros, olhos fascinantes e uma boca aparentemente muito competente.

– Matson.

Finalmente. Ele ergueu o olhar do jornal, fazendo um gesto para o primo se sentar.

– Halloren. Fico feliz que tenha decidido vir me acompanhar.

– Quase não consegui. Com esse maldito clima por que estamos passando, ninguém mais caminha para lugar nenhum. Juro que nunca na vida vi uma tal quantidade de carruagens nas ruas.

– Então não é comum?
– Deus do céu, não. Quando foi a última vez que você esteve em Londres?
Na verdade, ele teve que pensar um pouco.
– Há seis anos, creio. Pouco antes de ir para a Espanha.
– Seis anos no exército. Não é de admirar que esteja tão empenhado em encontrar uma esposa, agora que está de volta.
– Cinco anos no exército – corrigiu Xavier. – Depois um ano em casa tentando descobrir como ser um proprietário de terras.
Halloren assentiu, o olhar surpreendentemente compreensivo.
– Conheci seu irmão. Acho que Anthony nunca me deixou pagar uma refeição.
Hum. Se isso era uma deixa, iria aceitar. Afinal de contas, havia convidado o visconde para um interrogatório. Podia muito bem alimentar o homem também.
Fizeram os pedidos e Xavier providenciou que servissem a Halloren um cálice de porto cheio até a borda. Naquela manhã, ocorreu-lhe que pedir a um solteirão convicto que fornecesse uma lista de noivas em potencial parecia um tanto estranho, mas o visconde, até o momento, continuava a ser sua melhor fonte de informações.
– Afinal, por que você não se casou? – perguntou ele assim mesmo, decidindo que, se a resposta fosse perturbadora demais, evitaria o assunto e se viraria sozinho.
Halloren soltou uma gargalhada.
– Não me casei porque não tenho nenhuma fortuna e porque, bem, olhe para mim. Sou do tamanho de um touro. Amedronta qualquer jovem, eu acho.
Xavier deu risada.
– Mas de todo modo você se manteve atento a uma possível esposa.
– É claro. Casar com uma moça endinheirada é minha única esperança. – Ele virou o cálice, tomando metade de seu conteúdo. – Ao contrário de você, seu velhaco sortudo.
Xavier mexeu com nervosismo no próprio cálice.
– Não é sorte – replicou. – Pelo menos não no bom sentido. Eu preferia ter meu irmão a ficar com o título e o dinheiro.
– Na verdade, eu me referia à sua terrível aparência. Você não tem ficado exatamente sozinho desde que chegou à cidade.
Sim, parecia que todo mundo sabia de seu relacionamento com lady Ibsen, mais uma vez graças àquela maldita coluna de fofocas.
– O sujeito tem que fazer o que pode – disse ele. – Mas isso me traz ao ponto

em questão. Eu conheci... diversas jovens e pensei que talvez você pudesse me dar uma opinião mais cautelosa sobre elas do que a que consegui formar por mim mesmo.

Halloren caiu na gargalhada, atraindo a atenção dos comensais de diversas mesas vizinhas.

– Ah, eu deveria manter um diário – exclamou ele. – *Você* pedindo conselhos a *mim* sobre as mulheres.

– Não é conselho – contestou Xavier, franzindo a testa. – Uma opinião. Você sabe mais sobre as famílias do que eu e quero fazer a coisa certa.

Fazer a coisa certa. Aquele pensamento em particular o assombrava desde que havia adentrado a porta de Farley e se conscientizado de que tudo acabara de se tornar responsabilidade sua: a casa, as terras, os arrendatários, as lavouras, além do título e seu futuro.

– Está bem, está bem. Quem é sua primeira candidata, então?

O nome em seus lábios não era de ninguém de sua lista, e ele trincou os dentes. Pelo amor de Deus.

– Melinda Edwards – falou, em vez disso.

– Ah, ela é uma pedra preciosa, não é? – disse o visconde, suspirando. – Mal olhou para mim uma única vez. Vem de uma família bastante boa; o avô era o duque de Kenfeld, sabe. O irmão tem uma queda por cavalos velozes, mas nada que você não possa financiar, aposto. Ha, ha. Apostar.

– Muito engraçado. E quanto à Srta. Rachel Bakely?

– Você tem um bom olho para as bonitas, não é?

– Estou explorando todas as minhas possibilidades.

– Bem, essa está de olho em lorde Foxton. – Halloren o encarou por um minuto. – É provável que você possa fazê-la mudar de ideia.

Eles ficaram conversando por mais vinte minutos. Ele aparentemente tinha selecionado, sem exceção, um conjunto de mulheres amáveis, bonitas e bem-educadas, e qualquer uma delas adoraria se tornar a condessa Matson, ou seria facilmente convencida disso. E ele ainda queria perguntar sobre Charlotte Birling. Não era nada sério, claro, apenas curiosidade, então que mal havia? Ela era uma solteira que, colocada junto com as outras moças da lista, dificilmente se destacaria. Xavier respirou fundo... e mais um gole de porto.

– Charlotte Birling?

– Quem?

– Birling. Charlotte Birling. A filha de lorde e lady Birling.

– Ah, sim, sim, sim. Uma moça alta, nada de especial a dizer. – Halloren levantou a sobrancelha. – Sério, Matson?

Xavier deu de ombros, fazendo o possível para se mostrar indiferente e ligeiramente entediado.

– Só curiosidade.

– Bem, nem se dê ao trabalho. Ela é prima em primeiro grau de lady Sophia Throckmorton. Lembra-se, a moça que se casou com Easterly uns doze anos atrás. Ele fez alguma coisa infame, não recordo o que foi, e deixou o país. Um escândalo horrível. – O visconde se inclinou para a frente e continuou: – E os Birlings não vão deixar que uma coisa parecida aconteça com a filha. Talvez estejam contentes por ela não ter uma grande beleza, assim não atrai todos os patifes. Não demora muito e eles vão casar a filha com algum velho simplório e confiável. Qualquer coisa para evitar outro escândalo. Agora, o Easterly sendo suspeito no caso da pulseira de lady Neeley, estão todos nervosos, sem dúvida. – Ele riu de novo. – Então, não me parece que deixariam tipos como você se aproximarem dela.

– Como assim?

– Ora, rapaz. Todo mundo sabe que você provoca sorrisos em lady Ibsen. E isso não é uma façanha fácil.

Com uma sobrancelha erguida, Xavier se concentrou no prato de presunto assado. Não estava com disposição para fazer comentários, não importava de quem eram as relações privadas sendo debatidas. Além disso, algumas coisas a respeito de Charlotte Birling de repente fizeram todo o sentido. Não era de admirar que a mãe tivesse ficado tão nervosa quando ele se aproximou.

Ele deveria ter ficado aliviado. Embora discordasse da avaliação de Halloren sobre a aparência de Charlotte, ela não era como seu tipo costumeiro de presa, miúda e robusta. E com a histeria dos pais acerca de um escândalo, não era de admirar que os homens olhassem rapidamente para ela, a taxassem de pouco atraente e a descartassem como muito problemática.

Xavier, porém, não estava aliviado. Nem um pouco. A beleza dela estava em uma camada mais profunda do que a das outras, mas ele a enxergara. Além do mais, de alguma forma saber que ela era inatingível a tornava ainda mais desejável. Sim, ele a queria, queria tocar sua pele cálida e saber como ela seria sem a preocupação sobre decoro... e também sem o vestido conservador, o gorro apropriado e os grampos apertados demais nos cabelos.

– Então, você reduziu a uma meia dúzia? – perguntava Halloren.

Xavier espantou os pensamentos.

– Sim.

– Boas escolhas, devo dizer – concordou o primo. – Tarefa difícil vai ser decidir por uma só.

– Sem dúvida.

Só que ele aparentemente já havia reduzido a lista a uma só... e não fazia ideia de como poderia conquistá-la.

Tomando um longo gole de porto, Matson fez um gesto pedindo outra dose. De repente, teve o impulso de ficar muito, muito embriagado. Meu Deus. Era risível, só que ele não estava rindo.

❦

– Ah, venha comigo – Melinda Edwards tentava convencer Charlotte na manhã seguinte, puxando as mãos da amiga na direção da porta. – Não está chovendo e vou simplesmente morrer se não apanhar uma lufada de ar fresco.

Ainda que se sentisse da mesma forma, Charlotte hesitava. A mãe permitiu que visitasse Melinda, mas deixou bem claro que ela só poderia ficar para um almoço cedo e depois voltar para casa. A Srta. Edwards era conhecida por receber visitas de cavalheiros na parte da tarde, e os céus não permitam que Charlotte estivesse lá para se expor na glória refletida da amiga e encontrar alguém de reputação maculada.

No entanto, ninguém podia visitar Melinda se ela não estivesse em casa. E elas ainda não haviam almoçado.

– Muito bem – concordou Charlotte. – Um passeio rápido.

Lady Edwards ergueu os olhos da carta que estava escrevendo.

– Leve Anabel com você. E não se demore muito ao ar livre. Se tiver febre, vai ter que ficar em casa pelo resto da semana.

– Sim, mamãe.

Assim que a criada de Melinda se juntou a elas, as três se puseram a caminhar apressadas pela White Horse Street, na direção de Knightsbridge. Não estava chovendo, mas parecia que o tempo podia mudar a qualquer instante. Ainda assim, era bom ficar ao ar livre sem ter que carregar um guarda-chuva ou correr o risco de estragar o chapéu.

Melinda deu o braço a Charlotte.

– Você nunca vai adivinhar quem veio me visitar ontem.

– Por favor, conte – disse Charlotte com um sorriso. – Você sabe que eu vivo para escutar suas conquistas românticas.

– Bem, não é exatamente uma conquista. Pelo menos, ainda não. Porém ele parecia bem interessado e ainda me trouxe rosas brancas. – Ela franziu as sobrancelhas delicadas. – Ele também parecia um pouco... embriagado, mas talvez eu tenha me enganado.

– Conte logo, pelo amor de Deus!

– Xavier, o lorde Matson. Pode acreditar? Ele tem olhos maravilhosos, não acha?

– Sim, tem – disse Charlotte de modo suave, o coração se desintegrando. Mas, como Melinda a encarava, se forçou a dar uma breve risada. Ele não era para ela, de qualquer modo. Todo mundo sabia disso. Não com a reputação manchada que ele tinha em oposição à reputação ridiculamente ilibada de Charlotte. O fato de ter falado com ela duas vezes não significava nada. – Que emocionante! Ele falou com seu pai?

– Ah, ainda é cedo demais para isso, tolinha. Mas ele realmente me perguntou sobre meus interesses e minhas amigas. E, quando falei o seu nome, ele mencionou que vocês já se conheceram! Sua terrível! Por que não me contou nada?

Por um instante, Charlotte não conseguiu lembrar como respirar ou falar, e quase esqueceu como caminhar. Ele a mencionou. Ele se lembrou dela. Um arrepio desceu por sua espinha. O conde Matson havia falado o seu nome, sem graça ou não, destinada a lorde Herbert Beetly ou não, e admitiu que eles se conheciam.

Ela percebeu que Melinda ainda a fitava na expectativa.

– Ah, ele praticamente se chocou comigo no Baile dos Hargreaves – conseguiu dizer. – Afirmar que nos conhecemos... bem, acho que ele estava apenas sendo educado.

– Muito bem. Você está perdoada, minha querida. Achei que devia ter sido algo do tipo. E quando eu contei que você estava praticamente noiva de lorde Herbert, ele disse: "Sim, eles parecem próximos."

Bem, isso esclarecia uma coisa. Lorde Matson não havia prestado nenhuma atenção em seus dois encontros se ele pensava que ela era "próxima" de Herbert. Ela mal conseguia tolerar aquele homem, pelo amor de Deus. E mesmo que ela não esperasse nada mais, ainda assim doía. Possivelmente havia poucas coisas piores, supunha ela, do que ver seus devaneios se afundarem na lama. Agora ela não podia nem fingir que tinha uma paixão secreta por...

– Bom dia, Srta. Edwards, Srta. Charlotte.

Ao som daquela voz grave e máscula, Charlotte girou a cabeça com tanta velocidade que quase tropeçou.

– Lorde Matson – disse ela com a voz aguda, enquanto ele diminuía o passo do seu magnífico cavalo negro ao lado delas.

Era óbvio. Eram quase dez horas. Ele estava a caminho do clube de pugilismo. Muito mais controlada, Melinda sorriu e fez uma semirreverência.

– Que agradável surpresa, milorde! Eu não esperava vê-lo hoje de manhã.

Charlotte reprimiu um brusco franzir da testa. Melinda era uma mentirosa terrível. Ela sem dúvidas esperava ver o conde, o que significava que ele tinha mais do que uma mulher o espionando enquanto se dirigia ao clube Gentleman Jackson toda manhã.

– Sim, estou a caminho de um compromisso – respondeu ele. – Mas, já que parecemos estar seguindo na mesma direção, eu poderia caminhar com as senhoritas um pouco?

– É claro, milorde.

Quando ele desceu do cavalo, Melinda se soltou do braço de Charlotte, abrindo um espaço entre as duas para o conde. *Oh, céus.* Mamãe vai matá-la. Três dias, em menos de uma semana, conversando com Xavier Matson. Só que ele não estava acompanhando as duas para conversar com *ela*, é claro. Estava interessado em Melinda. E Charlotte não tinha como culpá-lo. Sua amiga era esguia, delicada e loura, tinha olhos verdes cintilantes e um decoro perfeito. E pela primeira vez desde que eram amigas, Charlotte teve ódio dela.

Contudo, mesmo sabendo que ele não estava ali por causa dela, mesmo sabendo que ele estava ali para acompanhar Melinda, Charlotte ficou sem ar quando ele entregou o cavalo à criada e ofereceu um braço para ela e o outro para a amiga.

Ele já tinha segurado sua mão duas vezes, mas isso era o mais próximo que tinham ficado um do outro. Mesmo através do sobretudo fechado, Charlotte podia sentir o calor dele se infiltrando por sua manga e luva e atingindo sua pele. Lorde Matson era alto, mas ela também era. O alto de sua cabeça ficava na altura do queixo dele, o que seria perfeito, pensou ela, para dançar valsa. Os músculos do braço dele vibravam embaixo dos dedos dela, fazendo-a querer deslizar a palma da mão até os ombros dele.

Quando ele se virou para começar uma conversa com Melinda, Charlotte não se conteve e se inclinou um pouco mais perto para sentir o perfume dele. Sabão de barbear e torrada e couro... uma combinação surpreendentemente intoxicante.

Um olhar de cobalto desbotado a observava como se ele soubesse que ela respirava seu cheiro.

– E o que as duas senhoritas estão fazendo aqui esta manhã?

– Caminhando – respondeu Melinda antes dela.

– Estou vendo. As senhoritas se arriscaram, contudo, saindo com um clima desses.

– Não somos feitas de açúcar, milorde – retrucou Charlotte, tentando recuperar a compostura. – Ou pelo menos, eu não sou.

Ele riu.

– Não, a senhorita parece ser feita de diversas especiarias mais sutis. – Seu olhar se demorou nela um instante antes que se voltasse outra vez para Melinda. – E a senhorita, Srta. Edwards? Quais são seus ingredientes?

– Ah, Deus do céu, deve ser açúcar, pois tenho certeza de que eu derreteria na chuva. Não sou nem de longe tão vigorosa quanto Charlotte.

– Não se preocupe, Melinda – disse Charlotte, desejando poder saborear o comentário dele sobre as especiarias em vez de se preocupar que Melinda a tivesse feito parecer um animal de fazenda. – Eu lhe emprestaria meu guarda-chuva.

Ela arriscou um olhar de relance para o rosto de Matson.

– E quais são seus ingredientes, milorde?

– Charlotte!

– É uma pergunta justa, Srta. Edwards – opôs-se o conde, aprofundando seu suave sorriso. – Embora presumo que dependeria de para quem as senhoritas perguntassem. Meu irmão costumava dizer que eu era recheado de ar quente.

Melinda deu sua risada cintilante e encantadora.

– Ah, certamente não.

– Prefiro pensar em mim mesmo apenas como feito de sangue, tendões e ossos, ainda que suponha que isso soe mundano demais.

– Soa verdadeiro – disse Charlotte, mantendo o rosto virado para o outro lado de forma que os outros dois não a vissem corar.

Sim, a mãe dela a mandaria para um convento, mas valeria a pena. Nunca esperou ser capaz de provocar lorde Matson, muito menos descobrir que ele tinha senso de humor e uma inteligência reservada que camuflavam sua má reputação.

Eles pararam quando chegaram à Brick Street.

– Prometemos à minha mãe voltar para casa – disse Melinda, o olhar deixando claro que desejava que ele concordasse em acompanhá-las durante todo o caminho.

– E lorde Matson tem um compromisso – acrescentou Charlotte, incapaz de esconder a irritação na voz.

Ficar tão perto dele e vê-lo prestar atenção em outra pessoa era insuportável. Por um rápido instante, imaginou o que faria se ele de fato se casasse com Melinda. Era estúpido, porque ela não tinha qualquer pretensão em relação a ele, mas ela não tinha certeza se conseguiria permanecer amiga da Srta. Edwards sabendo com quem ela estava casada.

– Tenho mesmo. Presumo que as senhoritas vão estar no teatro amanhã à noite?

– Ah, sim – falou Melinda efusivamente.

Ele se afastou das duas e recuperou o cavalo, subindo na sela com uma graça atlética que fez Charlotte sofrer. Ele tocou na aba do chapéu despedindo-se das moças.

– Então, talvez eu as veja lá – disse ele, os olhos encontrando os de Charlotte por um breve momento.

Um segundo depois, ele atiçou sua montaria e eles saíram rua abaixo.

– Acho que vou desmaiar – disse Melinda de modo lânguido, abraçando a si mesma.

Charlotte desviou o olhar da visão a cavalo.

– Não seja boba, o chão está todo molhado.

– Ah, Charlotte, estou só sendo romântica. – A Srta. Edwards agarrou a mão dela de novo. – Agora venha. De repente fiquei esfomeada. Você não está?

– Estou – respondeu Charlotte automaticamente, embora o almoço tivesse se transformado na última coisa presente em sua mente.

Não, agora ela tinha que encontrar uma maneira de convencer os pais a irem ao teatro na noite seguinte. Xavier Matson poderia muito bem estar prestes a pertencer a outra pessoa, mas pelo menos ainda podia olhar.

꩜

– Pensei que você fosse ficar para outra coisa além do jantar.

Jeanette, lady Ibsen, brincava com uma vela, mexendo os dedos para lá e para cá na chama. Seus lacaios deixaram a sala de jantar vinte minutos antes e Xavier sabia que não os veria mais naquela noite. Jeanette mantinha sua equipe excepcionalmente bem treinada.

– O jantar estava delicioso, como sempre – respondeu Xavier, colocando o guardanapo na mesa –, mas vou ao teatro hoje. Eu lhe disse que não ia ficar.

Ela suspirou.

– Sim, eu sei. Porém a esperança é a última que morre. – Inclinando-se do outro lado da mesa, ela lambeu a curva da orelha dele. – Sou muito melhor do que *Hamlet*, Xavier.

– Não tenho a menor dúvida. Mas a peça de hoje é *Do jeito que você gosta*, e você não tem nada de comédia.

– Sim, mas podemos atuar como você quiser a noite inteira – rebateu ela, chegando mais perto para enroscar os dedos no cabelo dele.

Em qualquer noite anterior, desde que chegara a Londres, ela não precisou ir tão longe assim para persuadi-lo. Naquela noite, contudo, o que mais sentia era um vago aborrecimento. Precisava estar em algum lugar diferente daquele.

– Eu gostaria muito, tenho certeza – disse ele, se desvencilhando das mãos dela o mais delicadamente possível –, mas estou sendo aguardado.

Ela se retesou, o movimento fazendo coisas muito atraentes na parte da frente do seu vestido vinho decotado.

– Quem é ela?

Xavier empurrou a cadeira para trás e se levantou.

– O que disse?

– Ah, não estou com ciúmes – continuou ela, se levantando com a graça de um felino –, apesar de estar surpresa. Pensei que estávamos procurando uma esposa que fosse um pouco indulgente a respeito de nosso relacionamento. Seja quem for, porém, ganhou a sua atenção. E o seu interesse.

Franzindo a testa, ele parou antes de sair.

– Tudo o que disse foi que estava sendo esperado. Vou dividir um camarote com Halloren.

– Então, você não encontrou uma mulher que despertou seu interesse. Alguém que tenha pressa de ver no teatro hoje.

– Não.

– Hum. Talvez eu mesma faça uma aparição. Realmente adoro Shakespeare.

Praguejando por dentro, ele deu de ombros. Esconder sua obsessão já era difícil o suficiente sem Jeanette espreitando nas sombras, tentando se antecipar a ele.

– Como quiser, minha querida.

– Sempre faço o quero, meu querido. – Ela estendeu a mão e ele fez uma mesura. – Já tenho uma ideia, sabe, mas não vou estragar seu divertimento.

– Jeanette, n...

– Já lhe disse, não estou com ciúmes. Gosto demais de você para lhe desejar algo ruim. – Ela sorriu. – Mas vou estar aqui se calhar de você não ser... aceitável para os pais dela. Você adquiriu certa reputação, afinal de contas, e espera-se que mantenha o alto padrão. E que continue de olho em outras além da esposa.

Sim, havia adquirido certa reputação, embora a maior parte dela fosse ridícula. Jeanette dizia que não tinha ciúmes e, a julgar pelo estilo de vida dela, ele tendia a acreditar.

– Hipoteticamente falando, como um homem de reputação questionável conseguiria conquistar os pais de uma moça apropriada?

Lady Ibsen enfiou o braço no dele, a especulação estampada em seus olhos escuros.

– Hum. O que podemos fazer para você parecer respeitável?

Bufando, Xavier se soltou.

– Não sou tão ruim assim – disse ele, dirigindo-se para o saguão. – Vou dar um jeito.

Sim, ele teve algumas amantes desde que chegou a Londres, passou algum tempo apostando quantias bem altas e bebeu um pouco demais, mas nunca alegou ser um santo, pelo amor de Deus. E depois de um ano praticamente trancado em Devon, tentando lidar com um mar de documentos e finanças deixado por alguém que não esperava morrer aos 31 anos, precisava de uma válvula de escape e um pouco de distração.

– Talvez lembrar a eles que você é um herói de guerra – sugeriu Jeanette enquanto ele pegava o chapéu e o casaco. – Ah, ou talvez que você está determinado a deixar seus modos escandalosos para trás. Com toda a franqueza, porém, duvido que vão acreditar que a filha deles será a mulher capaz de dissuadir você de abrir mão da sua diversão.

– Então você deve estar pensando na mulher errada – disse ele com a voz arrastada, fazendo um sinal para o mordomo abrir a porta. – Só me prometa que não vai interferir.

Ela levou a mão de dedos longos de encontro ao peito.

– Eu? Se eu não gostar dela, talvez. Mas prometo. Nada de interferir.

Xavier fez um aceno para a carruagem e embarcou. Nenhuma das moças de sua lista faria qualquer objeção aos seus galanteios. A lógica lhe dizia para simplesmente escolher uma delas e avançar na tarefa de produzir um herdeiro e dar continuidade à sua árvore genealógica.

A lógica, porém, parecia aflitivamente inadequada quando ele olhava para Charlotte Birling. A simples presença dela o excitava. Mas não era apenas uma atração física que podia saciar com ela ou outra pessoa. Gostava de estar na companhia dela; desde que se conheceram, refletia bastante em como havia ficado solitário com a morte de Anthony e em como não se sentia assim quando estava com a Srta. Charlotte.

Mas, antes de ir além, precisava passar mais do que dois minutos conversando com ela, e precisava saber se ela se interessaria por alguém de má reputação, justificada ou não.

CAPÍTULO 4

Como não há qualquer novidade a respeito do caso Neeley, esta autora se concentrará uma vez mais em um dos temas favoritos desta coluna: o conde Matson.

Rumores prévios de que ele talvez esteja disposto a subir ao altar parecem ganhar maior ligeireza do que no início da semana; de fato, apurou-se que ele visitou a Srta. Melinda Edwards na segunda-feira e depois foi visto acompanhando essa mesma senhorita (e uma outra dama não identificada) na White Horse Street ontem. Pareceu ser um encontro acidental, mas, como nossas queridas leitoras sabem, não existe encontro verdadeiramente acidental entre mulheres e homens solteiros.

CRÔNICAS DA SOCIEDADE DE LADY WHISTLEDOWN,
5 de junho de 1816

Você não disse que o espetáculo já estava com os ingressos esgotados há semanas? – perguntou lady Birling, sentada ao lado de Charlotte no camarote recém-adquirido.

– Estava mesmo – disse Charlotte depressa, esperando que não houvesse ninguém nos camarotes vizinhos para negar a afirmação. – Talvez o clima tenha espantado muita gente.

O pai de Charlotte sacudiu o sobretudo e o jogou em cima da cadeira no fundo do camarote.

– Eu queria que tivesse nos espantado – resmungou ele, ocupando o assento atrás da esposa.

– Você gosta de teatro, papai.

– Em geral, sim. Mas com Easterly na cidade, eu preferia que mantivéssemos maior discrição.

Se ela fosse ainda mais discreta, desapareceria por completo.

– Sophia não parece se importar que ele tenha retornado.

– Acredito que Sophia queira anular o casamento – argumentou a baronesa em voz baixa, olhando em volta, assim como o marido fizera. – E com as acusações de lady Neeley, quem pode censurá-la?

Com dificuldade, Charlotte se manteve em silêncio. Em vez de falar, ela levantou o programa da peça de modo que pudesse espiar, pelas bordas do livreto, os camarotes que ficavam na outra extremidade do teatro. Podia defender lorde Easterly e Sophia até ficar sem fôlego, mas os pais obviamente já tinham uma opinião formada a respeito de todo o episódio. Para falar a verdade, quase não se lembrava de lorde Easterly, exceto pelo fato de que ele era bem alto e tinha uma risada agradável.

Melinda e a família estavam em seus lugares a alguns camarotes de distância, mais próximos do palco. Dirigindo-lhe um breve aceno, Melinda voltou a examinar a multidão da mesma forma que Charlotte. As duas, é claro, estavam procurando o mesmo homem... e pelo menos Melinda tinha razões para tal. Se lorde Matson enfrentasse o clima e comparecesse, seria porque queria ver a Srta. Edwards.

– Charlotte? – disse a mãe em voz baixa, dando tapinhas em sua mão. – Você está com o ar triste. Está se sentindo bem?

Ela se recompôs.

– Sim, estou bem. Só estava pensando em Sophia.

– Se Deus quiser, sua prima vai conseguir deixar para trás todos esses fatos desagradáveis. Sem dúvida fez isso antes, quando Easterly a abandonou.

Charlotte não tinha tanta certeza de que Sophia tinha deixado qualquer coisa para trás, mas a prima se tornou perita em convencer todo mundo de que havia feito isso. Às vezes, Charlotte queria conseguir transparecer calma, elegância e compostura. Nunca foi muito boa nisso, mas pelo menos tinha a vantagem de passar praticamente desapercebida.

Até os pais às vezes sucumbiam à sua quase invisibilidade, embora não mais com tanta frequência, pois agora era adulta e precisava ser apresentada à sociedade para achar um marido. Helen, a irmã mais velha, se casara no final de sua primeira temporada, mas, na época, ela era saltitante, sorridente e detentora de grandes olhos castanhos e de talento tanto para tocar piano quanto para dançar valsa.

Tudo isso deixava Charlotte com lorde Herbert. Já tinha tentado reclamar da falta de animação do homem, mas em vão. Os pais queriam vê-la casada; ela queria se casar. Em seus sonhos, porém, seria com alguém que a achasse interessante e atraente e a quem pudesse pelo menos dizer algo divertido e fazê-lo rir. Aos olhos dos pais, ela se contentaria com Herbert porque, bem, como poderia esperar algo melhor?

– É uma vergonha não termos pensado em chamar lorde Herbert – disse a mãe, acomodando-se na cadeira à medida que as cortinas se abriam. – Ele gosta de teatro?

– Sinceramente, não sei – sussurrou Charlotte.

Algo lhe dizia que não, porque apreciar uma peça de teatro exigia imaginação e ela não achava que ele tivesse.

Ela olhou ao redor uma última vez antes de a peça começar e repentinamente avistou lorde Matson. Ele estava sentado nas sombras do fundo do camarote de lorde Halloren, que, além deles, estava lotado de várias mulheres vestidas de forma inadequada para a ocasião. Mulheres de baixo nível, assim as chamaria sua mãe. Ela se inclinou um pouco para a frente a fim de vê-lo melhor. Ele parecia ignorar os ocupantes do camarote e apenas olhava na direção do palco.

– Charlotte, pare de olhar embasbacada para as pessoas – murmurou a mãe.

– Todo mundo está fazendo isso.

– Você não é todo mundo.

Charlotte ficou sentada durante o primeiro e o segundo ato, muito consciente de que o conde estava em algum lugar atrás dela. Ela teve a ideia passageira de talvez pedir permissão para visitar o camarote de Melinda no intervalo, porque lorde Matson provavelmente faria o mesmo. Ah, ela parecia tão óbvia.

Quando as cortinas se fecharam, ela acompanhou os aplausos. Naquele momento, todos deixaram seus camarotes para se reunirem, serem vistos e conversarem sobre a vida dos outros. Ela e os pais, no entanto, continuaram onde estavam para que ninguém pudesse cogitar que fossem algo diferente do mais puro decoro.

– Charlotte, você poderia pedir a um lacaio que me traga um cálice de Madeira? – pediu a mãe. – Esse clima vai acabar me matando.

Piscando, Charlotte se levantou.

– É claro. Vou estar logo aqui atrás da cortina.

A mãe sorriu.

– Não achamos que vá fugir. Realmente confiamos em você, querida. Só gostaríamos que tivesse mais discernimento.

Não era com suas ações que os pais precisavam se preocupar; era com seus pensamentos. Assentindo, ela passou em torno da cadeira do pai e atravessou as pesadas cortinas pretas. O corredor de cima estava abarrotado de pessoas, luz e barulho e ela se apoiou na parede por um minuto para se recompor.

– Está gostando da peça? – disse suavemente uma voz masculina ao lado dela.

Ela reconheceu a voz de imediato e, enquanto uma onda de adrenalina perpassava seu corpo, encarou lorde Matson, erguendo o rosto para encontrar seu olhar azul-claro.

– Estou. E o senhor?

Ele abriu um leve sorriso.

– Eu mal consigo ouvir. Parece que Halloren convidou todas as cantoras de ópera de Londres para o camarote dele.

– Elas são... animadas – comentou Charlotte.
O sorriso dele se aprofundou.
– A senhorita estava olhando para mim.
Raios.
– Bem, eu... o senhor sabe, eu... o senhor disse que viria hoje.
– Realmente disse.
Ah, ela podia ficar olhando para ele para sempre. À luz do lustre, seu cabelo cor de âmbar ficava um dourado forte, ligeiramente ondulado, com uma mecha sobre um dos olhos. Percebendo que o estava encarando, Charlotte limpou a garganta.
– Acredito que Melinda Edwards também está presente. O senhor pode encontrá-la seguindo essa direção. – Ela fez um gesto indicando o corredor.
– Sei onde ela está – respondeu ele. – Posso lhe fazer uma pergunta?
– É claro.
Pela primeira vez no curto tempo em que se conheciam, ele parecia inseguro. Charlotte podia compreender. Quando ela o via a distância, o nervosismo a invadia. No entanto, quando se falavam, ela se sentia... alegre, mas calma, como se fosse a coisa mais natural do mundo.
– Herbert Beetly – continuou o conde, a voz ainda mais suave. – Estão comprometidos?
Ela corou.
– Não. Ainda não, pelo menos.
– Então, a senhorita espera que ele peça sua mão.
A voz dele parecia tensa, mas sem dúvida ele estava pensando em seu próprio futuro pedido para Melinda. Charlotte forçou um sorriso.
– Provavelmente. Ele tem sido meu único pretendente no último ano.
A testa de Matson franziu.
– O único pretendente da senhorita? – repetiu ele. – Por quê?
– Porque... – O rubor de Charlotte se intensificou e ela avançou na direção do lacaio mais próximo. Ela precisava fazer o que a mãe lhe pedira e voltar antes que os pais viessem procurá-la. – Não há necessidade de ser malicioso, meu senhor – disse ela com firmeza.
Ele segurou o braço dela de maneira delicada, mas com força suficiente para mantê-la no lugar.
– Eu só fiz uma pergunta. É um acordo de família? Os dois estão prometidos um ao outro desde a infância ou coisa parecida?
– Não. Não seja ridículo. – Ele não parecia querer provocá-la; na verdade, parecia absolutamente sério. Bem, havia feito uma pergunta e ela nunca fora

dada a ilusões, por mais dolorosa que fosse a verdade. – Eu não sou... não sou o tipo de mulher que atrai os homens. – Charlotte deu de ombros. – Meu pai e Herbert são conhecidos e, quando ninguém mais expressou interesse por mim, os dois chegaram a um entendimento mútuo.

– Então, o coração da senhorita não pertence a Beetly? – prosseguiu ele, ainda segurando o braço dela.

O coração sem dono de Charlotte deu um salto com o olhar sério dele.

– Não, meu coração não pertence a ele. Apenas faz sentido.

Para sua surpresa, ele a puxou para mais perto.

– Como assim, faz sentido?

– Meu senhor, não deveria estar conversando com a Srta. Edwards? – arriscou-se Charlotte, perguntando-se se por acaso ele conseguia sentir a pulsação dela sob os dedos.

– Mas é com *a senhorita* que estou conversando. Como pode fazer sentido se casar com o idiota mais sem graça de Londres?

– Somos muito parecidos.

Ela nunca confessara em voz alta como era sem graça e comum. Até agora, aparentemente.

– E quem, em nome de Deus, lhe disse isso? – disparou ele, o tom de voz se elevando um pouco.

Um ou dois dos espectadores mais próximos se viraram para olhar.

Charlotte desejou poder ser feita de pedra para não corar e ter vontade de abrir um buraco no chão e desaparecer.

– Tenho espelho, meu senhor – disse ela com firmeza. – E ouvidos. Agora, se o senhor me der licença, tenho uma tarefa a cumprir.

Ele teve um sobressalto, olhando em torno como se tivesse acabado de se dar conta de que estavam em um corredor lotado.

– A senhorita vai estar em casa amanhã de manhã?

– Por quê?

– Porque pretendo lhe fazer uma visita. A senhorita vai estar em casa?

Ela empalideceu.

– O senhor... por quê?

Um breve traço de humor tocou seus olhos azul-claros.

– Sim ou não?

– Presumo que... sim. Mas meus pais...

– Deixe isso por minha conta. – Ele passou a mão pelo braço dela para segurar seus dedos. Com os olhos fixos nela, ele levantou a mão de Charlotte e a roçou nos lábios.

– Até amanhã.

Mil perguntas inundaram a mente de Charlotte, mas não conseguia pensar em uma que pudesse proferir sem soar uma perfeita idiota. Mas ainda assim...

– Eu não entendo – sussurrou ela.

O conde sorriu.

– A senhorita tem olhos muito bonitos – sussurrou ele em resposta, e depois desapareceu na multidão.

Ela precisava se sentar. O mundo tinha começado a girar em um reino inteiramente novo. Xavier, o conde Matson, queria fazer uma visita a ela. A *ela*.

Se fosse uma brincadeira, seria das mais cruéis que já tinha visto. Mas com má reputação ou não, a crueldade não parecia fazer parte de seu caráter. Em seus poucos encontros, ela certamente nunca havia sentido nada parecido nele. E se Charlotte tinha algum talento, era o de ler as pessoas. Quando ninguém repara em você, é mais fácil estudar os outros.

Charlotte se concentrou em respirar enquanto abria as cortinas e voltava para seu assento. Agora, pensando no assunto, quando ele se encontrara com ela e Melinda no dia anterior, ele pareceu passar a maior parte do tempo conversando com ela. Mas tinha sido por educação, ou pelo menos assim ela pensara. *Ah, meu Deus, ah, meu Deus, ah, meu Deus.*

– Querida? – A voz da mãe a fez dar um salto. – Você está vermelha como uma beterraba. O que aconteceu?

Droga.

– Procurei um lacaio por toda parte, mas não consegui chamar a atenção de nenhum – conseguiu dizer, desejando poder escapar para algum lugar e se acalmar.

Com um suspiro, o pai dela se levantou.

– Vou providenciar – resmungou ele, saindo pelos fundos do camarote.

– Desculpe-me, querida – disse a baronesa. – Eu não ia mandá-la se enfiar no meio de tanta gente, mas seu pai e eu estamos preocupados, achando que estamos sendo rígidos demais. Você deve estar ciente de como nossa posição é delicada agora.

– É claro – replicou Charlotte.

No entanto, talvez seus pais não estivessem sendo rígidos o suficiente: se a tivessem mantido no camarote, ela não teria encontrado lorde Matson e ele não teria podido informá-la que pretendia visitá-la.

Por outro lado, ela não conseguia se lembrar de alguma vez ter ficado tão entusiasmada e nervosa e... esperançosa. Quaisquer que fossem os motivos, se ele realmente a visitaria no dia seguinte, ela fazia questão de estar lá e fazia questão de vê-lo. Ela deu um leve sorriso. Ele achava seus olhos bonitos. Mesmo que só durasse uma noite, ela achava realmente fascinante. Era uma sensação, acreditava ela, que apenas um espelho ou a possibilidade de lorde Matson não aparecer no dia seguinte poderiam dissipar. E naquela noite ela não iria se olhar no espelho.

Charlotte não conseguiu deixar de se olhar no espelho ao se vestir na manhã seguinte. Tampouco conseguiu ignorar as cores vivas do rosto e o brilho nos olhos.

– Ele pode nem aparecer – lembrou-se ela severamente. – É provável que ele não venha.

Às suas costas, Alice fez uma pausa enquanto prendia o cabelo de Charlotte.

– O que disse, Srta. Charlotte?

– Nada. Só falando sozinha.

– Se me permite um comentário, a senhorita parece um pouco agitada hoje. Quer que eu peça à Sra. Rutledge que lhe prepare um chá de hortelã?

Alice não seria a única a perceber seu comportamento, pois, desde o intervalo na noite anterior, oscilava entre o pânico e a euforia. Talvez admitir um início de resfriado mantivesse afastadas as suspeitas das pessoas, até a chegada de lorde Matson. *Se* lorde Matson chegasse.

– Um chá seria ótimo. Vou tomar com o café da manhã.

A criada fez uma reverência e saiu apressada do quarto. Suspirando, Charlotte terminou de desembaraçar a fita de cabelo da noite anterior e a pousou sobre a penteadeira. Se pensasse sobre o assunto em termos lógicos, não tinha importância ter uma visita essa manhã. Os pais nunca lhe permitiriam vê-lo. Achariam que muito provavelmente havia um motivo oculto; claro que não era possível que tivesse vindo apenas para vê-la.

Pela janela, misturando-se ao barulho da chuva, ela escutou uma carruagem virar a rua. Seu coração ficou apertado como se fosse uma bola tensa e palpitante. Ele não estava brincando.

Ela queria correr para a janela e olhar a rua.

– Não, Charlotte – disse ela para si mesma com firmeza. – Você está parecendo um cachorro com raiva.

Em vez disso, ela continuou dando os retoques finais no cabelo, uma tarefa difícil sem Alice para ajudá-la. Com apenas mais um grampo para colocar, ela parou de repente.

Por que estava tão encantada por Xavier Matson? Sim, ele era atraente, seguro de si e atlético, mas o que mais sabia a respeito dele? A agenda dele: que ele praticava pugilismo todas as manhãs, às dez horas, quando não tinha Parlamento; que tinha preferência por almoçar no White's ou no Boodle's; as cavalgadas vespertinas no Hyde Park, quando o clima permitia. Fora tais coisas, ele era um estranho. E isso, em parte, era o que ela gostava a respeito dele. Ele podia ser bonito, romântico e misterioso, e inatingível de um modo seguro.

Naquele momento, porém, ele estava à porta da casa dela.

Alice entrou apressada no quarto.

– Com licença, Srta. Charlotte, mas uma visita a espera. – Ela se aproximou de mansinho. – É um cavalheiro.

– Ah – disse Charlotte de maneira indiferente. – Ajude-me a terminar de pentear o cabelo, por favor.

– Agora mesmo, senhorita. – Alice rapidamente refez o trabalho de Charlotte. – A senhorita não está curiosa sobre quem deve ser o cavalheiro?

Ops. Ela havia se esquecido de que, supostamente, não sabia de nada.

– É claro que estou, Alice. Para onde Boscoe o levou? – perguntou ela.

Apesar de presumir que o mordomo tivesse levado o conde para a sala de estar, o local em que em geral os convidados aguardavam. Não que ela tivesse recebido outros convidados do sexo masculino, salvo Herbert.

– Ele está no escritório do seu pai. Lorde Birling não pareceu nada satisfeito. Não sei o motivo, porque o cavalheiro é muito... atraente, mas nada disso é da minha conta, de todo jeito.

Não era, mas Charlotte ficou tão agradecida com a notícia que não se queixou. Precisava se apressar; se não conseguisse descer rápido, o pai poderia muito bem mandar lorde Matson embora antes que tivesse a oportunidade de vê-lo.

Por fim, com Alice praticamente deixando o seu cabelo solto na parte de trás, Charlotte desceu correndo para o primeiro andar. Como de hábito, o mordomo estava a postos no saguão, mas mesmo o estoico Boscoe não conseguia disfarçar sua curiosidade com a visita.

– Boscoe? Alice me contou que alguém veio me fazer uma visita.

Praticamente tremendo de nervoso, ela não conseguiu resistir a dar uma espiada em direção à porta fechada do escritório do pai.

– Sim, Srta. Charlotte. Seu pai pede que a senhorita espere na sala de estar com sua mãe.

Até aquelas três últimas palavras, Charlotte tinha quase mantido as esperanças. A mãe dela, porém, faria perguntas, e ela não tinha ideia de como responder.

– Obrigada – disse assim mesmo, entrando pela porta entreaberta.

– Você planejou isso? – indagou a baronesa, sem pausar os passos acelerados que dava de um lado para o outro.

– Receber uma visita? – perguntou Charlotte, mantendo em mente o fato de que supostamente não sabia quem o pai tinha trancado no escritório.

– Receber a visita de lorde Matson.

Felizmente, ouvir o nome dele em voz alta a abalou o suficiente para não ter que fingir uma reação.

– N-não. Como eu poderia planejar uma coisa dessas?

– Sem dúvida não faço ideia. Mas você o ficou encarando da janela outro dia e ele se aproximou de você no Baile dos Hargreaves.

– Mamãe, a senhora deixou claro que eu devia concentrar meus esforços em lorde Herbert, já que nenhum outro cavalheiro veio me visitar em um ano. Por que eu iria pensar que *conseguiria* planejar uma coisa dessas?

– Mas por que ele está aqui? – insistiu a mãe.

– Ele está aqui para fazer uma visita a Charlotte. – O pai dela estava parado à porta, a expressão tensa e claramente descontente. – Ele deseja cortejá-la.

A baronesa afundou em uma cadeira.

– *O quê? A Charlotte?*

Através do ruído em seus ouvidos, Charlotte se fazia as mesmíssimas perguntas. Mesmo assim, a reação da mãe a magoou. Sim, ela era calada e reservada, e não era vibrante e bonita como Helen, mas era doloroso saber que seus pais a achavam... insignificante, que Herbert era o melhor pretendente para ela.

– Sim, Charlotte. Então, por favor, recomponha-se, Vivian, e vou trazer lorde Matson até aqui.

– Mas...

– Não posso enxotá-lo quando veio me pedir permissão para visitar nossa filha – interrompeu o barão em voz baixa. – E de modo muito respeitoso. – Ele voltou o olhar avaliativo para Charlotte. – Não o encoraje. A reputação dele não é nada imaculada e a sua só tem a se manchar com isso.

– Sim, papai.

Lorde Birling desapareceu e ressurgiu um minuto depois com lorde Matson nos calcanhares. O conde parecia tão à vontade, como se estivesse sentado comodamente jogando carteado, e Charlotte só podia invejar sua compostura. É claro, estava começando a parecer provável que lorde Matson fosse completamente louco. Ela não conseguia pensar em outra explicação para o fato de ele aparecer na casa dos Birlings com a intenção de... *vê-la*.

Quando o olhar dele a encontrou, porém, ele sorriu.

– Bom dia, Srta. Charlotte, lady Birling.

– Milorde – replicou a baronesa com uma reverência –, o que afinal, o traz aqui?

– Conforme disse a lorde Birling, andei um pouco desnorteado aqui em Londres, sem conhecer muita gente e começando a me dar com as pessoas erradas. As palavras gentis e o óbvio decoro de sua filha chamaram minha atenção.

Charlotte piscou. Deus do Céu, ele soava quase... enfadonho. Se não fosse o brilho no fundo dos olhos azuis, ela pensaria que uma cópia exata do lorde Herbert havia entrado naquela sala. Uma cópia exata com inteligência e senso de humor, claro.

– Devido a isso – continuou ele –, pedi permissão a lorde Birling para visitar a Srta. Charlotte. Achei que pudéssemos passear em meu faetonte, já que ele é coberto e vai nos proteger da garoa.

Um *faetonte*? Nunca na vida havia andado em um desses veículos esportivos. Charlotte praticamente bateu palmas, mas conseguiu se conter e, em vez disso, colocou as mãos com discrição nas costas.

– E um acompanhante? – continuou a mãe dela, tendo uma reação muito mais cética do que a da filha.

– Meu criado, Willis, está cuidando dos cavalos agora. Ele vai nos acompanhar montado a cavalo.

A baronesa franziu a testa.

– Outro homem? Eu não...

– Dei meu consentimento – interrompeu o pai. – Por hoje. Como disse, milorde, ela deve estar de volta até o meio-dia.

Matson esboçou uma reverência elegante.

– Ela estará. – Com o olhar ainda em Charlotte, ele estendeu uma das mãos. – Vamos?

Foi bom o pai ter dado permissão, pois não estava com vontade de perder a oportunidade de passear em um faetonte de corrida com lorde Matson, quaisquer que fossem as consequências. Ela assentiu, tentando conter o sorriso entusiasmado.

– Como quiser, milorde – conseguiu responder com a voz calma.

Alice surgiu com uma manta quente, e Charlotte a colocou nos ombros. Os pais dela a acompanharam até a porta, como abutres olhando uma presa recente, então ela não ousou tomar a mão que o conde oferecia. Em vez disso, deixou que o pai a ajudasse a subir no assento alto. Lorde Matson jogou uma manta sobre os pés dela sob o olhar atento do barão e da baronesa, e em um instante começaram a descer a rua.

Charlotte suspirou, a respiração formando uma leve fumaça no ar frio.
– O senhor realmente veio.
– É claro que sim. Eu disse que viria. – Ele a fitou. – Por que deixa que eles falem da senhorita daquela maneira?
– Que maneira?
– Sua mãe agia como se não conseguisse conceber o motivo de eu vir lhe fazer uma visita e seu pai parecia pensar que eu queria passear com a senhorita com o mero propósito de abandoná-la e envergonhá-la.
– Ah, meu Deus – murmurou ela. – É só que.. bem, o senhor viu como eles são preocupados com o decor...
– Não foi isso.
Ela manteve o olhar fixo na rua.
– O que quer que eu lhe diga, meu senhor? Que eles não entendem como alguém com sua aparência física e considerável renda e reputação pudesse estar interessado em cortejar a filha deles? Eu mesma não entendo muito bem.
Ele levantou a sobrancelha.
– Por que não? Qual é o seu problema?
Charlotte ficou ruborizada. Ela não conseguiu evitar.
– O que o senhor quer dizer com "Qual é o seu problema"? O senhor não deveria fazer perguntas desse tipo.
– Estou apenas tentando entender por que supostamente não devo ser visto em sua companhia. – Ele se mexeu de modo a poder encará-la melhor, mudando rapidamente as rédeas da mão direita para a esquerda. – A senhorita enxerga mal?
– Não, meu senhor. Não, a não ser que o sol brilhe em demasia.
– Não é um problema hoje, então. Gagueja?
– Em geral, não.
– Falta-lhe um dedo das mãos ou dos pés?
Apesar de seus esforços, a pergunta arrancou-lhe um sorriso.
– Não até agora.
– Seus dentes são postiços?
– Não, milorde.
– Duas orelhas, aproximadamente niveladas uma com a outra, um...
– Pare de implicar.
– Não estou implicando. Estou procurando seu defeito. Tem que existir algum defeito, para eles ficarem tão nervosos de exporem a senhorita comigo. Um nariz – continuou ele – ligeiramente arrebitado na ponta, uma boca, com um lábio embaixo e outro em cima, dois olhos, sobre os quais falamos ontem.

– O olhar dele a examinou inteira e depois voltou ao rosto. – Não é nada que eu não esteja realmente vendo, certo?

– Pelo amor de Deus, milorde. Passou da medida – protestou ela, sem ter certeza se ficava escandalizada ou achava graça. – O senhor está olhando exatamente para parte do problema, suponho.

– Então deve ser o fato de a senhorita estar usando uma peruca. A senhorita é careca, não é?

Finalmente ela deu uma risada. Não conseguiu resistir.

– Não, milorde. Meu cabelo é meu mesmo, preso com firmeza. – Ela respirou fundo antes que ele pudesse fazer perguntas sobre seus cílios ou seu busto ou qualquer outra coisa. – Não sou bonita ou exuberante e o senhor é muito bonito e rico, com a possibilidade de escolher qualquer mulher solteira de Londres. É por isso que eles não entendem. E para ser franca, eu também não.

– "Não sou bonita" – repetiu Xavier, lentamente se virando para a frente, bem a tempo de fazer a curva na Bond Street.

Com um movimento brusco do pulso, ele guiou os cavalos para o acostamento e puxou as rédeas para freá-los. Quando ele a encarou novamente, seus olhos brilhavam.

– Nunca mais diga isso de novo – a voz dele era baixa e firme. – Fui claro?

Charlotte engoliu em seco diante da intensidade daquele olhar.

– Não faz sentido negar. Se eu me comportasse como algo que não sou, eu simplesmente pareceria ridícula.

– A única coisa ridícula sobre a senhorita é essa afirmação. A senhorita... – Ele diminuiu a voz, batendo um punho contra o joelho. – No Baile dos Hargreaves – recomeçou ele, a voz mais baixa –, a senhorita tinha mais motivos do que a maioria para espalhar os boatos, ou aceitar os boatos, sobre a participação de lorde Easterly em outro escândalo. Mas o defendeu diante de sua mãe porque era a coisa certa a ser feita.

Por um longo instante, ela olhou para ele, tentando se lembrar da conversa exata e como ele poderia tê-la escutado.

– Era uma conversa privada – disse ela por fim.

– Não importa. Gostei do que a senhorita disse, que a acusação de uma pessoa não era suficiente para arriscar acabar com a reputação de um homem. Conversei com várias outras moças naquela noite, outras jovens, e nenhuma delas mencionou outra coisa a não ser aquilo que circula por toda parte. Duvido que tivesse ocorrido a elas agir de outra forma.

– Talvez falassem assim porque acreditavam que ele fosse culpado – sugeriu ela, remexendo o pulso.

Ela não era idiota; ele estava dizendo que a admirava.

– Se eu dissesse que o céu era roxo e verde, elas teriam concordado comigo. – Ele se sentou para trás um pouco, ainda a fitando. – A senhorita concordaria?

– Se o céu fosse dessa cor, eu certamente concordaria com o senhor.

Após um instante, ele visivelmente mudou de atitude.

– A chuva parou. O que me diz de fazermos compras?

– O senhor... Isso é muito gentil, mas não ajudará nem a mim nem ao senhor sermos vistos juntos.

Apesar das ruas relativamente desertas, alguém que conheciam poderia vê-los e então os rumores começariam e as pessoas passariam a imaginar o que havia de errado com *ele*, por ser visto na companhia dela.

– Vai me ajudar muitíssimo. Willis, segure os cavalos.

O criado uniformizado incitou a montaria a passar à frente dos cavalos da carruagem e apanhou os arreios do animal mais próximo. Enquanto fazia isso, Matson segurou o queixo dela delicadamente com os dedos e a fez encará-lo. Antes que ela pudesse ofegar ou mesmo formar o pensamento para fazer isso, ele pousou os lábios quentes sobre os dela. Podem ter sido apenas alguns segundos, uma dúzia de batidas de coração aceleradas, mas o momento pareceu se alongar até o infinito, o toque da boca dele sobre a dela. Charlotte fechou os olhos, tentando memorizar a sensação.

– Eu já me sinto melhor – murmurou ele. – Abra os olhos, Charlotte.

E assim fez, esperando que ele estivesse rindo dela. Ao contrário, porém, o suave sorriso estampado na boca de Matson a deixou com vontade de se jogar nos braços dele, e danem-se as consequências.

– Milorde, isso é...

– Isso é só o começo – ele concluiu para ela. – E me chame de Xavier.

CAPÍTULO 5

Chegou ao conhecimento desta autora que lorde Matson, sobre quem, como todas as queridas leitoras devem lembrar, foram relatadas algumas atividades visando ao altar, tem dedicado atenção bastante assídua a uma jovem donzela em particular.

Esta autora ficaria feliz em citar o nome da dama em questão (informação esta de que dispõe), não fosse ele tão surpreendente, tão completa e totalmente inesperado, que esta autora teme ser um nome falso.

Principalmente porque, pelo que consta, as tentativas de lorde Matson de cortejar essa jovem foram completamente rejeitadas.

Deus do céu, será que a donzela é louca?

CRÔNICAS DA SOCIEDADE DE LADY WHISTLEDOWN,
10 de junho de 1816

Charlotte Birling estava a ponto de se rebelar. Na quinta-feira anterior, lorde Matson, Xavier, a levou para casa antes do meio-dia, assim como prometeu. As duas horas com ele tinham sido as mais gloriosas de sua vida. Ela não esperava que seu interesse durasse, mas pretendia desfrutar dele enquanto pudesse.

Mas os pais se despediram dele naquele dia e ela não o viu de novo. Não, isso não era inteiramente verdade; ela o vislumbrou pela janela rajada de chuva três vezes e ouvira sua voz lá embaixo quando pediu permissão para entrar, mas, quanto a conversarem, um ou outro poderia muito bem estar residindo na lua.

E mesmo após apenas três encontros casuais e uma manhã de conversas sobre nada em particular, ela sentia saudades dele. Ela sempre se sentira confortável e segura junto aos homens em geral, porque não tinha expectativa de ser elogiada ou cortejada, e eles pareciam apreciar sua falta de vaidade. Com Xavier, porém, era diferente. Ele de fato parecia à vontade e bom de papo, mas definitivamente não parecia seguro estar ao lado dele. Nenhum homem jamais a olhara daquele jeito e ela ainda sentia um arrepio lhe descer pela espinha sempre que se lembrava dele, o que era praticamente a cada segundo da semana que se passara.

É claro que não podiam esperar que ela o tirasse da cabeça, uma vez que ele viera visitá-la por quatro dias seguidos. Recusa após recusa, mentira após mentira por parte de seus pais, e ainda assim ele continuava a vir. Ela nunca o ouviu levantar a voz, mas uma breve espiada, no dia anterior, enquanto ele subia na carruagem, havia mostrado ombros retos e tensos e um punho socando a moldura da janela.

– Ele vem fazer uma visita hoje à tarde? – A baronesa estava à porta aberta do quarto de Charlotte, exibindo a mesma expressão de desgosto mal disfarçado que ostentava desde a quinta-feira.

– O que a senhora disse? – perguntou Charlotte, logo colocando o espalhafatoso colar de esmeralda de volta na gaveta da penteadeira.

– Não finja que não sabe do que estou falando, Charlotte. Seu pai lhe pediu para não encorajá-lo.

– E não o encorajei. Só estava sendo eu mesma, mamãe. E, acredite, também acho estranho que ele pareça gostar de mim.

– As pessoas estão começando a falar. Inclusive lady Whistledown.

Charlotte inspirou profundamente.

– Herbert já apareceu no *Whistledown*.

– Apenas com referência ao seu perfeito caráter. Falando em lorde Herbert, ele compareceu ao sarau dos Wivens. Você pelo menos reparou?

– Eu dancei com ele – respondeu Charlotte, ignorando o perturbador pensamento de que passara a maior parte do tempo procurando lorde Matson e que ela *não havia* pensado em Herbert até que ele tossiu e convidou-a para dançar.

– Bem, só espero que Matson seja cavalheiro o suficiente para perceber que já tivemos nossa cota de sofrimento com essa tolice e que não queremos mais vê-lo por aqui.

Charlotte quase deixou a mãe sair sem fazer um comentário. Depois da raivosa reação de Xavier quanto ao pouco caso dos pais em relação a ela, porém, Charlotte não podia fazer isso.

– Seria tão terrível assim que eu tivesse dois homens me cortejando? Pensei que o objetivo fosse me ver em um casamento feliz. Falando mais claramente, lorde Herbert era apenas o único interessado... até agora.

A baronesa parou.

– Não é... isso não... lorde Matson é um libertino, Charlotte. Não temos motivo para acreditar que ele esteja sendo sincero em relação a você.

– Mas e se eu gostar dele? – perguntou ela, em voz mais baixa, lutando contra a vontade repentina de chorar.

– Você precisa ter expectativas mais realistas, querida. Agora, anime-se. Soube de fonte segura que lorde Herbert vai lhe fazer uma visita hoje à tarde. Ele expressou interesse em experimentar meu novo piano.

– Ah. Esplêndido.

– Não sei mais o que se passa em sua cabeça, Charlotte. Ele chega a qualquer momento. Por favor, use alguma coisa adequada.

A mãe fechou a porta. Alguma coisa adequada. De acordo com o pensamento dos pais, seria um saco largo. Distraída, Charlotte voltou a mexer no colar de esmeralda. Ela o havia experimentado uma vez e tinha que admitir que lady Ibsen estava certa. Fez com que ela se sentisse completamente escandalosa. Ficou pensando se lady Ibsen usava uma bijuteria semelhante para lorde Matson... e se ele ainda visitava a viúva.

– O que importa? – resfolegou ela. – Ele sem dúvida não está achando graça nenhuma em vir aqui.

Naquele momento, a luz do sol atravessou sua janela. Sorrindo, ela se levantou para abrir a vidraça e se inclinar para fora. A luz e o calor depois de dois meses de frio e quatro dias seguidos de chuva traziam uma sensação gloriosa. Ela fechou os olhos, aquecendo-se nos raios de sol.

– Charlotte?

Sobressaltando-se, ela abriu os olhos e fitou a rua. Lorde Matson estava na entrada da sua casa, olhando em direção à janela do seu quarto.

– Boa tarde – sussurrou ela, corando.

– Agora, sim. Consegue me encontrar em algum lugar? – disse ele, a voz quase inaudível.

Deus do céu. Ela começava a se sentir uma Julieta.

– Onde?

Ele franziu a testa por um instante e depois a expressão se iluminou.

– Está um lindo dia para passear no Hyde Park, não acha?

Sim, estava, se ela conseguisse convencer lorde Herbert a atrasar seu recital de piano. Quanto à encrenca em que se meteria se os pais descobrissem o que estava tramando, ela não queria pensar no assunto. Naquela tarde, o homem que roubara seu fôlego com um sorriso queria vê-la. E ela queria muito vê-lo.

– Vou tentar – respondeu Charlotte.

– Vou estar à sua espera.

Ele retornou à carruagem e ordenou que o cocheiro desse partida. Enquanto desaparecia na esquina, Charlotte respirou fundo e saiu do quarto. Ela realmente devia ter aproveitado a oportunidade para lhe dizer que parasse de cortejá-la, mas não se podia esperar dela que recusasse mais uma chance de viver um sonho.

※

Dizer que Xavier se sentia frustrado era possivelmente o eufemismo do século. Ele colocava suas roupas mais conservadoras, conversava com o talento de um maldito coveiro, foi à casa de Charlotte todos os dias por quase uma semana e só conseguiu vê-la uma única vez. Obviamente, depois da primeira investida de surpresa, os pais ficaram prontos para enfrentá-lo: ou era isso, ou Charlotte tinha a mais ativa agenda social da Inglaterra. Mesmo depois de vê-la na janela, ficou tentado a bater na porta e ver aonde seus pais diriam que ela teria ido naquele dia: chá com amigas, biblioteca, visita a uma tia doente. Ele já ouvira tudo aquilo. E assim, considerando o fato de que havia feito manobras exitosas contra o melhor de Bonaparte durante a guerra, Matson foi obrigado a admirar a habilidade para o subterfúgio por parte de lorde e lady Birling.

Se tivesse sido uma mera questão de atração física, não teria se importado; apesar de sua reputação, ele tinha uma dose mais do que suficiente de autocontrole para se afastar de uma mulher se o trabalho começasse a não recompensar. Isso, porém, era muito mais sério. Depois de duas horas de conversa com Charlotte, voltou para casa e rasgou a lista de noivas em potencial. Chegou a hora, então, de ele próprio colocar em prática sua estratégia.

Assim, seguiu com a carruagem até a extremidade do Hyde Park, de onde seria capaz de avistar qualquer pessoa que viesse da direção da casa dos Birlings. Quem ela traria junto, ele não fazia ideia, mas não importava muito. Queria vê-la novamente. Queria abraçá-la, beijá-la, ver seus olhos se iluminarem com paixão e entusiasmo ao seu toque.

Matson esperou na sombra de um olmo à medida que o parque ficava cada vez mais cheio. Ao que parecia, todo mundo havia pensado em aproveitar a luz do sol. Ótimo. Isso faria a presença de Charlotte menos suspeita para os pais.

Ele ficou pensando no que o irmão teria dito, vendo a confusão que fez em sua busca por uma noiva. Provavelmente, a primeira coisa que Anthony teria feito seria rir dele por preparar uma lista, por pensar que pudesse se tornar o latifundiário e o nobre perfeito encontrando a noiva perfeita, como se isso fosse resolver todas as suas frustrações por ter deixado para trás uma promissora carreira militar e as preocupações de que nunca conseguisse se encaixar em sua nova posição. Mas Anthony teria gostado de Charlotte. Xavier sabia disso instintivamente. O irmão sempre tivera um bom olho para avaliar o caráter de alguém.

Ele se mexeu, buscando uma posição mais confortável, apoiado na árvore. Droga, se os pais se recusassem a deixá-la sair, ele iria recorrer ao sequestro. Logo que começou a formular um plano, porém, Charlotte apareceu. Com a criada andando lentamente na retaguarda, ela caminhava com a mão no braço de seu acompanhante: lorde Herbert Beetly.

– Maldito – resmungou Xavier, embora estivesse mais zangado com os pais dela. Casar Charlotte com Beetly seria como acorrentar uma borboleta a um besouro. Mesmo sem querer, ele achou engraçado. Beetly besouro.

Então agora tinha que imaginar uma maneira de afastá-la do inseto por pelo menos alguns minutos, porque, se não conseguisse beijá-la naquela tarde, explodiria. Eles começaram a passear ao longo de um dos caminhos, e Xavier os seguiu de perto, por trás dos arbustos. Herbert falava contínua e monotonamente sobre algum tipo de alergia a grama. Após quase bater com a cabeça em um galho, começou a pensar em providenciar a mesma coisa para o rival.

Felizmente para Herbert, porém, uma carruagem aberta passou fazendo um barulho alto.

– É lady Neeley e aquela dama de companhia dela – comentou Beetley, curvando-se de modo a mantê-los à vista. – Ouvi dizer que ela quer que a polícia prenda Easterly pelo furto da pulseira.

– Ridículo – replicou Charlotte, soltando a mão.

Xavier foi para trás da criada. Cobrindo a boca de Alice, ele fez sinal para ela ficar em silêncio e depois a conduziu diretamente para trás do casal. Ele colocou a mão de Alice no braço de Beetly e em seguida agarrou Charlotte, puxando-a para trás nos arbustos.

Charlotte tropeçou e Matson a segurou contra si antes que ela pudesse cair.

– Shh – murmurou ele baixinho, conduzindo-a para mais longe do acompanhante. Quando chegaram à relativa privacidade de uma pequena clareira, ele parou. Ela estava sem fôlego, o chapéu caído nos ombros, e exibia um sorriso de genuíno prazer. Meu Deus, ela era fascinante.

– Isso nunca vai fun...

Xavier pegou-a pelos ombros e se inclinou, cobrindo a boca de Charlotte com a sua. Ela se retesou nos braços dele, depois relaxou, soltando um gemido suave e gutural que o fez se contrair.

– Isso, sim, é um cumprimento adequado – murmurou ele, beijando-a de novo.

– Não, isso é um cumprimento inadequado – corrigiu ela, os dedos se enterrando nas mangas da camisa dele.

Seria tão fácil arruiná-la, deitá-la na grama e possuí-la. *Paciência*, ordenou a si mesmo, soltando-a com relutância. Ela era recatada e um tanto preocupada com as aparências, e ele não queria amedrontá-la. Aquilo não se reduzia ao prazer de uma tarde; aquilo significava uma vida inteira de prazer.

– Lorde... Xavier... Não sou... Não sei jogar bem esse tipo de jogo – gaguejou ela, o olhar ainda fixo na boca dele. – Se é isso que estamos fazendo, quer dizer, um jogo, eu gostaria que me dissesse.

Às vezes os homens eram tão tolos. Ele também quase tinha se transformado em um, procurando por rostos bonitos e popularidade e tons de cabelo, como se isso valesse alguma coisa.

– Não é um jogo, Charlotte – disse ele em voz baixa. – Mas se minha personalidade lhe desagrada ou se seu coração pertence a outra pessoa, por favor, me diga para...

Com uma respiração leve, ela segurou as lapelas dele, se inclinou para o seu corpo e o beijou novamente. Bom, isso respondia à pergunta. Ele deslizou os braços até a cintura de Charlotte, mantendo-a próxima.

– Então, vamos aproveitar ao máximo nossa escapada, não acha? – murmurou ele, desviando sua atenção para o queixo de Charlotte.

Ela franziu a testa.

– Eu realmente pareço mais protegida do que o rei, não é?

Ele riu.

– Não se preocupe. Pode dizer ao Beetly que você seguiu andando e pensou que ele estivesse logo atrás.

– Você é tão terrível.

– Quando preciso ser.

Charlotte deu um curto passo para trás, encarando-o com seus cálidos olhos castanhos.

– Tenho algumas perguntas a lhe fazer, Xavier.

O coração dele fraquejou ligeiramente.

– Pode fazer.

– Você está fazendo a corte a Melinda Edwards? Porque ela é minha amiga e não quero ficar no meio de nada que possa magoar Melinda.

Ele poderia inventar alguma coisa leviana, sabia, mas provavelmente Charlotte perceberia. Além disso, havia algo tão... sincero na atitude dela que ele só podia retribuir da mesma forma.

– Consultei um amigo – disse ele devagar –, porque eu estava fora de Londres havia muito tempo e queria saber que dama poderia ser mais adequada para mim.

– "Adequada"? – repetiu ela.

Xavier deu um ligeiro sorriso.

– Você *não* gosta de joguinhos, não é?

– Não, não gosto. – Ela soltou um suspiro. – Parece bobo e de fato não sou tão delicada assim, mas já aconteceu diversas vezes de eu estar em algum lugar e um homem começar a chamar minha atenção de modo que o amigo dele pudesse falar com Melinda. Não gosto de ser uma distração.

Ele tocou a face dela, deslizando o dedo na pele macia.

– Não, *você* é que está me distraindo – corrigiu ele. – E de modo muito agradável. E não estou participando de nenhum joguinho. Estou aqui para encontrar uma esposa. Sim, Melinda estava originalmente na lista. Mas não está mais.

A cor fugiu das bochechas de Charlotte.

– Mas...

– Eu estava no exército, sabe – interrompeu ele, não querendo escutá-la dizer algo ridículo, como o fato de ele não poder estar considerando-a seriamente –, e eu tive uma boa carreira. Comecei como tenente e depois de dois anos fui promovido a major. Eu estava feliz com aquela vida. A Inglaterra sempre está em guerra em algum lugar.

– Então, o que aconteceu?

– Meu irmão mais velho, Anthony, morreu ano passado. Fui chamado para voltar para casa e cheguei justo a tempo para o funeral. Algum tipo de gripe. – Ele limpou a garganta, imaginando se ela conseguia sentir como ele ainda ficava zangado por ter sido abandonado pelo melhor amigo; e como se sentia solitário. – Anthony não era casado e não tinha herdeiros, o que fez com que eu herdasse o título. – Ele forçou uma risada. – Em comparação a ser um conde, a guerra era fácil.

– Por que eu?

– Por que você? – repetiu ele, tocando-a novamente, pois não conseguia resistir. – Você defendeu o marido de sua prima diante de sua mãe.

– Mas...

– Não apenas contra a opinião de todos, e não porque você sabia se ele era inocente ou culpado, mas porque nada fora provado. Isso, minha querida, exige uma grande personalidade.

– Então, você gosta da minha personalidade.

– Charlotte, você gosta que exijam que você se comporte assim? Aprecia o tempo que passa com lorde Herbert? Espera ficar feliz quando, e repito *quando*, ele pedir sua mão em casamento?

O rosto dela se contraiu.

– É claro que não gosto de nada disso. Não gosto de ter minha conduta vigiada por meus pais como consequência de um suposto escândalo que nada teve a ver comigo e que ocorreu quando eu tinha 7 anos. Quem gostaria disso?

– Não faço ideia. Mas o que eu sei é que nunca esperei que este tipo de vida fosse jogado no meu colo. Eu teria ficado muito feliz em Waterloo e com Anthony vivo e assumindo toda a responsabilidade. Exceto por uma coisa.

– Que seria?

– Você.

Charlotte o encarou. Ela havia olhado para ele a distância, imaginando que bravas façanhas ele havia realizado na guerra, admirando sua autoconfiança e facilidade em falar com as outras pessoas. Ela nunca imaginaria que ele pudesse se sentir infeliz, ou solitário, ou sobretudo que algum dia olhasse na direção dela. Porém, assim ele havia feito e aparentemente ele via os dois como espíritos semelhantes, duas pessoas não inteiramente à vontade com a posição em que se encontravam e tentando tirar o melhor daquilo. O mais estranho era que ela também podia perceber.

Ah, meu Deus.

– Preciso ir – falou ela, seguindo em uma direção oposta ao local onde Herbert deveria estar.

Em um segundo Xavier a alcançou.

– Eu não queria aborrecer você – disse ele em voz baixa.

– Não estou aborrecida. Só estou refletindo.

– Refletindo de uma maneira boa ou ruim?

Um riso inesperado escapou de seus lábios.

– É isso que estou tentando des...

Alguém se chocou contra ela e, antes que pudesse respirar, se viu esparramada no chão, o nariz a centímetros do...

– Charlotte! – disse ela, ofegante, Tillie Howard, uma amiga sua. – Sinto muito!

Ela se sentou, agradecida por descobrir que pelo menos a saia não tinha subido cintura acima. Sua dignidade estava salva.

– O que estava *fazendo*? – indagou ela, ajeitando o chapéu no cabelo.

– Apostando uma corrida, na verdade – murmurou Tillie, parecendo constrangida. – Não conte à minha mãe.

– Não precisarei. Com o parque tão lotado, alguém mais deve ter visto. – Se você acha que ela não vai ouvir falar *disso*...

– Eu sei, eu sei – disse Tillie, com um suspiro. – Espero que ela atribua isso à insanidade provocada pelo sol.

– Ou talvez cegueira provocada pelo sol? – interveio Xavier, ajudando Charlotte a se pôr de pé.

Ela desconfiou que ele estava achando graça, mas não tinha sido ele a tombar no chão.

A mãe dela teria um ataque histérico com o seu comportamento hoje; mas quem era ela para julgar alguém ou alguma coisa?

– Lady Mathilda, esse é lorde Matson.

– Prazer em...

Tillie perdeu a voz quando um jovem alto de cabelos escuros apareceu ao lado dela.

– Tillie, está tudo bem? – perguntou o jovem.

Lady Mathilda respondeu e recebeu ajuda para se levantar, mas a atenção de Charlotte estava em Xavier. Ele se retesou um pouco assim que o outro cavalheiro apareceu e imediatamente deu um passo para mais perto de Charlotte, segurando a mão dela. Ela sentiu uma emoção percorrê-la. Será que ele estava com ciúmes? E por causa *dela*?

Tillie a apresentou a Peter Thompson, mas, antes que também pudesse apresentar Xavier, o Sr. Thompson a interrompeu.

– Matson – disse ele, cumprimentando-o com um aceno de cabeça.

– Já se conhecem? – perguntou Tillie, antes que Charlotte fizesse.

– Do exército – respondeu Xavier.

– Ah! – exclamou Tillie, os cachos vermelhos balançando. – O senhor conhecia meu irmão? Harry Howard?

A expressão nos olhos de Xavier se transformou apenas por um instante. Charlotte não conseguiu decifrar, mas algo naquele azul-claro a fez apertar os dedos dele um pouco mais.

– Ele era um ótimo sujeito – respondeu ele após um minuto. – Todos gostávamos muito dele.

– Sim – concordou Mathilda –, todos gostavam de Harry. Ele era muito especial.

O conde assentiu.

– Sinto muito pela sua perda.

– Assim como todos nós. Agradeço os cumprimentos.

Charlotte olhou de relance para o Sr. Thompson e, em seguida, voltou a olhar com mais atenção. Ele estava avaliando Xavier da mesma maneira que o conde parecia tê-lo examinado, como dois garanhões cada um protegendo a sua égua do rival. *Ah, meu Deus.*

– Estavam no mesmo regimento? – perguntou ela, tentando distraí-los.

– Sim, estávamos – respondeu Xavier –, apesar de o Thompson aqui ter tido a sorte de permanecer durante a ação.

– O senhor não esteve em Waterloo? – indagou Tillie.

– Não. Fui chamado para casa por questões familiares.

– Sinto muito – murmurou Tillie.

De repente, Charlotte queria que a amiga não fosse tão atraente, com o busto erguido e as bochechas brilhando por causa da corrida. *Raios.*

– Falando em Waterloo – interveio ela –, o senhor pretende ir à encenação da semana que vem? Lorde Matson estava aqui reclamando que perdeu a diversão.

– Charlotte – murmurou Xavier, baixo o suficiente para os outros não ouvirem.

– Eu não chamaria de diversão – murmurou o Sr. Thompson.

– Certo – apoiou Tillie em um tom de voz exageradamente animado. Era óbvio que ela também preferia estar em outro lugar. – A encenação de Prinny! Eu tinha me esquecido por completo. Será em Vauxhall, não é mesmo?

– Daqui a exatamente uma semana – respondeu Charlotte, confirmando com a cabeça, e começando a desejar ter ficado de boca calada, conforme sua mãe vivia lhe dizendo. – No aniversário de Waterloo. Ouvi dizer que Prinny está fora de si de tanta empolgação. Haverá fogos de artifício.

Peter não pareceu bastante entusiasmado com a ideia.

– Pois queremos que seja uma representação *precisa* da guerra.

– Ou a ideia que Prinny tem de precisa, de todo modo – acrescentou o conde friamente.

– Talvez seja para imitar os disparos das armas – disse Tillie, tensa. – O senhor irá, Sr. Thompson? Eu apreciaria sua companhia.

Charlotte se mexeu de modo desconfortável. Sem dúvida, o assunto era ainda mais delicado do que ela havia imaginado. Ela abriu a boca para mudar de assunto enquanto Tillie e Peter continuavam a debater se deveriam comparecer ou não, mas Xavier deu um puxão na mão dela. Quando ela ergueu o olhar, Matson balançou de leve a cabeça, o olhar fixo em Tillie e surpreendentemente compassivo.

– Deixa – murmurou ele, olhando para Charlotte.

– Mas...

– Tudo bem – dizia o Sr. Thompson para Tillie, apesar de manter os lábios contraídos.

– Obrigada – respondeu Mathilda com um largo sorriso. – É muito gentil de sua parte, sobretudo tendo em vista que...

Diante da expressão repentinamente desconfortável da amiga, Charlotte se recompôs.

– Bem, precisamos ir – disse ela –, hum, antes que alguém...

– Precisamos partir – concluiu Xavier suavemente.

– Lamento muito pela corrida – disse Mathilda, estendendo o braço e apertando a mão de Charlotte.

Sorrindo, Charlotte retribuiu o cumprimento. Elas ainda eram amigas, afinal de contas.

– Não se preocupe com isso. Finja que sou a linha de chegada, e que então você ganhou.

– Excelente ideia. Eu mesma deveria ter pensado nisso.

Quando Xavier a puxou, Charlotte não protestou. Herbert provavelmente estaria vasculhando o parque todo naquele momento, à procura dela, e qualquer briga que ele provocasse seria culpa dela.

– Você tem amigas interessantes – disse ele após um minuto, guiando-a em direção à vegetação mais densa.

– Você também.

– Eu não chamaria Thompson exatamente de amigo.

Como ela percebeu que ele tinha dado um jeito de uma vez mais encontrar uma clareira protegida de todos os outros ocupantes do parque, ela soltou a mão.

– Preciso voltar para Herbert.

– Eu sei. – Ele diminuiu a distância entre os dois com um longo passo. – E espero que você saiba que, embora eu venha fazendo todo esforço possível para me comportar, por causa dos seus pais, ganhei minha reputação de certa forma... colorida.

O batimento cardíaco de Charlotte acelerou. Ela mesma tinha começado a descobrir novos níveis de ousadia desde o primeiro encontro dos dois.

– Ah, verdade?

Estendendo as mãos, ele segurou os ombros de Charlotte e a puxou contra si. Enquanto os lábios encontravam os dela, Charlotte sentia uma onda de calor correr do ponto de contato entre ambos e descer até os dedos dos pés, com um formigamento quente e inesperado entre as coxas. Ele estava falando sério. Ele estava sendo genuíno quanto ao seu interesse. Por mais surpreendente que fosse, uma parte pequena e racional de sua mente ainda queria saber o motivo. Por que ela? Por que não alguém adorável, serena e sofisticada como Melinda? Por que...

As mãos dele desceram pelos braços de Charlotte, acariciando a parte externa de seus seios enquanto os polegares roçavam seus mamilos cobertos pela musselina com autoridade suficiente apenas para deixá-la perceber que ele fizera de propósito e que beijá-la era apenas o início daquilo que ele desejava.

– Xavier – disse ela, ofegante, se inclinando sobre ele.

– Shh.

– Charlotte!

Ela levou um susto, o cérebro confuso de paixão levando um minuto para registrar que a voz de Herbert não estava logo atrás dela, mas a uma distância suficiente para que não pudesse de jeito nenhum ter visto alguma coisa.

– Solte-me, Xavier – murmurou ela, incapaz de se impedir de buscar a boca do conde para um último e desajeitado beijo.

– Você precisa terminar com Herbert – disse Xavier, a voz mais dura.

– E que motivo eu daria? – perguntou ela, tão emocionada quanto frustrada. – Já mencionei aos meus pais minha insatisfação com a personalidade empolgante dele. Como resposta, meu pai aceitou seu convite para me acompanhar a Vauxhall.

– Vamos ver quanto a isso – replicou Xavier. – Vou tolerar esses encontros escondidos por um tempo, mas minha paciência realmente tem limite, Charlotte. – Ele envolveu o rosto dela com as mãos. – E lorde Herbert não vai acompanhar você a Vauxhall. *Eu* vou. Pode apostar.

Aquilo pioraria as coisas e, dessa vez, Charlotte não se importou. Enquanto Herbert se aproximava, Xavier desaparecia nas sombras. Ela deu a desculpa que ele tinha sugerido, que ela começou a caminhar sem rumo e ficou surpresa de não vê-lo por perto. Sendo um homem de pouca imaginação, ele acreditou na história. E pela expressão divertida de Alice, a criada também não revelaria nada.

Xavier disse que a paciência dele não duraria muito e ela só podia imaginar o que aconteceria quando isso ocorresse. De uma coisa, contudo, Charlotte tinha certeza. Iria a Vauxhall na quarta-feira seguinte.

CAPÍTULO 6

Muito bem, o segredo será revelado. O objeto do afeto de lorde Matson é ninguém menos do que a Srta. Charlotte Birling, cujo nome, esta autora deve confessar, nunca antes dera o ar da graça nesta coluna.

O casal em questão foi visto de braços dados ontem no Hyde Park, parecendo bastante íntimo, para dizer a verdade.

CRÔNICAS DA SOCIEDADE DE LADY WHISTLEDOWN,
12 de junho de 1816

Charlotte cantarolava enquanto se olhava no espelho. Mal tinha tocado no jantar na noite anterior e tampouco dormido, mas ainda assim se sentia... energizada, como se a eletricidade corresse sob a pele. Junto a esse sentimento, havia uma alarmante sensação de que nada poderia dar errado. Isso deveria tê-la alertado de imediato de que tudo estava prestes a se transformar num inferno.

Pelo menos os pais permitiram que ela terminasse sua higiene matinal e descesse para o café da manhã em uma alegre ignorância antes de partirem para o ataque.

– Bom dia – cumprimentou ela, entrando na saleta de café da manhã e inalando profundamente o aroma de pão fresco.

– Bom dia – respondeu a mãe, erguendo o olhar da leitura atenta da nova coluna de lady Whistledown. – Espere só até ouvir isso.

– Não me importo com o que as outras pessoas estejam fazendo ou dizendo. – Charlotte se serviu de um pêssego e uma grossa fatia de pão do aparador. – Nem mesmo me importo se provavelmente vai chover hoje de novo.

O pai de Charlotte baixou o *London Times* para fitá-la.

– E qual é a razão para essa nova e despreocupada Charlotte?

Alguma coisa na voz dele chamou a atenção de Charlotte, mas ela fingiu ignorar. Mudara nos últimos dias; mas não podia esperar o mesmo dos pais. Todavia, eles mudariam porque ela precisava que eles mudassem, se pretendia ter algum tipo de futuro com lorde Matson. E isso ela pretendia.

– Vocês vão rir de mim.

– Não vamos rir – replicou a mãe.

Não diga mais nada, começou a insistir a vozinha da sensatez dentro dela. Naquela manhã, porém, a voz leviana, aquela que queria cantar e dançar pela sala toda, falava muito mais alto.

– Eu sinto que sempre fui uma lagarta e agora virei uma borboleta.

Ela se sentou e um minuto se passou sem que o barão nem a baronesa fizessem qualquer comentário sobre a metáfora. Quando ergueu o olhar, ambos se entreolhavam. Alguma coisa tinha acontecido.

– Qual é o problema? – perguntou ela.

Devagar, a mãe deslizou a coluna de fofocas para ela.

– Você pode pensar que é uma borboleta – disse ela com calma –, mas isso implicaria que tivesse se tornado independente e que suas ações...

– ... e que suas ações não repercutissem em mais ninguém – concluiu o pai. – Acho que todos concordamos que você está errada.

Engolindo em seco, Charlotte leu o *Whistledown*. *Ai, não*.

– Eu...

– Considere com cuidado que mentira pretende contar – interrompeu o barão novamente. – Você e Herbert já nos regalaram com a história de como se separaram no parque ontem. O nome de Matson não surgiu nessa conversa.

Charlotte fechou os olhos por apenas um instante. De volta à lagarta em um segundo. E agora nunca teria a permissão de sair de seu casulo. Nunca mais. A não ser que ela própria forçasse a abertura.

– Eu gosto de lorde Matson – disse ela calmamente. – Acho que tanto o senhor quanto a senhora iriam gostar dele também, se lhe dessem uma oportunidade.

– Não fomos responsáveis pela reputação dele, Charlotte. Ele fez isso por conta própria. E deve arcar com as consequências... por conta própria.

– E quanto à minha reputação? – protestou ela. – Os senhores decidiram, quando eu tinha 7 anos, que cada respiração minha poderia me arruinar e assim não tive oportunidade de fazer nada. Sim, apareci na coluna de lady Whistledown. Mas estou arruinada? Não.

– Isso nós vamos ver. Você pretendia ver lorde Matson no parque ou foi por acaso?

A mãe pegou o jornal de volta. Certamente iria para uma caixa da qual ela pudesse pegar toda vez que quisesse mostrar que estava com a razão.

Charlotte ergueu o queixo.

– Foi de propósito.

– Charlotte!

Ela se pôs de pé em um salto.

– Não sou bonita nem vibrante, mamãe. Acredite, eu sei disso. E quando estou com lorde Herbert, me sinto sem graça, medíocre e pequena. Mas quando Xavier olha para mim e fala comigo, eu me sinto... atraente. Não esperem que eu ignore isso. Ele é um bom homem, tentando assumir um lugar na sociedade, o que nunca esperou ser obrigado a fazer.

– Então, ele lhe conta umas mentiras e agora você está pronta a deixá-lo usar nosso bom nome para melhorar a própria reputação.

– Papai, não é...

– Não é assim? Você consegue pensar em alguma outra razão pela qual ele poderia estar lhe fazendo a corte?

Então era isso. Aos olhos deles, ela era mesmo medíocre. Por que alguém tão bonito e rico como Xavier Matson desejaria se associar a ela, a não ser que houvesse algo mais tangível para ele aproveitar?

– Ah – disse ela com calma, a voz fraquejando.

– Edward, não há motivo para ser tão rude.

Para surpresa de Charlotte, a mãe se levantou e colocou um braço nos seus ombros.

– Não queremos magoar você, mas precisa entender que nem todas as pessoas são tão francas e generosas como você.

– E que, quer você viva sob nosso teto ou não, suas ações repercutem em nós e em nossa reputação.

A boca do barão se contraiu.

– Vou manter isso em mente, papai. Posso ir para o meu quarto agora?

– Lorde Herbert vai levar você para almoçar. Até lá, sim, sugiro que você se recolha para pensar sobre as consequências de seus atos.

Enquanto subia as escadas batendo os pés, Charlotte ficou se perguntando quanto tempo Xavier permaneceria interessado nela se seus pais não permitissem que eles se encontrassem de novo. Nele, ela havia achado um parceiro de espírito, mas enquanto o espírito dela ainda se mantinha amarrado, o dele estava livre.

Os atos de Xavier não tinham consequências para ninguém mais além dele próprio e, por ser homem e rico, quase tudo o que fizesse seria desculpado. Quanto aos atos dela, seu pai tinha razão. Ela vivia sob o teto deles, compartilhava o mesmo nome, tinha sido apresentada à sociedade por eles. Isso tudo ela era capaz de entender.

O que a incomodava era que os padrões de comportamento esperados de toda mulher decente em Londres não se aplicavam a ela. Ou melhor, aplicavam-se, mas multiplicados por três. E ela não tinha a beleza estonteante ou a ousadia para contrariar as estritas barreiras erguidas ao seu redor.

Xavier não parecia reparar suas imperfeições, mas ela sabia que ele estava frustrado com a situação. E Melinda Edwards, Rachel Bakely, lady Portia Hollings e meia dúzia de outras jovens estavam à disposição para serem vistas por ele, enquanto ela estava sentada em sua cama, lamentando-se solitariamente sobre o próprio destino.

– Charlotte?

A batida da sua mãe à porta fechada foi leve.

– Pode entrar.

A baronesa entrou no quarto e fechou a porta, em seguida foi até a penteadeira da filha e se sentou. Ela não parecia zangada, mas, assim mesmo, Charlotte se manteve em silêncio. Com certeza não queria precipitar outro confronto.

– Recebi uma carta de Helen ontem – disse a mãe.

– Que bom. Como estão ela, Fenton e as crianças?

– Todos bem. Ela espera vir à cidade no mês que vem, apesar de não poderem ficar por muito tempo.

– Vai ser bom ver Helen de novo.

Lady Birling anuiu.

– Sua irmã tinha 12 anos quando Sophia se separou de Easterly, sabe.

– Sim, eu me lembro.

– Mas como ela e Fenton tinham sido prometidos um ao outro desde que Helen tinha 2 anos, não estávamos preocupados que o escândalo prejudicasse suas expectativas na sociedade.

– E eu não fui prometida a ninguém.

– Não, não foi. – A baronesa alisou a saia. – Não queríamos que você se sentisse uma lagarta. Só queríamos tomar todas as providências necessárias para garantir que você pudesse se casar bem.

Charlotte passava os dedos nos elaborados bordados da colcha da cama.

– Compreendo. Mas espero que meus pais me conheçam o suficiente para perceberem que eu prefiro não casar a me casar com alguém por quem não tenho o menor apreço.

– Você se refere a Herbert.

– Ele é gentil, presumo – continuou Charlotte, procurando qualquer coisa que pudesse ser considerada um elogio. – E elegante. E entendo que vocês achem que combinamos. Eu... eu só não concordo com isso.

– Até que ponto o interesse de lorde Matson por você é sério?

Ela ergueu o olhar. A mãe fitou-a no reflexo do espelho da penteadeira, a expressão sombria.

– Não tenho certeza absoluta – respondeu ela devagar. – Mas o que sei é que ele não está me usando para galgar degraus na sociedade. Deus do céu, um homem com a aparência e a riqueza dele podia muito bem escolher alguém melhor do que eu.

– Não fale assim.

– Por que não? A senhora sempre fala.

– Charlotte, estou tentando ser compreensiva. Por favor, não me insulte.

A atitude da mãe a surpreendeu.

– Compreensiva? De que forma? – Ela levantou da cama. – Quer dizer que a senhora vai permitir que Xavier venha me visitar?

– Nossa situação não se alterou, filha. O que quero dizer é que posso falar com seu pai sobre desencorajar lorde Herbert. Se você realmente prefere ficar sozinha a se casar com ele.

– É o que eu prefiro de verdade – disse Charlotte, com veemência.

– Você entende que pode não ter outra oportunidade. A cada ano que permanece solteira, suas chances diminuem um pouco mais. E não deposite suas esperanças em lorde Matson. Qualquer que seja o interesse dele em você, como você mesma disse, ele tem outras opções. Você não terá.

– Mamãe, não pense que não refleti sobre tudo o que a senhora disse todos os dias no último ano. Sei quem sou e sei que não sou de tirar o fôlego dos rapazes. E Herbert nunca vai me ver de modo diferente. Se algum dia eu me casar, gostaria que fosse com um cavalheiro que, se não me achar bonita, pelo menos não me ache enfadonha.

A baronesa se levantou.

– E como lorde Matson a enxerga? Ou você também não faz ideia disso? Charlotte sorriu.

– Ele diz que tenho olhos bonitos.

– Vou conversar com o seu pai. – Lady Birling caminhou até a porta e a abriu. – Se ele concordar, lorde Matson pode vir lhe fazer uma visita. Você não vai a lugar nenhum com ele e ele não poderá lhe fazer a corte em público. Não até essa confusão com Sophia passar, pelo menos. Está claro?

O coração dela bateu tão rápido que por um instante Charlotte pensou que iria desmaiar.

– Muito claro – respondeu ela, esforçando-se ao máximo para não abrir um sorriso.

Pelo menos veria Xavier de novo.

⁕

Na hora em que Xavier fez sua visita vespertina diária à casa dos Birlings, ele estava repassando seus planos de raptar Charlotte. Fazia 24 horas desde que conversara com ela e se sentia mais tenso do que a corda de um arco. Por ora, desistira de tentar imaginar o que havia nela que o atraía, mas não podia mais ficar longe dela assim como não podia parar de respirar. Anthony provavelmente estaria dando uma boa gargalhada dele naquele momento.

Ele bateu a aldrava contra a porta. Quando a porta se abriu, ele ergueu o buquê de rosas vermelhas, pronto para entregá-lo junto com seu cartão para o mordomo quando tivesse sua entrada na casa recusada mais uma vez. Em vez disso, o criado uniformizado deu um passo para trás.

– O senhor poderia aguardar na sala de estar, por gentileza.

Por um minuto, Xavier pensou ter batido na casa errada. Recuperando-se, ele seguiu o idoso até uma sala de estar pequena e confortável e observou a porta se fechar. Talvez lorde Birling quisesse trancá-lo... mas nenhuma chave girou na porta. Ele segurou as flores e ficou andando na direção da lareira, de um lado para outro. O barão poderia voltar a adverti-lo de que mantivesse distância, mas ele retornaria. E continuaria retornando até que a própria Charlotte lhe dissesse para ir embora.

A porta se abriu. E quando ele se virou, Charlotte entrou na sala. Ele já tinha percorrido metade da distância entre os dois quando percebeu que a criada havia entrado junto com ela. Praguejando em silêncio, Xavier se deteve. Charlotte estava ali; ele não se importaria nem se ela estivesse acompanhada de artistas de circo.

– Boa tarde, milorde – disse ela com uma reverência.

Inclinando a cabeça, ele cobriu a distância entre os dois em um ritmo mais tranquilo e lhe entregou o buquê de rosas.

– Boa tarde. Acredito... que a senhorita esteja bem?

– Estou, obrigada. Não quer se sentar? – Ela baixou o rosto para as pétalas de rosa, dando uma rápida olhada para ele por trás dos cílios escuros. – E obrigada pelas flores – continuou ela, entregando-as para a criada, que voltou à porta e as deu a um lacaio.

Charlotte se sentou no sofá. Ele queria se sentar do lado dela e pegar-lhe a mão, mas, fosse o que fosse, parecia que precisavam agir com decoro, então ocupou a cadeira exatamente em frente a ela.

– Não há de quê.

– Posso lhe oferecer um chá?

Xavier se sentou um pouco mais para a frente do sofá.

– Que diabo está acontecendo?

Os lábios dela se contraíram.

– Você tem permissão para vir me visitar.

O coração dele deu um pulo.

– Tenho? Então o que...

– Com algumas regras.

– Regras – repetiu ele, recostando-se de novo. – Que regras?

– Não posso sair de casa em sua companhia e você não pode ser visto me cortejando em público.

– Posso ser visto dançando com você em público?

– Não.

– Então presumo que beijar você esteja fora de questão.

A cor preencheu as faces de Charlotte.

– Sim, está.

– Por que a mudança? Não que eu esteja reclamando, claro.

Para falar a verdade, ele de fato tinha algumas reclamações; porém, já que agora poderiam conversar, supôs que o resto poderia esperar um pouco. Muito pouco.

– Nós aparecemos no *Whistledown*.

Ele anuiu.

– Eu sei, maldita mulher... seja quem for. O que você contou a seus pais?

– Que fui ao parque me encontrar com você.

Xavier ergueu a sobrancelha. Algo obviamente havia mudado para melhor e, se pudesse adivinhar, diria que tinha muito a ver com a encantadora jovem sentada à sua frente.

– Você simplesmente contou para eles?
– Sim. – Ela baixou a voz. – Eles me deixaram um pouco irritada.
– Parece que funcionou a nosso favor.
– Em parte, pelo menos.
– E lorde Herbert?

Charlotte fez uma careta.

– Ele também não deve saber.

Esse arranjo parecia ser menos vantajoso do que pensara.

– Então não sou considerado um pretendente sério. E assim que seu noivado for anunciado, eu simplesmente me afasto?

– Xavier, eles sabem que não desejo me casar com Herbert, mas meu pai insiste que suas intenções possam não ser... sinceras e que minhas chances de casamento nesse meio-tempo não devem ser destruídas.

Depois de tê-la conquistado de uma vez por todas, Xavier pretendia ter uma conversinha com lorde Birling a respeito de subestimar o valor da filha. Contudo, antes de conquistá-la, estava claro que precisaria de permissão para ao menos dançar com ela na frente das outras pessoas, maldição.

– São muitas regras – continuou ela, olhando para ele de relance e depois desviando o olhar. – Afinal de contas, existem outras mulheres soltei...

– Eu posso seguir as regras – replicou ele bruscamente. – Posso até tolerar o desgraçado do Herbert. Mas sou sincero em minhas intenções e vou fazer seu pai entender isso.

– Você é sincero?

– É claro que sim. – Relaxando um pouco, ele forçou um sorriso. – Afinal de contas, aprendi bastante sobre estratégia na vida militar. Não inicio uma campanha a não ser que tenha uma boa expectativa de sucesso.

– Tudo isso porque defendi lorde Easterly?

Ele deixou escapar uma risada.

– Isso fez minha cabeça virar na sua direção. Meus ouvidos, meus olhos e minha boca se encarregaram do resto.

Assim como o coração dele, Xavier começava a perceber. Mas fazê-la entender como ela era especial continuava sendo bastante difícil sem correr o risco assustá-la com suas declarações. Diabos, admitir aquilo em voz alta provocaria um ataque apoplético *nele próprio*. Xavier, o farrista, se apaixonando por uma mulher tranquila, recatada, inteligente e espirituosa.

Com os lábios tremendo, ela olhou de relance para a criada.

– Admito que senti o efeito de sua boca, milorde – disse ela em voz baixa. Olhar para ela sem poder tocá-la iria acabar com ele.

– Você ainda não começou a sentir o efeito de minha boca, Charlotte – murmurou ele. – E está fazendo minha paciência se reduzir consideravelmente com esse absurdo.

Ela o encarou por um minuto.

– Você está sendo sincero, não está?

– Sobre você? É claro que estou.

Ele sabia o que ela estava perguntando e sabia o que a resposta dele significava. Para sua surpresa, porém, isso não o inquietou nem um pouco. Ao contrário, se sentiu... completo. E satisfeito. Ou se sentiria, se conseguisse encontrar um maldito meio de fazer os pais dela concordarem em aceitá-lo como um pretendente sério.

– Peço desculpas por soar incrédula, Xavier – continuou ela devagar –, mas meu pai teve que sair por aí e encontrar lorde Herbert quando decidiram que eu precisava me casar. Nenhum homem tinha me feito a corte. Eu...

– Até agora – interrompeu ele.

Charlotte olhou para as próprias mãos por um instante e em seguida o encarou novamente. Ela sempre o olhava nos olhos, Xavier percebeu. Ele gostava disso nela – além de outras coisas que estava rapidamente vindo a apreciar sobre a personalidade de Charlotte.

– Minha irmã mais velha, Helen – disse ela, depois de alguns minutos –, é deslumbrante. Ela tinha pretendentes praticamente escalando as janelas para cortejá-la. Por mais que eu adore Helen, tenho que dizer que eu reparava em certas coisas... em como ela detestava ler, em como não conseguia debater sobre nada que não fosse moda e fofocas, como não frequentava um teatro a não ser que fosse acompanhada de alguém que ela quisesse exibir para todo mundo... ela sabia como ser popular e aceita e nada mais a interessava.

– Trata-se de um tópico recorrente entre as jovens – confirmou ele, refletindo que havia encontrado dezenas de moças como a irmã dela e nenhuma como ela.

– Mas não para mim – opôs-se ela, como se estivesse lendo os pensamentos dele. – Nada por que ela se interessava suscita interesse em mim. E acho que eu disse para mim mesma que minha recusa em fazer joguinhos era o motivo por eu nunca ter tido um pretendente. Mas conheço a verdade. Não sou deslumbrante, nem atraente. E eu... eu quero ter certeza de que não está me procurando simplesmente por meus pais suspeitarem dos seus motivos e isso ter se transformado em uma espécie de desafio.

Ele sorriu devagar, incapaz de resistir a passar um dedo ao longo da face dela.

– Você é um desafio. E, por favor, não me culpe por um monte de homens muito estúpidos terem olhado para você uma vez e a considerado desinteressante. Eu olhei para você duas vezes e vi o que você é.

A cor começou a tingir as faces de Charlotte.

– E o que eu sou?

– Minha.

– Xavier...

O barão e a baronesa entraram na sala com velocidade tal que provavelmente o testemunharam acariciando-a. Maldição. Puritanos e espiões. Não poderia imaginar pior combinação.

– Boa tarde, lorde Matson.

Ele se levantou, esboçando uma mesura.

– Lorde e lady Birling. Obrigado por me permitirem conversar com Charlotte.

– Ainda não estamos convencidos de suas intenções – disse o pai de forma direta –, mas Charlotte não voltará a si sem uma prova de que seu interesse é passageiro.

Ao lado dele, ela se retesou. Pelo menos agora ela parecia notar a opinião negativa dos pais em relação a suas qualidades... e pelo menos naquele momento isso a aborreceu.

– Lorde Matson já sabe sobre todas as regras – disse ela de modo tenso –, e concordou em cumpri-las.

Não, ele não tinha concordado.

– Receio que vá se decepcionar, milorde – respondeu Xavier, imaginando o que eles fariam se pedisse a mão dela naquele exato momento.

Porém, ele não iria... não poderia... correr o risco. Se recusassem a proposta, como era quase certo que fariam, teria de desafiá-los diretamente. Embora não visse nenhum problema nisso, sabia que Charlotte veria.

– Charlotte está praticamente noiva de lorde Herbert Beetly – interveio a mãe.

– A senhora deixou isso claro, minha senhora. Com todo o respeito, ela ainda não recebeu a proposta de casamento, nem aceitou. Portanto, está disponível para ser cortejada.

O barão piscou.

– É verdade, presumo, mas, para ser sincero, o senhor chegou tarde. Tenho confiança em lorde Herbert e em seu caráter impecável. Tenho muito menos certeza quanto ao caráter do senhor.

– O senhor não terá nenhuma dúvida quando eu tiver terminado. – Ele teria continuado a insistir, mas o rosto de Charlotte começou a ficar pálido e ela praticamente tremia de tensão. Xavier pegou a mão dela e roçou os lábios nas juntas dos dedos. – Tenho algumas providências para tomar. Volto a visitá-la amanhã, Charlotte.

– Xavier.

Ele podia sentir a pulsação dela sob seus dedos, firme e acelerada. Isso o encorajava, muito mais que o fato de que a evidente desaprovação dos pais pudesse minar suas esperanças. Enquanto passava pelos Birlings a passos largos e se retirava de sua casa, fez um juramento a si mesmo. Iria se casar com Charlotte Birling. E daquele momento em diante, qualquer um que dirigisse uma palavra indelicada a ela teria que se ver com ele.

CAPÍTULO 7

Lorde Matson continua encontrando resistência a seu interesse pela Srta. Birling. Mas a resistência é por parte da Srta. Birling ou dos pais da jovem dama?

A julgar pela elegância de lorde Matson, só se pode imaginar que são os Birlings mais velhos que estão se mostrando contrários ao romance. A Srta. Birling é feita de matéria rígida, tenho certeza, mas por certo não tão rígida assim.

CRÔNICAS DA SOCIEDADE DE LADY WHISTLEDOWN,
1º de junho de 1816

– **P**ensei que tínhamos um acordo. – Charlotte andava de um lado para o outro na frente da escrivaninha da mãe. – Era para lorde Matson ter permissão de me visitar.

– Charlotte – respondeu lady Birling, colocando a caneta de lado –, ele tem permissão.

– Então por que não o tenho visto?

– Lorde Matson obviamente é um homem com muitos negócios e obrigações sociais. Eu lhe disse que duvidava da extensão do seu comprometimento em relação a você. E é melhor descobrir isso agora, antes que os boatos façam parecer que ele a cortejou e depois se cansou de você.

Esse pensamento lhe ocorria de tempos em tempos, em especial à noite, sozinha na cama, mas à luz do dia, por sorte, sua inclinação à realidade vencia.

– Como ele pode se cansar de mim se nunca nos vemos?

– Talvez ele já tenha se cansado. – A mãe abriu um sorriso obviamente forçado. – Agora, você não tem um almoço marcado com Melinda Edwards? Não se atrase.

Charlotte disfarçou um franzir de sobrancelhas desconfiado. Nos últimos dias, estava sendo assustadoramente requisitada. Atribuía isso à sua menção na coluna de lady Whistledown, mas as amigas, os parentes, a mãe, todos pareciam requisitar sua presença para uma refeição ou fazer compras ou passear nos intervalos entre as garoas. De repente, começou a pensar se seus pais não estavam tentando mantê-la fora de casa a fim de que Xavier *não pudesse* vê-la. Ele tinha permissão para visitá-la, mas ninguém disse que deveria estar em casa para vê-lo. *Droga.*

– Melinda mandou um bilhete hoje de manhã, cancelando – mentiu ela. – Acredito que esteja resfriada.

– Culpa desse tempo terrível. – Lady Birling se levantou. – Não queremos que você acabe ficando doente. Por que não sobe e descansa um pouco?

Ficar um pouco sozinha para pensar em uma estratégia parecia uma boa ideia.

– Sim, mamãe.

Sem saber se ficava zangada com as maquinações ao seu redor ou eufórica por Xavier talvez não a estar evitando, Charlotte subiu ao quarto e se acomodou em sua cadeira de leitura. Beethoven pulou para o seu colo, mas, após olhar para a expressão pensativa da dona, foi para o parapeito da janela. Então era assim que os pais pretendiam lidar com Xavier. Dando-lhe permissão, deixando-a indisponível para ele e depois pressionando Herbert a pedi-la em casamento o mais rápido possível.

A janela balançou. Com um berro, Beethoven deu um salto e se escondeu embaixo da cama, e Charlotte virou a cabeça bruscamente. Agarrado na moldura da janela, pétalas de flores e pólen espalhados nos cabelos e nos ombros, lá estava Xavier.

– Deixe-me entrar, Charlotte, antes que eu quebre o pescoço – murmurou ele, a voz abafada pelo vidro.

Ofegante, ela destrancou a janela e a abriu, agarrando um dos cotovelos dele para ajudá-lo a passar pela abertura.

– Que diabos...

Esparramado no chão, ele a puxou para o colo e a beijou intensa e profundamente. Charlotte se enterrou no seu abraço. A mãe podia chamar de fantasia, mas ela estava achando aquilo definitivamente verdadeiro. E tão intoxicante que não aguentaria não poder vê-lo.

– Olá – disse ele depois de um instante, deslizando o polegar no lábio inferior dela.

Ela piscou, tentando voltar para o mundo real, racional.

– O que está fazendo aqui?

Naquele momento acariciava os dedos dela, se concentrando em cada um como se fosse uma coisa preciosa.

– Eu bati na porta da frente primeiro – disse ele em voz baixa e arrastada –, mas seu mordomo disse que você estava gripada e não podia ser incomodada. Você não está doente, está?

Era uma mentira terrível, sobretudo para alguém que havia perdido um membro da família com aquela doença.

– Não, não estou doente.

O alívio tomou conta do rosto dele.

– Ótimo. Mas por que tem me evitado, então?

– Como posso evitar você se não vem me ver? – replicou ela.

Ele a fitou.

– Eu vim visitá-la todos os dias. É você que não tem parado em casa. Por isso escalei a treliça hoje.

Charlotte respirou fundo.

– Você veio todos os dias?

– Eu disse que viria.

– Eles me disseram que você não tinha vindo. E me mandaram... sair para visitar todo mundo. Até mesmo tias que eu mal sabia que existiam.

Xavier assentiu devagar.

– Parece que algumas pessoas estão tão convencidas de que não combinamos que tentam forçar que a realidade justifique suas convicções.

Afagando o rosto dela com dedos delicados, ele a beijou de novo.

– Mas não funcionou. Você escalou minha treliça.

Envolvida em seu abraço, Charlotte tirou com delicadeza alguns resíduos de flores do cabelo louro-escuro de Xavier.

– E quase quebrei o pescoço. Não me parece que alguém já tenha usado essa treliça como escada antes.

Ela sorriu.

– Ninguém usou.

– Bem, se esse absurdo continuar, da próxima vez vou trazer algumas ferramentas de carpintaria e fazer certos reparos.

Charlotte podia imaginar a cena: Xavier entrando de maneira sorrateira no seu quarto, indo até sua cama, no meio da noite, enquanto os pais pensavam que haviam conseguido frustrar qualquer encontro entre eles. Ela começou a sentir uma umidade quente entre as coxas, e se aconchegou mais perto dele, colocando os braços sobre os ombros dele.

– Isso seria ótimo.

– Sugiro que não se movimente desse jeito – disse ele, a voz mais tensa. – Não estou aqui para possuir você. Não desta vez, pelo menos.

Ela não fazia ideia do que dizer em resposta. Aquilo soara muito malicioso, e parecia também que seus pais teriam que tomar medidas mais eficazes se quisessem manter lorde Matson longe dela. Claro que antes precisariam descobrir que ele havia começado a visitá-la de uma maneira mais direta... e ela não tinha intenção nenhuma de lhes contar.

– Então seus pais me deram permissão para vir, depois se certificaram de que você não estaria aqui para me ver, o tempo todo lhe dizendo que eu não devia estar interessado...

Charlotte respirou fundo.

– Eles não são... cruéis ou nada disso, sabe. Acham que eu estou ficando muito apegada a você e que você não corresponde a esse sentimento.

Xavier levantou a sobrancelha, percebendo que ficaria completamente feliz sentado ali no chão com ela pelo resto do dia. Pelo resto da vida.

– Eles estão errados.

Ela suspirou.

– E nunca vão admitir isso. Tenho certeza de que vão fazer o Herbert pedir minha mão antes do espetáculo em Vauxhall.

A ira tomou conta dele.

– Não vão, não.

Afastando-se um pouco, ele tocou no rosto de Charlotte, fitando seus suaves olhos castanhos por um bom tempo.

– Case comigo, Charlotte – sussurrou ele.

Ela abriu a doce boca, depois a fechou novamente.

– Não posso. Não sem o consentimento deles.

Lembrando-se de que ele gostava dela em parte porque ela era uma garota de coração bom e correta, ele suspirou.

– Por um momento imagine que eu tenha a permissão deles.

– Mas você não tem. E não vai ter. Eu os amo, apesar de não acreditarem que eu conseguiria atrair alguém por mim mesma, mas eles não vão concordar com algo que achem que possa manchar o nome da família, mesmo que seja só na imaginação deles. Por mais que eu deseje.

Era isso que queria ouvir.

– Você diria sim, se não fosse por isso.
Ela assentiu devagar.
– Sim.
– Então eu cuido do resto.

Com uma expressão irritada, ela tirou o último traço de pólen do paletó.

– Eu sei que você provavelmente está acostumado a ter tudo o que quer, mas não vai...

Ele calou a argumentação dela com outro beijo. Beijá-la parecia a melhor coisa já inventada. Ou a segunda melhor coisa, melhor dizendo. Passou pela cabeça dele que, se a desonrasse, os pais provavelmente ficariam felizes em casá-la com ele. Mas não queria recorrer àquilo, embora fosse manter essa opção em aberto. Nada o impediria de tê-la. Ele encontraria uma maneira de contornar a situação, porque se recusava a perdê-la para qualquer outra pessoa. Acima de tudo para o maldito Herbert Beetly.

Eles conversaram por quase uma hora antes de Alice bater de leve na porta de Charlotte. Com um grito, Charlotte desajeitadamente se pôs de pé.

– O que foi?
– Lady Birling deseja vê-la, senhorita.
– Já vou descer.
– Eu posso me esconder embaixo da cama – sugeriu Xavier, se levantando atrás dela.
– Pode, mas em algum momento morreria de fome.

Ela sorriu, se sentindo inebriada apesar das poucas chances de sucesso da situação dos dois. Ele a havia pedido em casamento, pelo amor de Deus.

– Prometa-me uma coisa, Charlotte – disse ele de maneira suave, puxando-a para seus braços de novo.
– O quê?
– Prometa-me que o que quer que seus pais façam ou que Beetly diga, você não vai ceder. Vou fazer isso dar certo.

Sem conseguir se conter, ela esticou o corpo e o beijou. Seria suficiente que seu coração começasse a flutuar naquele momento? Mesmo quando sabia que ele estava fadado à derrota? Claro que sempre havia uma mínima chance de ele ter êxito.

– Prometo.

Ele saiu pela janela, praguejando pelas condições da treliça enquanto descia.

Charlotte o observou sair pela cerca de trás, antes de ir encontrar a mãe no andar de baixo, e saber que, por incrível que parecesse, a prima Sophia a havia convidado para passar a noite em sua casa.

– E tenho permissão para ir? – perguntou ela, mirando o convite.

Apesar da diferença de idade, sempre apreciou conversar com Sophia, mas, desde o reaparecimento de Easterly, mal colocara os olhos na prima.

A mãe suspirou.

– Seu pai e eu estamos discutindo sobre esse convite desde ontem. Não gosto da ideia, mas ela é da família. E esperamos que ninguém mais saiba disso. Mas você não pode contar sobre Matson. Esse disparate nunca aconteceu, no que nos diz respeito.

E claro que a mãe começou a perceber que seria necessário algo mais substancial do que um almoço ou uma excursão às compras para mantê-la indisponível a visitas de pretendentes. A seguir, provavelmente, haveria uma semana surpresa em Bath com a vovó Birling. Bem, seria o mais discreta que conseguisse, mas com Sophia sempre sentiu que podia falar sobre qualquer assunto. E estava desesperada por um ouvido amigo no que dizia respeito a Xavier.

– Sim, mamãe.

Durante todo o tempo em que arrumou seus pertences para passar a noite fora, ela se perguntou se Xavier tentaria visitá-la de novo naquela noite e então quebraria o pescoço na treliça quando ninguém aparecesse para abrir a janela. *Ah, meu Deus.* Nervosa como estava, a única coisa que conseguiu fazer foi arrumar a bolsa dezenas de vezes e comer todo o prato de doces que Alice havia lhe trazido para o lanche.

Enfim, colocou seu vestido de sair preferido, o azul, com chapéu e fitas combinando, e entrou na carruagem da família assim que o veículo parou na entrada da casa. Quando chegou à casa de Sophia vinte minutos depois, a prima a esperava no saguão. Lady Sophia Throckmorton parecia sempre calma e serena e completamente no controle, e naquela tarde Charlotte a invejou por isso. Por mais difícil que fosse a situação de Charlotte com Xavier, Sophia tinha pelo menos tantas preocupações quanto eles, com o marido retornando a Londres justo quando decidira se casar com outro homem.

O criado mal tinha apanhado suas malas quando Sophia foi na sua direção e lhe deu um forte abraço.

– Estou tão feliz que tenha podido vir! – exclamou ela. – Estou desesperada por uma boa conversa, feminina e lógica. Já está com fome? Pedi que um jantar leve fosse servido às sete.

Agora Charlotte estava começando a se arrepender de ter comido os doces.

– Está ótimo – respondeu ela. – Acabei de tomar chá e não conseguiria comer mais nada agora.

– Excelente. Vou pedir que levem aos meus aposentos. Estava tão ansiosa para vê-la, mas devo avisá-la de que criei uma regra para esta visita.

Charlotte ergueu as sobrancelhas.

– Uma regra?

Inesperadamente Sophia a abraçou de novo. Talvez também sentisse falta de uma amiga, refletiu Charlotte, sentindo-se culpada por não ser uma prima melhor.

– É, uma regra – continuou Sophia. – Podemos falar sobre roupas, chapéus, luvas, cachecóis, joias, sapatos, carruagens, cavalos, bailes, comida de todos os tipos, mulheres de quem gostamos ou não, e das últimas danças que mais apreciamos, mas não daremos uma palavra a respeito de homens.

Maldição. Charlotte forçou um sorriso.

– Acho que consigo fazer isso.

– Perfeito! – Pegando o braço de Charlotte, Sophia a guiou até a escada. – Venha ver o novo vestido que acabei de comprar. É azul com bordado russo, a coisa mais linda. Ah, e também comprei um vestido de seda rosa-chá com encantadoras rosetas vermelhas que eu acho que ficará perfeito em você.

Parecia adorável, mas de repente Charlotte imaginou se Xavier algum dia a veria usando aquele vestido e o que acharia.

– Em mim? Mas eu não poderia...

– Você pode e vai. Comprei-o impulsivamente no mês passado, mas não ficou bem em mim, e odeio desperdício.

Enquanto seguiam para ver os vestidos e ter uma longa e agradável conversa, Charlotte ficou pensando em como seria poder olhar um vestido, decidir se lhe agradava e simplesmente comprá-lo, sem ter que se preocupar se a faria parecer escandalosa, se chamaria muita atenção de homens libidinosos. Teve um sobressalto quando a governanta bateu na porta para anunciar que logo subiria com o jantar.

Conversar havia sido agradável, mas quando terminaram de comer e Sophia serviu o chá, teve que admitir que não havia conseguido deixar de pensar em lorde Matson. Queria tanto falar nele, saber se Sophia entenderia como ela se sentia e se concordaria que valia a pena arriscar quase tudo para ficar com ele.

A conversa perdeu o ritmo. Charlotte começava a se questionar se quebraria a regra de Sophia ou não quando a prima abriu a boca para falar algo, e depois mudou de ideia.

Charlotte parou a xícara a meio caminho até a boca.

– O que foi? – incentivou ela.

– Nada. Estava apenas... não é nada.

Droga. Charlotte voltou a bebericar o chá. No momento não tinha nenhuma distração, e olhos de um cobalto bem claro e um sorriso suave e caloroso pareciam invadir cada pensamento seu. Não era justo que as dúvidas dos pais sobre seus encantos e o medo que tinham de um escândalo pudessem arruinar sua única oportunidade de ter uma vida feliz. Sobretudo quando sabia que, se eles se dispusessem a conhecer Xavier, perceberiam que ele não era um farrista. Estava triste e solitário, e decidiu se divertir um pouco ao chegar à cidade. Não era culpa dele nem dela. E depois, lá estava ele, declarando que podia por si só colocar tudo nos eixos, enquanto lorde Herbert Beetly continuava à disposição.

A xícara de Sophia tilintou no pires.

– No que você está pensando tão séria assim?

Charlotte corou.

– Eu estava pensando em... – Não, nada de quebrar as regras a não ser que Sophia fizesse isso antes. – Nada, na verdade. Estava apenas sonhando acordada.

– Seus pais estão aprontando de novo, não é? Tentando fazê-la se casar. Juro que vou dar uma sacudida na tia Vivian até que seus dentes trinquem.

– Ah, ela tem boas intenções, mas...

– Todos têm boas intenções, mas não significa que estejam certos. Talvez eu pudesse falar com tia Vivian e tio Edward sobre os perigos de se casar cedo. Será que eles não veem minha triste situação como um alerta? Que toda mulher devia esperar até ter, no mínimo, 25 anos para tomar uma decisão dessas?

Charlotte piscou.

– Vinte e cinco?

Ela queria se casar com um homem diferente daquele que seus pais tinham escolhido, não simplesmente adiar o começo da sua desgraça.

– Ou mais.

– Mais velha? Do que 25 anos? Mas seria daqui a seis anos! Com certeza... quer dizer, se você encontra a pessoa certa, isto é, se *acha* que encontrou a pessoa certa, não há razões para esperar.

Enquanto Charlotte tentava não parecer pesarosa demais, Sophia a fitava.

– Não, acredito que não haja razão para esperar se já encontrou a pessoa certa. O problema é que não há garantias. Como sabe, casei-me por amor. E algumas vezes, mesmo assim, não é fácil. – Ela fez uma pausa. – Talvez devêssemos suspender nossa regra e falar francamente a respeito dos homens, um homem em particular, apenas para servir de exemplo.

– Sem nomes, então – interveio Charlotte, lembrando-se do aviso da mãe. – Você sabe que minha mãe odeia me ver fofocando.

Dessa maneira pelo menos poderia manter a identidade de Xavier em segredo e ainda assim falar dele... e receber um conselho e uma opinião honesta, algo de que desesperadamente precisava.

– Combinado – declarou Sophia.

Charlotte pegou as mãos de Sophia, tão agradecida que quase foi às lágrimas.

– Que bom poder falar de maneira franca!

– Verdade! Acredito que seja por isso que os homens sempre conseguem nos enganar, porque não compartilhamos nossos sentimentos sobre eles de forma franca e honesta. – Sophia lançou um olhar expressivo para a prima. – Mas você entende o que quero dizer quando falo que *os homens* são criaturas difíceis e orgulhosas?

E muito arrogantes.

– Sim, entendo, eles são mesmo.

– Todos eles. – Sophia tornou a fazer uma pausa, claramente escolhendo as palavras, e o conselho, com cautela. – E homens teimosos são os piores.

Charlotte assentiu.

– Em especial aqueles que se recusam a ouvir a voz da razão, mesmo quando sabem que você está sendo absolutamente coerente.

A expressão de Sophia ficou mais animada.

– Você está inteiramente certa!

– Também acredito que alguns homens gostam de provocar rupturas para apenas poderem acertar as coisas de novo. Ou pelo menos por achar que podem.

– Isto é verdade. Também odeio a forma como alguns homens estão sempre tentando nos levar para... – Sophia piscou, a cor do rosto ficando mais intensa. – Sinto muito. Talvez...

– Não, você está certa. – Suas próprias faces haviam se aquecido, mas essa era a melhor oportunidade que teria para falar francamente sobre Xavier. – Estão sempre roubando beijos. E nos lugares mais impróprios. E tudo o que têm a nos dar é uma palavra que não significa nada.

E se ela fosse apenas um capricho para Xavier, afinal de contas? E se conseguisse despachar Herbert, e então Xavier virasse as costas para ela uma semana depois, uma vez que o jogo estava ganho?

A prima estava imóvel, a expressão sombria.

– Preferia ter que suportar aquele papagaio horrível de lady Neeley a qualquer homem que conheço.

Ah, agora Charlotte estava fazendo Sophia se sentir mal também.

– Ou aquele macaco que Liza Pemberley está sempre carregando – disse ela, tentando animar as duas. – Ouvi dizer que ele morde.

– É mesmo?

– Nunca o vi morder ninguém, mas seria maravilhoso se fizesse isso – respondeu Charlotte com um leve sorriso. – Tem pelo menos uma pessoa que eu gostaria de ver o macaco morder.

Lorde Herbert. Se nada mais acontecesse, pelo menos ele talvez mudasse a expressão por um minuto.

Os lábios de Sophia se contorceram.

– Seria bastante útil ter um macaco treinado para atacar quando ordenássemos.

– Melhor do que um cachorro, porque ninguém o veria chegando. – E talvez, se ela tivesse um macaco, nem todos pensassem que era tão enfadonha e sem graça. Ela suspirou. – Acho que o macaco não morde de verdade. Sempre me pareceu uma criatura dócil.

– É, mas com macacos nunca se sabe. Ou com homens.

– Eu sei. – Ela franziu a testa. – Pelo que vejo... *os homens*... eles sempre parecem achar que sabem o que é melhor.

– Orgulho. Eles transbordam orgulho, como o Tâmisa depois da chuva.

Alguma coisa bateu na janela, provocando um tinido. Charlotte suspirou novamente. Maravilha. Mais chuva.

Sophia olhou para o vidro, depois se virou.

– Também odeio quando determinados homens se recusam a admitir que estão errados. Eu...

Duas batidas dessa vez. Por um instante, Charlotte imaginou se Xavier a havia encontrado, mas logo espantou o pensamento. Ele não arriscaria causar-lhe um escândalo escalando a janela de outra pessoa.

– Está chovendo? O que é isso?

Ouviu-se o barulho novamente.

– Não é chuva – declarou Sophia. – Parece que tem um idiota parado lá fora jogando pedras na minha janela.

Ela não parecia tão aborrecida assim, mas Sophia se casaria assim que ela e Easterly chegassem a um acordo.

– Ah, deve ser o Sr. Riddleton – disse Charlotte. – Ele está apaixonado por você, não está?

– Não acredito que esteja tão apaixonado por mim quanto você parece pensar.

Antes que Sophia pudesse elaborar sobre aquela resposta, uma chuva do que pareciam pedrinhas atingiu a janela.

– Meu Deus! – exclamou Charlotte, franzindo a sobrancelha ao olhar para a janela. Não era Xavier, estava certa disso. E, de qualquer forma, Sophia parecia ter uma boa noção de quem era. – Ele parece determinado. Acho que agora está usando pedregulhos.

A prima suspirou.

– Talvez eu deva ver o que ele quer, antes que a janela...

A janela se estilhaçou. A pedra culpada rolou até os pés de Sophia.

– Maldito! – Sophia pegou a pedra e se dirigiu à janela quebrada, parecendo ter a intenção de arremessar a pedra de volta ao autor do ataque.

– Não posso acreditar que o Thomas... – Ela parou, se inclinando para fora.

– O que foi? – perguntou Charlotte, a respiração ofegante.

Não era Xavier, não podia ser.

Sophia, porém, parecia saber de quem se tratava. Inclinando-se ainda mais para fora da janela, ela iniciou uma conversa em voz baixa. Charlotte escutou por um minuto até perceber que devia se tratar do próprio Easterly. Se sua mãe descobrisse, nunca a deixaria visitar ninguém novamente.

Mas se lorde Easterly teve que recorrer ao artifício de quebrar a janela de Sophia para conseguir sua atenção, talvez a situação delas não fosse tão diferente. Pelo menos Sophia podia decidir por conta própria quem queria ver e quando. Charlotte *queria* ver Xavier, queria beijá-lo e ser beijada por ele, queria coisas sobre as quais ele apenas deu indícios; e todos lhe diziam que isso era impossível. Todos menos Xavier, mas ela conhecia muito mais seus pais do que o conde.

Ela passou o dedo em uma das rosetas do seu novo vestido de seda. Ele até podia convencer o barão e a baronesa a permitirem que se casasse com ele, mas duvidava. Os Birlings eram abastados o suficiente para que ela não precisasse se casar por dinheiro e eles certamente julgavam que lorde Herbert agregaria mais respeitabilidade à família do que Xavier.

A situação toda não deveria nem ter sido uma questão... e então subitamente percebeu por que se recusava a perder as esperanças. Ela o amava. Amava Xavier Matson. Assim que colocou os olhos nele, ficou encantada, mas, assim que falou com ele, o encantamento se transformou em admiração. E depois, ao conhecê-lo melhor, passou a amá-lo.

– Escute aqui! O que está fazendo jogando pedras na janela de uma dama?

– Ah, obrigada, oficial! – exclamou Sophia.

Charlotte deu um pulo, ficando de pé. Observando por cima do ombro de Sophia, pôde ver lorde Easterly cercado por três homens usando os uniformes da vigilância. Alguém estava encrencado.

Lorde Easterly os encarou, sem parecer muito satisfeito.

– Você me enganou, sua...

– Pare, senhor. Não na frente das damas. Venha. A cadeia o espera.

– O senhor sabe quem eu sou?

Charlotte reprimiu uma risada. Pensando bem, não achava que o oficial se importasse com quem ele era. Talvez ela e Xavier tivessem mais sorte do que Sophia e Easterly e Riddleton. Pelo menos ela e lorde Matson queriam a mesma coisa. A prima, porém, parecia querer que o marido, de quem estava separada, fosse arrastado em algemas.

Por mais estranho que fosse, aquilo a deixou mais esperançosa. Ela e Matson queriam a mesma coisa. Ele tinha a intenção de resolver as coisas. O que ela podia fazer, então?

CAPÍTULO 8

Lorde Herbert Beetly ou conde Matson?
Sejam sinceras, damas, quem as senhoritas escolheriam?

CRÔNICAS DA SOCIEDADE DE LADY WHISTLEDOWN,
17 de junho de 1816

O lorde Matson chegou à porta da casa dos Birlings exatamente quando a carruagem de lorde Herbert aparecia na rua. Por um minuto, considerou a hipótese de voltar depois, mas ele tinha algumas providências a tomar naquela tarde e precisava chegar a Vauxhall antes de Charlotte e seu acompanhante. Além disso, não tinha nenhuma intenção de fincar acampamento em território inimigo. Já havia escolhido seu campo de batalha.

O mordomo abriu a porta, fazendo duas reverências com a cabeça em cumprimento aos dois homens quando Herbert se juntou a eles no pórtico de entrada.

– Meus senhores.

Beetly olhou para ele.

– O senhor não é bem-vindo aqui, Matson.

– Talvez não – respondeu Xavier, erguendo o buquê de rosas e entregando-o ao mordomo antes que alguém pudesse lhe dizer que Charlotte não estava em casa. Não para ele, pelo menos. – Mas minhas flores são mais bonitas do que as suas.

– Eu não trouxe flores.

– Não, o senhor não trouxe, não é? – Xavier tocou a ponta do chapéu. – Boa tarde.

Foi terrível deixar Beetly ali. Charlotte prometeu não fazer nada intempestivo, mas ele sabia que, diante da posição crítica dos pais e da mediocridade de Beetly, não seria difícil esquecer que além de ser melhor do que aquilo tudo, também *merecia* mais do que aquilo tudo.

Toda vez que batia à porta de Charlotte, sabia que os pais o estavam afastando dela. E isso era enlouquecedor. Mesmo assim, ele continuava a insistir, para que os Birlings tivessem certeza de que não estava nem perto de desistir. Charlotte já sabia disso; e esperava que ela acreditasse.

Pelo menos podia dizer a si mesmo que só precisava esperar até aquela noite. Pelo que soube, milhares de pessoas compareceriam a Vauxhall, todas para testemunhar a encenação da Batalha de Waterloo em homenagem ao seu aniversário de um ano. O príncipe George aparentemente havia gastado milhares de libras no espetáculo, dinheiro que teve que pegar emprestado e nunca devolveria. Considerando que poderia ver Charlotte no evento, porém, Xavier estava disposto a perdoar a extravagância.

– Lorde Matson!

Xavier deu um salto, diminuindo a velocidade de sua montaria enquanto olhava na direção da voz feminina.

– Bom dia, Srta. Bakely – cumprimentou ele, tocando na aba do chapéu.

Ela se aproximou, duas de suas amigas vindo logo atrás, de mãos dadas, dando risadinhas audíveis.

– Bom dia. O senhor vai comparecer a Vauxhall hoje à noite?

– Pretendo comparecer, sim.

– Será um evento e tanto, dizem. Com fogos de artifício e uma batalha no lago!

– Ouvi dizer. – Embora ele não soubesse exatamente o que uma batalha aquática tinha a ver com Waterloo. – Presumo que a senhorita também pretenda ir?

– Sim, irei.

– Talvez eu a veja lá, então.

Ela estava em busca de um acompanhante, obviamente, mas ele tinha outros planos. Ter que entreter uma mocinha tola e caprichosa enquanto desejava ter Charlotte nos braços não era uma perspectiva lá muito agradável.

– Meus pais reservaram um camarote no lado leste da rotunda. Tenho certeza de que adorariam ver o senhor outra vez.

Hum. Aparecer por lá quando ela o havia convidado era armadilha de casamento na certa. E o mais estranho era que algumas semanas antes provavelmente teria sido fisgado: a Srta. Bakely estava em sua lista e na época ele não se importava com quem se casaria, contanto que o processo não fosse doloroso. Sua opinião sem dúvida mudou.

– Passo lá se puder – esquivou-se ele.

Charlotte disse que gostava dele e de estar em sua companhia. Sua única objeção ao pedido de casamento foi os pais não aprovarem. Xavier decidiu levar o sim dela a sério... *se* conseguisse fazer os pais dela concordarem com a ideia do casamento. Esse problema em particular continuava a incomodá-lo. Tentou ser educado e reservado, mas a opinião deles não mudou um centímetro. Mostrar-se gentil e agradável também não surtiu efeito. Podia fugir com Charlotte, mas suspeitava que ela não iria se opor voluntariamente aos desejos dos pais a esse ponto. O que ele sabia era que tocá-la, ouvir sua voz, havia se tornado tão necessário quanto respirar.

Praguejando de maneira quase inaudível, ele virou seu cavalo na direção sul. O que quer que acontecesse, estaria pronto; desde que isso significasse ganhar Charlotte.

⁂

A carruagem de lorde Herbert levou vinte minutos para trafegar dos limites dos Jardins de Vauxhall até a entrada da ponte. Herbert estava recostado no assento de couro, parecendo entediado, mas Charlotte estava empoleirada na pequena janela da carruagem olhando com curiosidade para a imensa multidão de cidadãos do lado de fora. Lordes e damas, comerciantes, mulheres nada respeitáveis, atrizes, lojistas... todos que puderam arcar com o ingresso de dois xelins se aglomeravam à entrada esperando sua oportunidade de entrar e se juntar à multidão.

– Nunca vi tanta gente junta no mesmo lugar – exclamou ela, dizendo a si mesma que observava para ver quantas de suas amigas estariam presentes, e não para descobrir se lorde Matson estava lá.

Ele disse que compareceria, mas isso foi há dias. Não escalava a janela do quarto dela desde a sexta anterior e, embora ela tivesse conseguido evitar o exílio em Bath, os pais garantiram que estivesse fora de casa para que não recebesse nenhuma visita dele.

– A multidão seria mais razoável se os proprietários aumentassem o custo da entrada – comentou Herbert. – Segure bem sua bolsa. Até mesmo os batedores de carteira pagam para entrar em festividades como essa.

– Estou segura de que não preciso ter medo de nada em sua companhia – disse ela.

Já que estava presa a ele por aquela noite, talvez ao menos pudesse fingir que ele era galanteador e perigoso.

– Não farei nada estúpido porque não se preocupa em proteger os próprios pertences – respondeu ele, descendo da carruagem e ajudando-a a chegar ao chão. – Achei que não gostasse desses joguinhos inúteis.

– E não gosto. Mas qual o sentido em ter um acompanhante se não pretende tomar nenhuma atitude por minha causa?

– Eu estou acompanhado a senhorita; essa é a minha tarefa. E a sua tarefa é se manter fora de perigo.

Charlotte soltou a mão da dele assim que pôde.

– Isso não me parece nada galanteador.

Ele a olhou de relance.

– Eu talvez pudesse ser mais galanteador se não soubesse que estava encorajando lorde Matson pelas minhas costas.

Então Herbert tinha um grama de inteligência.

– Não tenho feito nada pelas suas costas.

– Hum. Daqui a pouco vai querer comprar aqueles estúpidos colares falsos e baratos.

A-ha. Se ele soubesse. Naquela noite, estava carregando o estúpido colar de esmeralda na bolsa, simplesmente porque a fazia se sentir um pouco livre e escandalosa.

– O senhor parecia admirar o que lady Ibsen estava usando.

A cor inundou as faces do homem.

– Que absurdo. Mas não vim aqui para discutir. Vamos achar nosso camarote e pedir o jantar. Parece que os fogos de artifício serão espetaculares.

– Ouvi dizer.

Com Alice logo atrás de modo a não se perderem na multidão, eles se deslocaram para o espaço principal no centro do Jardim. Se é que isso era possível, a rotunda e o pavilhão estavam ainda mais apinhados de gente do que as laterais. A única coisa boa que Charlotte podia dizer da imensa multidão era que pelo menos ela produzia um pouco de calor. A noite estava bem fria.

Usava o vestido rosa que Sophia lhe deu. Claro que os pais haviam desaprovado o decote profundo e o tecido chamativo, mas ela tinha que admitir que nunca se sentira tão sensual e viva. Tudo o que precisava para tornar essa noite completamente perfeita era ter Xavier ao seu lado em vez de Herbert.

– Consegui para nós um camarote preferencial – continuou Herbert, como se não estivessem discordando de nada. – Ouso dizer que teremos os melhores lugares do Jardim.

– Que agradável – respondeu ela. – Estou com um pouco de fome. Vamos para nossos lugares?

– Claro.

Os falsos soldados franceses e britânicos já estavam enfileirados de lados opostos do campo, aguardando a deixa para começarem a batalha. Mais próximo da rotunda, tanto o príncipe George quanto o duque de Wellington haviam tomado seus lugares, apesar de poder apostar que, por causa da multidão em volta, não conseguiriam ver muita coisa da batalha.

Quando os lacaios chegaram com travessas de fatias de presunto finas como papel e frango frio, já era noite. A orquestra na rotunda principal começou a tocar e ela se recostou para assistir quando, com o bater de címbalos, as luzes dos lampiões pendurados pelas trilhas e nas árvores se acenderam simultaneamente.

Charlotte se juntou aos aplausos, ainda examinando a imensa multidão à procura de um rosto bonito e familiar. Nada. Sua vida inteira havia sido assim, percebeu ela, aceitando a mediocridade e a expectativa de que algo, ou alguém, excitante aparecesse e melhorasse tudo. Talvez fosse hora de parar de esperar.

– Antes que a batalha comece, preciso me refrescar – disse ela, se levantando.

– Alguém vai pegar nosso camarote – reclamou Herbert, a expressão mal-humorada.

– Fique aqui. Alice pode me acompanhar. Volto logo.

Pouco depois de sair do camarote, ela ouviu a chuva de trompetes anunciando o início da batalha. Todos começaram a se mover em direção ao campo, gritando palavras de encorajamento e batendo palmas com entusiasmo.

– Vamos perder Waterloo, Srta. Charlote – disse Alice, aproximando-se dela.

Ela abriu a boca para responder que não se importava quando o avistou. De preto e cinza, Xavier estava na entrada da aleia escura denominada Caminho dos Druidas, fitando-a. O coração disparou. Ele veio.

– Preciso de um pouco de ar fresco, Alice – disse ela. – Por que não espera aqui perto da cerca até que eu volte em um instante?

– Não posso deixar a senhorita sozinha! Lorde e lady Birling vão me demitir!

– Nunca vão saber. Prometo. E assim você pode assistir à batalha. Vou ficar bem. Juro.

– Ah, Srta. Charlotte, essa não é uma boa ideia.
– É uma ideia maravilhosa. Espere aqui.
Ainda parecendo terrivelmente perturbada, a criada concordou.
– Sim, senhorita.
Charlotte foi alvo de alguns olhares curiosos quando cruzou o pavilhão, mas ela mal os notou. Naquela noite, não se sentia a mesma de sempre. Naquela noite, se sentia selvagem e impulsiva e livre, alguém que deixaria a criada para caminhar por uma aleia escura com um belo libertino.
– Você está linda – disse Xavier com a voz grave quando ela já estava ao lado dele.
– Minha prima Sophia me deu esse vestido.
– Fica ótimo em você.
– Eu me sinto meio nua.
Olhos cor de cobalto percorreram seu decote e voltaram a encarar seu rosto.
– Nem de perto nua o suficiente – murmurou ele.
Meu Deus. Ele tinha aquela expressão predatória nos olhos, a que viu no Hyde Park quando seus beijos praticamente a devoraram. Charlotte engoliu em seco.
– Estou feliz por você ter vindo.
– Eu quero que você vá comigo – disse ele, o olhar firme no rosto dela.
– Mas também quero avisá-la. Se vier comigo, nada nunca mais será igual. Então escolha com cuidado, Charlotte. Tenho certeza de que Beetly está esperando por você no camarote. Ele é seguro. Eu não.
– Eu estive segura minha vida inteira, Xavier – respondeu ela, depois forçou um sorriso nervoso enquanto olhava para a aleia por cima do ombro dele. – A não ser pelo fato de ser escuro, o que pode ser tão espetacular nesse caminho, de qualquer modo?
Os lábios dele se curvaram em um sorriso lento, sensual.
– Venha e descubra.
Eles não estavam sozinhos na Caminho dos Druidas. Em diversos nichos escuros ao longo da trilha, acima dos sons da batalha, podia ouvir sussurros e o barulho inconfundível de lábios tocando lábios. A mãe teria um ataque histérico se soubesse que a filha estava em uma das infames veredas escuras de Vauxhall, pior ainda na companhia do conde Matson.
Eles fizeram outra curva, a penumbra iluminada apenas por fogos de artifício esporádicos que representavam os tiros de canhão.
– Tem certeza de que quer perder a encenação? Você me disse que não estava presente na batalha verdadeira.

– Isso é passado – respondeu ele, guiando-a por um beiral baixo. – Recentemente descobri uma nova esperança no futuro.

Ele se referia a ela. Se o coração batesse mais rápido do que aquilo, sairia voando do peito. Era aqui onde estavam que precisava e queria estar; e ele era o homem de que ela precisava e com quem queria estar.

– Até onde nós vamos?

A risada suave de Xavier fez um arrepio percorrer os braços de Charlotte.

– Até aqui.

Eles saíram do caminho e seguiram para uma pequena clareira separada do resto dos Jardins por mantas engenhosamente penduradas. Ele havia planejado aquilo.

– E se alguém vir?

– Tomei precauções. Wilson?

– Sim, meu senhor.

Ela não ficou surpresa de ver um dos lacaios dele parado na extremidade da trilha, olhando para a direção de onde eles haviam chegado.

– Há quanto tempo você planejou isso? – perguntou ela, esperando que sua voz soasse menos nervosa do que se sentia por dentro.

– Há alguns dias. Mas tenho pensado nisso desde que nos conhecemos. – Dentro do abrigo de mantas, ele a encarou, puxando-a para seus braços. – Eu disse que era um bom estrategista – murmurou ele, segurando o rosto dela para beijá-la.

Charlotte gemeu e deixou a suave pressão da boca dele fazer seu coração flutuar. Sem ninguém para ver, ninguém para interromper, podiam fazer o que quisessem. Ela sabia o que ele queria: ela. E ela também o queria, com uma intensidade e uma paixão que algumas semanas antes acreditaria não possuir. Ainda assim, se seus pais descobrissem...

– Isso é prudente? – sussurrou ela, estremecendo enquanto a boca dele se movia devagar ao longo da linha do seu queixo.

– Não. Mas não consigo me conter. Esqueça tudo o que existe lá fora, Charlotte. Fique apenas comigo. Se quiser.

– Eu quero.

Queria tanto, que a destruiria partir. Ela se lembrou do colar na bolsa e o pegou.

– Lady Ibsen me sugeriu isso – disse ela, incerta.

Ele pegou o colar dos dedos dela.

– Jeanette? Quando?

– Alguns dias atrás. Herbert disse que era espalhafatoso, e ela falou que essa era exatamente a intenção.

Com um sorriso lento se curvando na boca sensual, Xavier fechou o colar no pescoço dela, depois passou os dedos pela extensão da corrente até onde a esmeralda repousava entre os seios dela.

– Não exatamente – sussurrou ele, se movendo para trás dela.

– O que você...

O vestido dela se afrouxou e deslizou por seus ombros. Ofegante, Charlotte segurou a parte da frente do vestido sobre os seios. *O que estava fazendo?* Estava ficando louca, com certeza. Mas qualquer pensamento de sair dali desapareceu quando ele parou na frente dela novamente para outro beijo intenso e prazeroso. Como se entrassem em consenso, os dedos dela relaxaram e o vestido deslizou até os pés.

Pelos gritos e aplausos e explosões a distância, os atores e a plateia da encenação de Waterloo pareciam estar se divertindo muito, mas ela duvidava que se comparasse ao que ela estava sentindo. Herbert provavelmente começaria a se perguntar onde ela estava, a não ser que as luzes brilhantes o distraíssem, mas ela não se importava. Não naquela noite, não naquele momento. Não com Xavier ali.

Agora, tudo o que havia entre ela e a brisa da noite era sua fina combinação. Esperava sentir frio, mas, conforme ele passava os dedos sob as alças da combinação e suavemente tirava a peça de algodão deslizando-a por seus braços, ela só conseguia sentir o calor, a emoção e a excitação. Os beijos dele ficaram mais intensos, mais agressivos e ela jogou os braços nos ombros dele para puxá-lo para mais perto.

– Xavier – falou ela, ofegante, beijando o pescoço dele enquanto ele beijava o dela –, eu me recuso a ser a única parte nua aqui.

Ele gemeu.

– Eu quero você – sussurrou ele, permitindo que ela tirasse o casaco dele dos ombros.

A gravata larga saiu em seguida, caindo no chão. Com a delicada ajuda de Xavier, a combinação de Charlotte deslizou ombros abaixo, expondo seus seios e depois sua barriga e suas pernas na tênue luz da lua e nos clarões dos fogos de artifício. Xavier tocou mais uma vez o colar de esmeralda falsa, onde ele estava pendurado, pesado e frio contra a pele nua da jovem.

– Agora sim está do jeito que sempre deveria usar.

Os dedos hábeis dele roçaram nos seios dela e ela ficou ofegante de novo, curvando-se em direção à pressão.

– Meu Deus do céu.

Xavier riu, passando os mamilos dela entre o polegar e o indicador.

– Você quer pecar hoje à noite, Charlotte?

– É por isso que estou aqui. – Ela respirou de maneira entrecortada outra vez. – Mas, por favor, se apresse porque não quero que ninguém nos interrompa antes de...

Ela queria dizer *antes que pudesse ficar satisfeita*, mas aquilo soava completamente lascivo e escandaloso.

Ela tirou a camisa de dentro da calça e passou as mãos pela pele quente do peito dele. Macia, e ainda assim conseguia sentir a rigidez sob a pele. Seus músculos contraíam-se sob seu toque, e ela percebeu que o excitava tanto quanto o toque dele a ela.

Com a ajuda de Charlotte, ele tirou a camisa por cima da cabeça e depois puxou-a para baixo, até o chão forrado de mantas. Ela ficava ainda mais excitada por saber que ele tinha percorrido um caminho tão extenso para ficar com ela. Queria perguntar o que aconteceria no dia seguinte, depois que seu desejo masculino tivesse sido satisfeito, mas quando ele a deitou de costas e colocou seu seio esquerdo dentro da boca, ela parou de se importar com o que aconteceria após aquela noite. Ela se sentia quente e contraída, cada vez mais tensa por dentro, esperando por algo que somente ele poderia proporcionar.

A maneira como ele sugava ficou mais forte e ela enrolou os dedos no cabelo louro-escuro de Xavier, puxando-o com força contra ela. Os baixos gemidos que proferia mal pareciam vir dela, mas nada daquilo se parecia com ela. Com a mão livre, ele desabotoou a calça e a tirou, para em seguida se inclinar sobre Charlotte e beijá-la com ardor.

A ereção dele ficou grande e dura contra a coxa dela e ela se contraía ainda mais por dentro.

– Xavier, agora – ordenou ela, se mexendo desconfortavelmente.

Ele separou os joelhos dela e se ajeitou entre suas pernas.

– Diga que vai se casar comigo – exigiu ele, a voz trêmula.

– Mas eu...

– Não me importo com o que qualquer outra pessoa pense, Charlotte – interrompeu ele, fazendo força para a frente para que ela pudesse senti-lo pressioná-la intimamente entre as pernas. – Diga que você vai se casar comigo.

Ela mal podia formular um pensamento coerente, muito menos uma frase coerente.

– Sim – disse ela com a voz estridente, erguendo os quadris.

Devagar, ele se moveu para a frente, penetrando-a. Charlotte soltou um grito, mas ele abafou o som com a própria boca.

– Shh. Relaxe, meu doce. Apenas relaxe.

A dor diminuiu e ele recomeçou a deslizar lenta e profundamente para dentro dela. Nada que já sentira podia se comparar àquilo... tão... prazeroso e contudo fazendo com que quisesse muito mais.

– Xavier.

Em um instante, ele começou a se movimentar, o ritmo lento, constante, deixando-a cada vez mais tensionada. Com gritos altos de viva da plateia, os fogos de artifício explodiram em uma celebração da vitória simulada. Ela gemeu na hora com a pressão dele, enquanto os olhos cor de cobalto, quase negros na pouca luz, a encaravam de perto. Fogos de artifício, aplausos, calor, suor, o peso do corpo quente e musculoso, tudo isso a preencheu até que, com uma pressa surpreendente, ela chegou ao clímax.

– Você pertence a mim – murmurou ele, se juntando a ela no ápice do prazer. – A mim.

Por longos minutos, Xavier não se mexeu. Antes, o plano parecia extraordinariamente estúpido e desesperado. De fato planejar um encontro e conseguir um lugar isolado. Mas então ela apareceu, procurando por ele, e tinha funcionado.

Quando o ritmo da respiração e do coração de Xavier se normalizou e antes que seu corpo ficasse pesado demais, ele enterrou o rosto no cabelo cheirando a lavanda de Charlotte. Este era o lugar onde devia estar. Não em Waterloo ganhando glória à custa de milhares de vidas, não sentado sozinho em Farley Park desejando que Anthony estivesse lá para arcar com o peso da propriedade e do título, não sentado em um escuro e esfumaçado clube de apostas ou pecando com alguém apenas para que não tivesse que enfrentar voltar para casa sozinho.

Charlotte trouxe algo para sua vida, algo que ele sabia que faltava, mas nunca conseguiu definir. Na companhia dela, com ela nos braços, ele se sentia... satisfeito. E indescritivelmente feliz.

A orquestra principal do pavilhão começou a tocar *Música para os reais fogos de artifício*, de Haendel, e mais fogos multicoloridos começaram a explodir no céu. Eles estavam ali já fazia tempo demais. O acompanhante de Charlotte estaria sentindo sua falta. O problema, refletiu Xavier, era que ele não queria devolvê-la, nem mesmo por pouco tempo.

– Acho que não conseguiríamos viver aqui nos Jardins de Vauxhall – disse ela, fazendo eco aos pensamentos de Xavier enquanto lentamente passava as mãos pelas costas dele. – Como Robin Hood e Marian?

Ele riu enquanto saía de cima dela com relutância, sentando-se e passando a mão no cabelo.

– É tentador, mas parece meio radical.

– Presumo que sim.

Ela estremeceu um pouco e ele estendeu o braço para pegar sua combinação.

– Precisamos levar você de volta antes que congele até a morte.

– Estar na companhia de Herbert não exatamente aquece meu coração – retrucou ela.

Ao tom de frustração na voz dela, ele se inclinou para a frente e lhe deu um beijo, longo e profundo.

– Isso não vai durar mais do que esta noite – disse ele. – Você me fez uma promessa.

Suaves olhos castanhos encontraram seu olhar.

– A não ser pela minha completa ruína, não vejo como minha promessa vai convencer meus pais. – Charlotte roçou os lábios contra o pescoço dele. – Provavelmente teria sido melhor se você nunca tivesse me notado.

O coração dele ficou apertado. Pensar naquilo às vezes o aborrecia, de que ele quase passara por ela sem a notar.

– Não. Você pertence a mim, Charlotte. E por essa razão vou sempre ser grato a lady Neeley e sua pulseira desaparecida.

Ele a ajudou com o vestido, incapaz de resistir a dar um beijo naquela nuca enquanto abotoava a parte de trás do vestido.

– Ah – gemeu ela baixinho, inclinando a cabeça.

Era isso mesmo. Ele não conseguiria suportar ficar afastado dela.

– Charlotte, o que seria necessário, de verdade, para seus pais abortarem esse plano idiota com Herbert? Fora eu matar o maldito, claro.

– Não sei. Eu já não tenho mais argumentos, Xavier. Eles não acreditam em mim. E você não pode forçá-los a acreditar.

– Mas posso dar um incentivo – declarou ele, tirando o colar de esmeralda falsa de dentro do vestido e colocando-o entre os seios dela novamente. Meu Deus, ela comprou aquilo porque queria ser escandalosa, com ele. E ele não a abandonaria à mediocridade. – Pelo que me consta, você já está casada comigo.

– Ah, Xavier – sussurrou ela, os olhos bem abertos –, mais uma vez parece haver um abismo imenso entre a realidade e a crença.

– Vou contornar isso, Charlotte. Vou encontrar uma maneira – replicou ele, se encolhendo para vestir a calça. – Eu jogo para ganhar.

– Mas meus pais...

– Não estou apaixonado por eles, Charlotte – disse ele em voz baixa, observando-a abrir o fecho do colar e o colocar dentro da bolsa. Lá estava ela, o retrato da decência novamente. Só que ele conhecia a verdade. – Eu estou apaixonado por você.

– Você... – Ela suspirou, olhando para ele por longo tempo. – Vou estar no baile de Frobisher amanhã à noite, Xavier. Você vai estar lá?

– E o que vai mudar entre agora e depois? Acho que devemos ir falar com seus pais esta noite.

– Não. Dê-me mais uma chance de argumentar com eles.

– Charlotte...

– Por favor, tenha um pouco de fé em mim, Xavier – disse ela, sorrindo suavemente.

Se se tratasse apenas de confiar nela, ele teria concordado sem hesitação. Por mais arriscado que fosse o adiamento, ele podia ver nos olhos dela como aquilo era importante. Mais importante até mesmo do que ele provavelmente achava.

– Eu tenho fé em você, Charlotte. *Isso* é um fato.

Com um último e demorado beijo, ele pegou a mão dela e a guiou de volta para a aleia. O criado dele dobrou as mantas e removeu todos os vestígios de que alguém havia estado ali. Quando se aproximaram do fim do caminho, o brilho dos fogos de artifício e o barulho da multidão cresceram.

– Olhe, colocaram fogo no pagode – comentou ela, se inclinando no ombro dele com tanta naturalidade que ele quis reconsiderar entregá-la a Herbert mesmo que fosse por um momento.

– Pelo menos aqueceu um pouco a noite. Charlotte, posso cuidar disso hoje mesmo, se desejar.

– Sei disso. Mas você já fez muito por mim. Agora é a minha vez. – Ela se inclinou para sussurrar no ouvido dele. – Vejo você amanhã à noite.

– Estarei lá.

CAPÍTULO 9

Apesar de o incêndio no pagode ter atraído a maior parte da atenção de ontem à noite (até mais, diria esta autora, do que a própria encenação), esta autora não pode deixar de salientar que lorde Herbert Beetly permaneceu sozinho no camarote durante o espetáculo inteiro, com uma expressão de raiva genuína no semblante.

E, em uma demonstração de emoções decididamente pouco usual, lorde Herbert jogou uma cadeira para fora do camarote, quebrando-a contra o solo, e saiu pisando firme, a imponente partida sendo arruinada apenas pelo cami-

nhar vacilante, o que o deixou estatelado no chão, tendo sido, em seguida, lamentavelmente atingido por uma torta de carne.

Esta autora soube que o salgado agressor foi arremessado por um plebeu.

CRÔNICAS DA SOCIEDADE DE LADY WHISTLEDOWN,
19 de junho de 1816

— Obviamente a solução é não deixar você ir a parte alguma sem um de nós para acompanhá-la – disse lorde Birling, entregando o sobretudo ao lacaio de Frobisher. – E perder-se em Vauxhall poderia ter se tornado um problema sério. Existem batedores de carteira e salteadores por todo lado naqueles caminhos.

– E o pagode chinês que pegou fogo e ficou destruído! Graças a Deus você não estava próxima dele – acrescentou a mãe.

Charlotte fechou os olhos por um instante. Seus pais ficaram remoendo o mesmo assunto o dia inteiro. Ela havia sido o mais direta que ousara ao declarar que não tinha intenção de se casar com lorde Herbert Beetly e que outra pessoa havia conquistado seu coração. A mãe parecia entender e aceitar, mas nem ela nem o marido pareciam capazes de acreditar que alguém tão maravilhoso quanto Xavier Matson pudesse corresponder aos sentimentos de Charlotte.

Ela se sentia menos propensa a aceitar as dúvidas e o pânico sem sentido dos pais por ora, sabendo como eram honestas as intenções de Xavier. Um homem – *o* homem, no que lhe dizia respeito – a desejava, a queria em sua vida, do mesmo modo como queria fazer parte da vida dele.

E, já que não restava dúvida de que a argumentação lógica tinha atingido o limite, medidas mais drásticas se tornaram necessárias.

É claro que tais medidas precisariam da presença de Xavier... e naquele momento ela o viu. Ele estava do outro lado do salão lotado, encarando-a. O azul profundo de seu casaco destacava o azul dos olhos, e ele parecia um deus grego que fora ao baile de Frobisher para caminhar entre os mortais. O coração de Charlotte bateu forte. Ele dissera que ela pertencia a ele, mas o contrário também era verdade. Ele pertencia a ela.

– Charlotte, não vou avisar de novo. Pare de ficar de queixo caído por causa daquele homem.

– Sim, mamãe – disse ela distraída, tirando o xale e começando a atravessar o salão em direção a Xavier.

Ela tinha dito que era sua vez de tomar uma atitude e aquele momento parecia o melhor e mais oportuno que poderia encontrar.

Assim que ela começou a andar, ele deixou o ponto onde estava e foi se aproximando da amada. Os pais nunca compreenderiam que ela não se importava com uma pulseira estúpida ou com o escândalo de Sophia ou com a opinião de qualquer pessoa. Ela se comportava assim porque era a atitude certa, não porque seu comportamento fosse destruir a sociedade londrina ou a família Birling.

– Olá – disse ela, andando mais devagar à medida que se aproximavam um do outro, no meio do salão.

– Boa noite – respondeu ele, o olhar percorrendo-a da cabeça aos pés. – Teve sorte?

– Nem uma migalha.

Frustração e uma breve raiva cintilaram no olhar dele.

– Então talvez você devesse esperar aqui enquanto vou ter uma conversa com seus pais.

Charlotte negou com a cabeça.

– Tenho uma ideia melhor.

Ele levantou a sobrancelha.

– E que ideia é essa?

– Eu amo você – sussurrou ela, dando um passo para se aproximar, o coração batendo tão forte que pensou que ele fosse explodir em seu peito.

Você consegue fazer isso, disse ela para si mesma. Ela precisava fazer. Por ele, por ela, pelos dois.

– Eu amo você – respondeu ele, inclinando um pouco a cabeça, sem dúvida tentando avaliar o que a amada tinha em mente.

Respirando fundo e com firmeza, ela se pôs na ponta dos pés, colocando os dedos nos ombros dele para se equilibrar, e o beijou. A sua volta, os convidados arfaram de surpresa e começaram a comentar em um burburinho e a rir nervosamente, provocando uma cacofonia ensurdecedora. Ela não se importava.

Ela sentiu Xavier se retesar de surpresa e depois sentiu sua reação imediata, à medida que ele aprofundava o beijo antes de afastar a cabeça para encará-la com olhos radiantes.

– Você está em uma tremenda enrascada – sussurrou ele, e depois sorriu. – E foi brilhante.

Xavier pegou a mão de Charlotte, girando para ficar frente a frente com os pais dela.

– Lorde e lady Birling, obrigado por não nos deixarem esperar para anunciar nosso noivado – disse ele em voz alta, caminhando na direção dos dois –, e obrigado mais uma vez por me concederem a mão de Charlotte. Ela é...

A voz dele na verdade fraquejou um pouco e Charlotte ergueu o olhar para ele, apertando-lhe a mão.

– Estamos muito felizes – acrescentou ela.

A boca do barão pendia aberta e com um visível esforço ele a fechou.

– Sim, bem, sabíamos que vocês não queriam esperar para fazer o anúncio – falou ele de modo hesitante, o rosto pálido.

– Também não desejamos esperar para nos casarmos – continuou Xavier, abrindo lentamente um sorriso que lhe aquecia os olhos. – Estive em Canterbury hoje à tarde, para obter uma licença especial. Gostaria que ela se tornasse minha esposa antes do fim da semana. Eu amo Charlotte de todo o coração. Se não fosse por seu apreço pelo senhor e pela senhora, acho que talvez até tivéssemos fugido para nos casarmos.

A mãe dela voltou à vida.

– Bem, graças a Deus não fizeram isso. Nem quero imaginar o escândalo que seria.

Charlotte não conseguiu evitar uma risada. Ela havia vencido. Sim, os pais dela (ou o pai, pelo menos) ficariam bravos, mas ela sentia que Xavier conseguiu ser tão persuasivo com eles como fora com ela. E nada que alguém dissesse poderia impedi-los de ficarem juntos.

– Charlotte – disse ele com doçura, enquanto um grupo de pessoas os cercava, desejando felicidades a eles e aos pais da noiva, os quais pareciam estar se adaptando rapidamente à situação –, você é maravilhosa.

– Você me fez assim – respondeu ela.

Xavier balançou a cabeça.

– Talvez eu a tenha feito enxergar isso, mas foi tudo. Você me emociona, e me fascina, e não consigo me imaginar longe de você.

– Pare de falar e me beije de novo – pediu ela, e, com um sorriso, ele satisfez seu desejo.

Karen Hawkins

O ÚNICO PARA MIM

CAPÍTULO 1

Impossível não mencionar que um dos casais mais devotados da sociedade nos últimos tempos é lady Easterly e o Sr. Riddleton. Os dois formariam um par adorável, pois ambos são bem-apessoados e têm muita coisa em comum, mas há um pequeno porém: o fato de lady Easterly ser... como esta autora poderia dizer de um jeito delicado... casada.

Casada?

Isso mesmo, casada. Ela se casou com o visconde de Easterly há quase doze anos, e essa união sem dúvida está vigente em qualquer igreja ou cartório. No entanto, alguns meses depois do casamento, o visconde a abandonou e fugiu para o continente depois de um sórdido escândalo envolvendo um jogo de cartas.

Com isso, lady Easterly ficou entregue à própria sorte. Sua reputação é imaculada e seu comportamento, bastante exemplar, mas não se pode deixar de perguntar... E se ela se apaixonar? O que acontecerá?

CRÔNICAS DA SOCIEDADE DE LADY WHISTLEDOWN,
23 de maio de 1816

— Será assassinato, então. — Lady Sophia Throckmorton Hampton, viscondessa de Easterly, olhou em volta para se certificar de que nenhum dos outros convidados de lady Neeley a escutava. Felizmente, quase todos estavam do outro lado da sala, admirando a nova pulseira da anfitriã. — Vou espetar o peito dele com o atiçador da lareira e então você o assa numa vela.

O irmão de Sophia, John Throckmorton, o conde de Standwick, olhou para a vítima, avaliando-a.

— Quanto tempo levaria para assar?

— Acredito que só alguns minutos. O mascote de lady Neeley não é lá muito grande.

— Verdade. Lorde Afton tem um papagaio duas vezes maior. Pena que não podemos assá-lo no lugar desse aí. — John inclinou a cabeça. — Aposto que tem gosto de galinha.

Sophia levou a mão à barriga.

— Queria muito que lady Neeley nos chamasse para jantar... Já faz uma hora que estamos esperando. Se ela não tomar logo uma providência, alguém além de nós vai ter a ideia de assar o papagaio dela, e não será só de brincadeira.

– Richard teria feito isso, e bem – disse John com um quê de melancolia na voz.

Richard era o irmão mais novo deles, e também um patife, um brincalhão e um degenerado encantador. No ano anterior, resolveu montar um cavalo selvagem mesmo tendo bebido além da conta. Assustado com a condução hesitante, o bicho tropeçou em uma cerca e Richard sofreu uma queda terrível, vindo a falecer no dia seguinte.

Sophia limpou a garganta.

– Richard era o mestre dos conhecimentos inúteis.

John reagiu com um sorriso tão reticente quanto o dela própria.

– Apesar de já ter se passado um ano, é difícil acreditar que ele não vai aparecer por aquela porta a qualquer instante, pronto para uma de suas travessuras. – O sorriso vacilou mais um pouco. – Ele estaria vivo hoje se eu o tivesse mantido longe daquele maldito cavalo.

Sophia tocou no braço do irmão.

– Ele não teria lhe dado ouvidos. Nem sempre foi o melhor dos homens, mas nunca deixou de ser o melhor dos irmãos.

John hesitou. Seu olhar perturbado encontrou o dela.

– Exceto uma vez.

Sophia sentiu um aperto no peito. Embora todos tivessem ficado muitíssimo tristes com a morte de Richard, não foi surpresa para ninguém. Ele viveu de forma perigosa por anos, mas só depois de sua confissão no leito de morte foi que entenderam o motivo: estava consumido pela culpa. Anos antes, trapaceara num jogo de cartas e deixara que o marido de Sophia levasse a culpa.

Aquele único jogo de cartas devastou a vida dela. Os meses que se seguiram ao incidente e à partida de Max eram um período a respeito do qual preferia não pensar... Uma terrível e escura sucessão de dias intermináveis, noites insones e um escândalo pungente, tudo coberto pelo pesado manto da falsa compaixão.

Ela balançou a cabeça.

– Isso foi há muito tempo.

– Nem tanto. Ele perdeu a honra e criou um abismo entre você e seu marido. Não posso fingir que esse comportamento nunca ocorreu.

– Se Max e eu estivéssemos de fato apaixonados, nem Richard nem ninguém conseguiria nos separar.

– Pode ser, mas sempre achei que você e Max... – John balançou a cabeça, estreitando os lábios. – Não importa. Foi covardia de Richard permitir que Max levasse a culpa.

– Pelo menos ele nos contou toda a verdade antes de morrer. Chega, não vamos estragar o resto da noite. Estamos todos famintos e de mau humor. Vamos falar de algo mais agradável.

Ele suspirou.

– Claro. Sobre o quê? O tempo? A maldita pulseira de lady Neeley? – Levou a mão ao estômago que roncava e olhou ao redor. – Gostaria de saber se ela tem algum outro bicho de estimação que possa servir a nossos planos culinários. Um poodle não seria mau.

– Pássaros são uma coisa, cãezinhos de estimação são outra completamente diferente.

Os olhos azuis de John se fixaram no rosto dela.

– Falando em cãozinho, onde está o seu amigo, o Sr. Thomas Riddleton? Achei que você não ia mais a lugar algum sem que ele estivesse por perto levando seus pertences. Ele parece um carregador de luxo, grande e pomposo.

– Se quer mesmo saber, ele está no campo, visitando a mãe.

– Sem dúvida tentando obter a bênção dela para as futuras núpcias.

– Núpcias?

– Há rumores de que seu amigo Thomas decidiu se casar. Na verdade, segundo os últimos boatos, ele decidiu se casar com você.

O coração de Sophia ficou apertado.

– Você deve ter entendido mal. Somos apenas amigos.

John assumiu um ar solene.

– Você precisa ter cuidado, Sophia. Sei quais são seus sentimentos, mas as pessoas são rápidas em presumir algo mais.

– Não encorajo esse tipo de conversa. – Pelo menos não de forma intencional. Sophia reprimiu um suspiro. Talvez estivesse *realmente* passando tempo demais com Thomas. Ele era bonito, bem informado e desajeitadamente galante; o comportamento e os gestos não eram nem um pouco ameaçadores. E, nos últimos tempos, vinha se sentindo tão sozinha... Ainda assim, antes só do que mal-acompanhada. – Falarei com o Sr. Riddleton tão logo ele volte.

– Bom. – John ficou hesitante, mas depois acrescentou: – Estava preocupado que você estivesse começando a se apaixonar por ele.

Ela ergueu as sobrancelhas.

– Pensei que você gostasse de Thomas.

– De todos os metidos a besta que conheço, ele é o meu favorito. – John cruzou os braços compridos e começou a se balançar nos calcanhares, um hábito adquirido na juventude que nunca perdeu. – Só sei que é melhor você se afastar de Riddleton antes que Max volte.

– Max não vai voltar.

– Você escreveu para ele pedindo a anulação do casamento. Ele não aceitará isso tão facilmente.

– Ele ficará aliviado de se ver livre de mim. Quero que esse falso casamento acabe, e tenho certeza de que ele pensa o mesmo. Nunca foi o tipo de homem que perde tempo e energia com coisas impossíveis.

– Ele pode ter mudado, Sophia. Você mudou.

– Para melhor, espero. E, claro, acredito que Max tenha mudado também. Afinal, já se passaram doze anos. – Ela ficou em silêncio por alguns instantes, refletindo sobre aquilo tudo. – Fico me perguntando se ele ainda pinta. Tinha um talento nato e...

O que estava fazendo? O que quer que Max fizesse agora, não lhe dizia mais respeito.

– Só vi um de seus quadros – comentou John. – Mas ouvi dizer que são todos muito bons.

– Viu? Onde?

John piscou.

– Ah, não sei. Quando vocês se casaram, acho. – Antes que ela pudesse falar alguma coisa, ele acrescentou: – Quando Max receberá sua carta?

– A qualquer momento. Daqui a duas semanas receberemos sua resposta e, no final do verão, serei uma mulher livre.

Se, é claro, seu plano desse certo. Nos anos que se sucederam à repentina partida de Max, teve bastante tempo para ficar acordada durante a noite e analisar todos os aspectos do caráter do marido ausente. E o que movia Maxwell Hampton não era a emoção, mas o orgulho. O mais puro e completo orgulho. O orgulho que o faria aceitar o seu pedido de anulação, era esta a função da sua carta. Ela sorriu ao pensar nisso.

– Sophia? – disse John, franzindo as sobrancelhas. – Não confio nesse seu sorriso... O que você fez?

– Nada de mais... Apenas disse a Max que, se ele não concordasse com a anulação imediatamente, eu faria um leilão público do diário de seu tio Theodore.

John endireitou os ombros, surpreso.

– Max deixou o diário com você?

– Ele o esqueceu na pressa de sair da cidade. Guardei-o comigo por todo esse tempo, pensando que talvez pudesse me ser útil algum dia. E foi.

– Não, Sophia! Você tem ideia do escândalo que isso causaria? Theodore dormiu com metade das mulheres da alta sociedade!

Ela deu um sorriso presunçoso.

– Digamos apenas que existe uma boa razão para o conde de Bessington ter o nariz tão semelhante ao de Easterly.

– Mas que diabos, Soph! Max vai ficar furioso.

– Vai ficar com o orgulho ferido – assentiu ela, aparentando uma calma que efetivamente não sentia.

– É, mas... – John passou a mão no cabelo sem se dar conta de que o despenteava. – Max nunca responde a suas cartas.

– É verdade. Mas desta vez será forçado a responder. Não aceitarei uma notificação do procurador em resposta a *essa* questão.

Era triste, mas Sophia e aquele que fora seu marido só se comunicavam deste jeito: ela escrevia sempre que surgia algum problema envolvendo seu patrimônio comum (normalmente os assuntos giravam em torno dos negócios, da venda de terras ou do retorno de algum investimento), e ele nunca respondia. Sempre que se via sem alternativa a não ser tomar as decisões sozinha, recebia um bilhete do Sr. Prichard dizendo que a questão, qualquer que fosse, já havia sido resolvida.

O estômago de Sophia roncou de novo.

– Onde está a anfitriã? Estou faminta.

John ergueu a cabeça e olhou ao redor.

– Lady Neeley está perto da porta, conversando com lady Mathilda. E... – As sobrancelhas de John se franziram e ele esticou o corpo para a frente, piscando depressa, como se quisesse clarear a visão.

– O que houve? – perguntou ela.

Aos poucos, a sobrancelhas do rapaz voltaram ao normal, e ele lançou um olhar sério para ela.

– Diabos, sua carta funcionou, e pelo visto muito bem. Ele está aqui, Sophia. Max voltou.

Sophia abriu a boca, depois a fechou, em seguida a abriu outra vez, apesar de não emitir qualquer som. Tudo a sua volta parecia ter evaporado, o sangue lhe subia à cabeça, o coração estava aos pulos como se ela tivesse escalado uma montanha em vez de estar sentada na sala de uma casa situada na melhor parte da cidade. Simplesmente não conseguia acreditar. A mente era um verdadeiro turbilhão.

John a segurou pelos ombros, forçando-a a encará-lo.

– Sophie? Você ouviu...

– Ouvi – murmurou ela, passando a mão trêmula pela testa. Max. Aqui. Meu Deus. – Mas... como? Era para ele ter acabado de receber a carta...

– Não sei – respondeu John. Olhou por cima da cabeça dela, para o local em que vira Max, e então apertou de leve os ombros dela antes de soltá-la. – É melhor se recompor. Ele está vindo em nossa direção.

Sophia virou-se e olhou. E então esqueceu-se da fome, do irmão que estava ao seu lado, de que os sapatos novos estavam apertados e de que os pés doíam. Tudo o que sabia era que Max – o homem que ela julgara amar; o homem que prometera nunca deixá-la, mas deixou; o homem que fora seu marido por dois maravilhosos meses e depois partira sem lhe dizer uma palavra – estava do outro lado da sala, vindo em sua direção.

Ele era alto e tinha ombros largos, o cabelo espesso ainda era escuro como a noite, os olhos tinham o mesmo brilho prateado que a perseguia em seus sonhos. A emoção a revolvia, travando-lhe dolorosamente a garganta.

Todas as vezes que imaginou esse momento, nunca pensou que fosse ter de lidar com tamanha confusão de sentimentos. É só o choque, disse a si mesma em desespero. *Sim, é isto. Choque. Assim que eu me acostumar ao fato de que ele está mesmo aqui, de que está realmente vindo em minha direção, serei capaz de agir de forma apropriada.*

John tocou em seu braço.

– Você está bem?

Usando cada milímetro de força de vontade que possuía, ela desviou o olhar de Max.

– Estou.

Olhou ao redor e, com o coração apertado, se deu conta de que não tinha sido a única a notá-lo. Muitas outras pessoas o tinham visto e apontavam para ele e cochichavam. Sophia sabia o que aconteceria em seguida – aquelas pessoas todas se lembrariam de que ela também estava ali, e mais uma vez teria que encarar uma torrente de rumores e insinuações.

– Queria poder ir embora.

– Nós podemos. Ninguém a julgaria por se recusar a ficar no mesmo ambiente que o seu mari...

Sophia lançou um olhar furioso ao irmão.

– Não chame Maxwell Hampton de meu marido. Ele nunca foi meu marido, embora, no início, eu acreditasse que ele me ama... – A emoção voltou a assolá-la e, desta vez, os olhos se encheram de lágrimas.

Que inferno! Não tinha a menor vontade de parecer chorosa quando conversasse com Max, especialmente com tantas pessoas testemunhando. A raiva a protegeria das lágrimas. Precisava se forçar a lembrar de todos aqueles anos, desde que Max fora embora. Lembraria do falatório, dos olhares de pena e da sensação horrorosa de estar sozinha, dormir sozinha, acordar sozinha, tomar café da manhã sozinha, ir à igreja sozinha. De todas as coisas que se viu forçada a fazer porque o marido, de ímpeto, fora embora para nunca mais voltar. A raiva quente e habitual percorria suas veias.

– Oi, Standwick.

A voz grave de Max pareceu preencher e esquentar o ar.

John fez um breve aceno com a cabeça.

– Easterly. Como está?

Tão educado, tão formal. O que era bom, já que muitas pessoas tinham se aproximado na esperança de ouvir a conversa. Tudo o que dissessem seria repetido, discutido e analisado. Respirando fundo, Sophia se obrigou a encarar os olhos cinzentos de Max, mas imediatamente se arrependeu.

A distância, ele parecia o mesmo. De perto, no entanto, era possível notar que assumira um ar mais duro; as linhas das maçãs do rosto estavam mais arrogantes, se é que isso era possível. Mechas grisalhas surgiam nas têmporas, o que lhe concedia um ar um pouco soturno. Estava mais magro e, de alguma forma, mais largo também, como se houvesse crescido em presença. Mas era mais do que aquilo, sob o olhar civilizado havia uma raiva abrasadora. Ela a percorreu, esquentando-lhe a pele como uma labareda.

– Max – conseguiu dizer por entre os lábios repentinamente secos. – Q-que bom vê-lo de novo.

Ele a cumprimentou, o olhar a percorrendo devagar, os cabelos, os olhos e os lábios. Uma sensação familiar a surpreendeu, um fogo desenfreado a fez tremer, e derreteu sua obstinação em parecer impassível. Tinha que lutar contra o impulso de dar um passo a frente, em direção ao homem que foi tão insensível a ponto de deixá-la, em direção ao homem que, se ela lhe desse a oportunidade, certamente a rejeitaria de novo, tão depressa que seu coração, sem dúvida, acabaria se partindo.

Perceber isso inflamou sua raiva e fez com que sua irritação voltasse a patamares normais. Desgraçado. Tudo o que conseguiu se forçar a fazer foi dar um sorriso falso e dizer entre dentes:

– Quanto tempo.

Ele assentiu brevemente.

– Pois é.

O simples som daquela voz a fazia estremecer.

Max se aproximou e pegou a mão dela. Curvou-se então e tocou de leve os lábios no dorso da mão enluvada. Para seu profundo desgosto, um golpe de luxúria atingiu-a, atiçando-lhe a pele e contraindo-lhe os seios, os mamilos intumescendo em antecipação.

Ela fechou os olhos e deixou que aquela sensação a percorresse. Como poderia ter esquecido disso? Sempre existiu algo físico e primitivo entre eles. Uma conexão da mais elementar, percebia agora ao lutar para reprimir seu corpo traidor, procurando palavras que pudessem amenizar o prolongado silêncio.

Diga algo!, ordenou a si mesma. *Todos estão olhando. Esperando.* Mas, de alguma forma, o corpo e a mente não estavam mais se comunicando, e seus dedos apertaram os dele, como se não quisessem deixá-lo nunca mais ir embora.

Ficaram assim, olhando um para o outro, de mãos dadas, sem falar nada, a mesma intensidade de ondas de raiva e luxúria pulsando entre eles.

John pigarreou.

– Ah... Sophia?

Com o rosto corado, Sophia puxou a mão. Meu Deus, como aquela cena deve ter parecido tola! Não se atrevia a olhar para Max; não seria capaz de suportar o sorriso afetado que devia estar estampado no rosto dele.

– Sin-sinto muito. Só estou... Acho que... Só estou...

– Faminta – completou John suavemente. – Como todos nós. Gostaria de saber quando o jantar será servido.

– Em breve, espero – comentou Max, a voz mais grave do que antes, como se também tivesse se abalado. Os olhos permaneciam vidrados em Sophia. – Você mudou o cabelo – disse de modo abrupto.

Sophia levou a mão aos cabelos. Claro. Ele sempre quis que ela o deixasse longo, mas ela nunca deixou, alegando que daria muito trabalho arrumá-lo. Mas depois que ele foi embora, percebeu como aquelas palavras eram ridículas.

– Não o corto desde... – Deteve-se a tempo. Era uma armadilha, uma tentativa de desnudar seu coração para poder pisoteá-lo. Mas não era nenhuma tola. – Está bem comprido. – Ela engoliu em seco. – Então, Max. O que o trouxe a Londres?

Algo nos olhos dele se inflamou, um lampejo de raiva firmemente controlada que de tão intensa chegava a assustar.

– Você sabe muito bem o que me trouxe aqui. Temos muito que conversar. Eu a procurarei pela manhã.

Maldito! Por que ele tinha que ser tão categórico? Sophia ergueu o rosto e, com toda a frieza, disse:

– Não estarei em casa pela manhã.

Max estreitou os olhos e se aproximou, os ombros largos bloqueando a luz do candelabro.

– Estarei lá às dez.

– Terei visitas às dez.

– Então, chegarei às nove. Podemos tomar café enquanto conversamos.

Indignada, Sophia se enrijeceu e um sorriso inexpressivo surgiu nos lábios de Max.

– Estava esperando cordialidade? Se estava, enganou-se redondamente. Não aceito ameaças de bom grado.

– Eu queria forçá-lo a me dar uma resposta rápida, não que me fizesse uma visita. Além disso, não foi uma ameaça. Foi uma promessa.

– Também não aceito bem esse tipo de promessa.

– É, bem, pouco importa, você não poderá ir me ver amanhã. Também não estarei em casa às nove.

Ele ergueu as sobrancelhas.

– Você está se esquecendo de uma coisa.

– O quê?

– Conheço você. Sei que não acorda tão cedo. Você gosta de ficar na cama... – A voz dele se transformou em um sussurro profundo e quente, carregado de ameaça e promessa.

John pigarreou mais uma vez.

– Bom... humm... Eu humm...

Ele lançou um olhar desamparado para Sophia.

– Eu... eu... – Droga. O que ela poderia dizer? Não importava o que dissesse, mais cedo ou mais tarde teria que ficar cara a cara com Max. – Muito bem, então. Eu o esperarei para o café da manhã. *Mas* eu como cedo, muito cedo.

Ele estreitou os olhos.

– Cedo quanto?

Ela estava prestes a dizer seis da manhã, mas se conteve a tempo. Causar desconforto a Max era uma coisa, levantar-se antes da luz do dia era outra.

– Às oito – respondeu, contemporizando.

Isso já era quatro horas mais cedo que o horário em que normalmente comia. Seus empregados ficariam indignados.

– Muito bem. Às oito então – disse ele, segurando outra vez a mão de Sophia, dessa vez dando um beijo mais vigoroso em seus dedos, a ponto de o calor abrasador da boca atravessar o tecido da luva.

Sophia ficou sem fôlego e com as pernas tremendo. Depois de todos aqueles anos, depois de toda a dor que cuidadosamente conseguiu transformar em uma sólida parede de raiva, o desgraçado ainda tinha a capacidade de fazê-la se derreter com um simples toque. Que fosse para o inferno.

Lady Neeley gritou algo a respeito de o fecho de sua pulseira ter quebrado. Relutantemente, Max soltou a mão de Sophia, despediu-se de John com um aceno respeitoso e voltou para o lado da anfitriã.

Assim que Max saiu do campo de alcance de sua voz, John disse:

– Sophia, não precisamos ficar se você não quiser. Tenho certeza de que todos entenderão.

Não, eles não entenderiam. Talvez *fingissem* compreender e oferecessem ajuda, mas estariam rindo o tempo todo por trás dos leques. Sophia sabia muito bem o que o mundo pensava de uma esposa abandonada – um misto de pena e superioridade, tudo bem amargo e nada palatável. Ela ergueu o queixo.

– Nunca deixe que seja dito que um mero Hampton expulsou uma Throckmorton do campo de batalha.

John ajustou a gravata como se de repente tivesse ficado mais apertada.

– Você acredita que ele concederá a anulação?

– Não sem um preço.

John pareceu preocupado.

– Que preço?

– Esta é a questão – disse Sophia, em tom sombrio.

CAPÍTULO 2

Como se o tumulto pela perda da pulseira já não fosse assunto suficiente para uma coluna, permitam que esta autora seja a primeira a informar que...

O visconde de Easterly voltou para Londres!

De fato, o surgimento do prodigioso nobre no malfadado jantar de lady Neeley foi tão repentino que com toda a certeza teria sido a principal fonte de fofocas não fosse o inconveniente desaparecimento da pulseira. Ao que parece, lady Easterly não estava ciente de que o marido planejava aparecer e, segundo muitas testemunhas, os dois trocaram olhares fulminantes durante o jantar, ou melhor, durante a sopa que os convidados puderam tomar antes de a noite ser arruinada.

Uma senhora chegou a comentar (sem a menor sensibilidade, na opinião desta autora) que foi uma verdadeira lástima a noite ter um fim tão prematuro; com certeza a família Easterly teria proporcionado um excelente entretenimento se permitissem que sua fúria fosse extravasada. Teria sido, como acrescentou a senhora já mencionada, uma cena escandalosa, que superaria todas as demais.

CRÔNICAS DA SOCIEDADE DE LADY WHISTLEDOWN,
29 de maio de 1816

Na manhã seguinte, o Sr. Prichard entrou na antessala parcamente mobiliada de seu escritório. Deteve-se quando deparou com um visitante de pé ao lado da janela, observando a rua. Um chapéu de abas largas ocultava o rosto do homem e sua compleição robusta obstruía a passagem da luz da manhã.

– Com licença – disse Prichard, tentando não parecer surpreso. Era raro alguém chegar ao seu escritório antes dele. – Posso ajudá-lo?

O homem virou a cabeça, e a luz do amanhecer iluminou parte de seu rosto. Prichard deu um passo à frente, assustado.

– Meu Deus! Que maravilha... quando você chegou? Eu...

E não conseguiu completar a frase.

O visconde foi acometido por um acesso de riso, e a expressão sombria se dissipou, dando lugar a um sorriso caracteristicamente amável. Ele tirou o chapéu, a luz do sol iluminando a superfície do rosto e fazendo os cabelos negros reluzirem.

– Estou lhe comunicando meu retorno neste exato instante. – Ele abriu os braços. – Veja só, o filho pródigo à casa torna.

Anos se passaram desde a última visita do procurador ao visconde de Easterly na Itália. Os anos seguintes haviam mudado o homem; agora tinha os ombros largos e a aparência mais esguia. Havia certa frieza nele, uma linha reta nos lábios e nas sobrancelhas, um ar sombrio pouco condizente com os seus 32 anos. É claro, era absolutamente natural, considerando-se tudo o que havia acontecido. A indignação tomou conta do coração do Sr. Prichard.

– Você nunca deveria ter sido forçado a ir embora. É uma desgraça que...

Não conseguiu continuar. O visconde havia estendido a mão, como se fossem se cumprimentar.

O Sr. Prichard engoliu em seco.

– Eu... seria inadequado se eu...

Max segurou a mão do homem e apertou-a com firmeza. Viver sozinho tinha lhe ensinado muitas coisas, uma delas era o valor da sinceridade.

– Vamos, Prichard! Confiei em você do fundo do meu coração. O mínimo que posso fazer é apertar sua mão.

Um calor subiu no rosto afilado do Sr. Prichard.

– Seu pai nunca teria aprovado...

– Meu pai perdeu a fortuna da família quando eu tinha 16 anos. Estimo suas qualidades, mas há algumas coisas a respeito dele que optei por não repetir. – No passado, Max teria preferido cortar a língua a admitir tal verdade acerca do pai. Mas a época da delicadeza tinha acabado havia muito tempo. – Se você fosse um homem sem caráter, poderia ter me roubado quando fui embora. Você não fez isso, e sou-lhe grato.

Prichard engoliu uma ressalva antes de fazer um gesto na direção de seu escritório.

Max enfiou o chapéu debaixo do braço e caminhou na frente do procurador em direção ao agradavelmente iluminado aposento, onde avistou uma cadeira próxima à mesa. Enquanto se sentava, o olhar vagueava pela janela, perscrutando a vista familiar de Londres tomada por edifícios e pelo agradável som das vozes inglesas dos vendedores ambulantes alinhados na calçada.

Prichard sentou-se atrás da mesa, os olhos ardendo de curiosidade.

– Meu Deus, estou tão contente em vê-lo! Já esteve com a viscondessa?

– Jantamos juntos na noite passada, de certa forma.

E que confusão tinha sido. A maldita pulseira de lady Neeley sumiu e ela fez uma confusão tão grande em torno disso que todos deixaram o jantar meio indignados. O que acabou sendo bom, pelo menos para Max. Foi um verdadeiro martírio ficar em uma sala sentado tão perto de Sophia e não poder sequer olhar para ela.

Ele se remexeu no assento, a inquietação fazendo seu joelho doer.

– Ela parecia bem.

Parecia mais do que bem. Parecia estar radiantemente saudável.

– Então a viscondessa ficou feliz em vê-lo?

– Ela não veio voando pela sala. Encarei isso como um sinal encorajador. – Ele enfiou a mão no bolso e puxou uma carta dobrada, entregando-a para Prichard. – Leia isso.

O procurador tirou os óculos do bolso e os acomodou no nariz, em seguida franziu os olhos para a carta.

– Ela está com o diário do seu tio? O tio que supostamente teve um caso com a rainha?

– Está. O diário estava trancado no baú e não pensei em levá-lo comigo quando parti apressado. Ao que parece, Sophia o encontrou. Se o diário se tornar público, a paternidade de metade da alta sociedade será questionada.

O procurador devolveu a carta a Max.

– Ela faria uma coisa dessas?

Max esboçou um ligeiro sorriso.

– É tão teimosa quanto eu.

– Vocês me parecem o casal perfeito. Com frequência me pego pensando que você talvez tenha se precipitado quando decidiu deixar a viscondessa.

– O que mais eu poderia ter feito? Tê-la levado comigo para o exílio? Con-

dená-la ao mesmo inferno ao qual ela tinha me condenado? Eu não poderia...
– Ele cerrou a boca com força. Droga, tinham se passado doze anos. Já deveria estar acostumado a esse sentimento, à sensação de perda, de traição. Mas, de alguma forma, não estava. – Lady Easterly tomou sua decisão e eu tomei a minha.

– Milorde, não o culpo por ter ido embora, tinha todo o direito. – O procurador se remexeu na cadeira. – Sejam lá quais tenham sido as circunstâncias, devo admitir que o senhor foi mais que generoso com o sustento dela durante esses anos. Acho curioso que tenha conseguido tais somas de dinheiro em um período de tanta incerteza. O senhor nunca me explicou isso.

– Não – retrucou Max calmamente. – Nunca expliquei.

Prichard apertou os lábios e disse em tom cauteloso:

– No mês passado fiz uma visita a lorde Shallowford. Ele tem uma vasta coleção de arte.

Max permaneceu impassível.

– Bom para ele.

– Ele tem muito orgulho dessa coleção. Enquanto estava na propriedade, vi uma pintura que ele adquiriu recentemente. – Prichard fez uma pausa expressiva. – Na Itália.

– Muitas pinturas são da Itália.

– Não são como aquela. Era uma cena pastoral, exatamente como a que vi uma vez em sua casa, dez anos atrás. Se me lembro bem, a pintura se encontrava úmida ainda. Na verdade, acho que o senhor estava na dúvida sobre onde pintar uma determinada árvore.

Droga. Como havia sido descuidado.

– Lorde Shallowford me disse que o pintor se chamava Bellacorte. – Prichard tossiu delicadamente. – Bellacorte é um dos nomes de sua família, acredito eu.

– Minha bisavó era italiana. Mas disso você já sabia.

– Ah, claro – disse Prichard com um ar de desaprovação. – Lorde Shallowford também mencionou o valor da pintura. Posso dizer que tem se dado bem no mundo das artes, não é?

– Tenho, sim, obrigado.

Mais do que bem. Em todos os sentidos, exceto por um.

O procurador limpou a garganta.

– Concederá a anulação a lady Easterly?

– Não. Pelo menos, não por enquanto. – Max se recostou na cadeira e cruzou as pernas. – Tenho que descobrir umas coisas antes de dar esse passo.

– Mas e o diário?

– Enquanto eu estiver aqui, não acho que ela vá tomar alguma atitude. A mera esperança de que eu coopere vai impedi-la de fazer algo precipitado. Enquanto isso... – Max apertou os lábios. – O que sabe sobre um sujeito chamado Riddleton?

O olhar de Prichard ficou sombrio.

– Pouca coisa. É bem respeitado entre os conhecidos.

– Pois o acho um perfeito imbecil. E escreve muitíssimo mal.

– Escreve? Está me dizendo que Riddleton escreveu para o senhor?

– Quatro longas e empoladas páginas, apontando-me o motivo para eu conceder a anulação do casamento à minha esposa.

Max coçou o peito de forma distraída, bem onde uma dor oca havia surgido. Sabia que chegaria o dia em que Sophia desejaria ser livre. Sabia disso desde que a deixou. Mas quando Sophia encontrasse outro homem, se fosse o caso, Max queria ter certeza de que fosse um sujeito digno.

– Milorde, se está preocupado que o Sr. Riddleton seja um caça-dotes, pode se tranquilizar. Ele é um homem muito rico.

O olhar de Max se estreitou.

– Você parece muito bem informado nesse quesito.

Prichard corou ligeiramente.

– Quando ouvi dizer que ele vinha se encontrando com frequência com a viscondessa de Easterly, fiz determinadas perguntas. Achei que fosse gostar que eu agisse assim.

– E o que descobriu?

– Não muito. Na verdade... Ele parece devotado à viscondessa.

Claro que o idiota estava apaixonado por ela... Quem não estaria? Sophia era inteligente, cheia de vida, linda. Era mulher demais para um homem que precisou de quatro páginas para formular uma maldita pergunta. E, acima de tudo, uma pergunta que não lhe dizia respeito. Aquela impertinência levou a paciência de Max ao limite.

– Droga! Não devia ter demorado tanto para voltar. – Ele olhou para o relógio de parede de Prichard. – Preciso ir se pretendo encontrá-la para o café da manhã.

Max se levantou e o procurador o seguiu.

– Claro. Espero que pretenda ficar na Inglaterra.

– Isso vai depender da minha esposa.

Foi a breve resposta de Max. Se fechasse os olhos naquele instante, sabia o que veria... o mesmo que tinha visto na noite anterior e em todas as noites antes dessa: o rosto de Sophia, seus olhos reluzentes, os lábios entreabertos.

Quando a encontrou na casa de lady Neeley, precisou se controlar para não arrebatá-la e beijá-la até perderem os sentidos, provar aqueles lábios, fazer com que os cílios vibrassem quando a levasse – quando os levasse – para além dos limites da paixão.

Sempre foi assim para ele, desde que a viu pela primeira vez, o que explicava a rapidez com que a pediu em casamento. Na noite passada, vendo-a esplendorosa, o corpo encantadoramente curvilíneo, o queixo erguido naquela inclinação orgulhosa... naquele momento, Max encarou a verdade. Havia se convencido de que voltara à Inglaterra para se certificar de que o tal Riddleton era bom o bastante para Sophia, mas esse não era de modo algum o seu propósito. Havia voltado para reconquistá-la. Sophia pertencia a ele e a mais ninguém, e de jeito nenhum ia ficar olhando um palhaço qualquer tentar tomar seu lugar.

Se percebesse um sinal – apenas um – de que os sentimentos de Sophia por ele não tinham acabado por completo, alteraria o curso da terra para ganhá-la de volta. Depois de tomar essa decisão, deixou o procurador e se dirigiu para a casa de Sophia.

Às oito e quinze, Sophia estava sentada à mesa do café da manhã, vestida com seu melhor penhoar de musselina azul, o cabelo arrumado à perfeição, diante de uma provinha de todos os pratos que fumegavam no bufê. Ela levou a mão ao estômago. Estava nervosa demais para comer, mas se recusava a parecer qualquer outra coisa que não inteiramente à vontade quando Max enfim chegasse.

Se chegasse. Olhou ressentida para o relógio. Ele já estava quinze minutos atrasado. O que não deveria ser uma surpresa, embora definitivamente estivesse lhe tirando a paciência. Será que achava que ela ficaria ali esperando para sempre enquanto ele...

Ouviu-se uma leve batida na porta. Seu coração deu um pulo e, mais que depressa, tratou de espetar o presunto com o garfo.

– Sim?

A porta se abriu e o novo mordomo entrou, o irmão caminhando atrás dele.

– O conde de Standwick.

Sophia deixou o garfo cair no prato.

– Obrigada, Jacobs.

Ela mal esperou que ele fechasse a porta para disparar um olhar cortante na direção do irmão.

– O que *você* está fazendo aqui?

– Vim comer sua comida. – John se dirigiu ao bufê e começou a erguer as tampas de prata, os tinidos ressoando levemente pelo ar. – Não tem arenque defumado?

Ela se recusava a ser distraída.

– Posso muito bem lidar sozinha com Max.

– Claro que pode. – Ele recolocou as tampas e voltou para a mesa, fazendo uma pausa quando viu o prato dela. Arregalou os olhos. – Meu Deus! Vai comer isso tudo?

– Cada pedacinho.

John sentou-se em uma cadeira em frente à dela.

– Acredite ou não, estou nervoso demais para comer. Nem consegui dormir esta noite.

– Pois eu dormi como uma pedra – mentiu Sophia, cortando com rapidez o presunto em nacos menores.

– Gostaria de ter dormido, mas não parava de sonhar com aquela noite. Sabe, quando Max foi embora. – John pousou os cotovelos sobre a mesa. – Não consegui decidir o que era pior, a culpa ou a raiva.

Sophia sabia com exatidão o que ele queria dizer. Qualquer que fosse a mistura, não era agradável. Mas mesmo assim não desejava discutir o assunto. Precisava ter todas as faculdades aguçadas e preparadas para quando Max enfim chegasse.

– Podemos falar sobre outra coisa, por favor?

– Claro. – John passou a mão no rosto. – O pior do meu sonho foi que, dessa vez, eu sabia da inocência de Max, mas não podia dizer nada. Era como se tivessem colado minha língua no céu da boca e...

– John. Não quero mais falar sobre esse assunto.

– Ah, claro.

John assumiu de imediato uma postura contemplativa, a expressão distante.

O silêncio reinava no aposento. Sophia começou a fazer desenhos em seus ovos com a ponta do garfo, lembrando-se de uma outra vez em que esperou por Max a uma mesa de café da manhã muito parecida com esta. Só que ele nunca apareceu. Sentiu um nó na garganta. Era difícil acreditar que uma lembrança pudesse doer tanto, mas sabia, por experiência própria, que elas podem cortar o coração tão bem quanto a mais afiada das facas.

– Mas que diabos, Sophia! – John recostou-se, a cadeira rangendo com o seu movimento repentino. – Precisamos conversar a respeito disso. Quando me lembro dos acontecimentos daquela noite, percebo que fazem todo o sentido. No momento em que lorde Chudrowe baixou as cartas e olhou para Max como se... bem, todos sabiam quem estava ganhando. Todos concluímos que tinha sido Max. E ele ficou ali sentado, frio, impassível como uma tábua, sem pronunciar uma maldita palavra. Parecia estar desafiando alguém a falar em voz alta. – John se levantou e começou a andar ferozmente pela sala. – Por que ele não disse nada?

– Orgulho – respondeu Sophia sem demora. – Para ele, esse é o começo e o fim de tudo.

– Droga! Uma única palavra, era tudo o que ele precisava dizer. E Richard... – John se interrompeu, os lábios apertados.

Sophia acomodou novamente o garfo ao lado do prato.

– Sou tão culpada quanto Richard. Quando Chudrowe chamou Max de trapaceiro, eu tive a chance de mudar as coisas. Poderia ter dito algo, defendido Max. Em vez disso, perguntei por quê. Não disse se. Mas *por quê*. Foi isso que o condenou.

– Mesmo que você o tivesse defendido, todos achariam que estava fazendo isso só por ser a esposa dele.

– Mas foi por eu *ser* a esposa dele que o que eu disse teve tanto efeito. Era eu quem deveria acreditar nele, ter confiança...

Para seu horror, uma lágrima escorreu pelo rosto.

John se colocou ao seu lado e lhe ofereceu um lenço.

– Obrigada. – Sophia enxugou os olhos. Não imaginava que lhe houvesse sobrado alguma lágrima. – Não faz sentido voltar a esse assunto. O que Max e eu tivemos acabou, se é que um dia existiu alguma coisa.

Durante aqueles anos todos, passou a duvidar até mesmo daquilo. Até a noite anterior. O encontro dos dois remexeu em algo dentro dela. Um vestígio de sentimento, talvez; uma lembrança do que poderia ter sido. Mas com certeza nada além disso.

John fechou a cara.

– Apesar de Max ter sido injustiçado, não há desculpa para o modo como a abandonou. E, além de tudo, você teve que encarar o escândalo sozinha.

Sophia abriu a boca, mas alguém bateu na porta. O som pareceu reverberar na saleta.

Jacobs entrou, e Sophia se apressou em esconder o lenço.

– Sim?

– Há um cavalheiro exigindo vê-la que diz ser... – Jacobs franziu a testa. – Minha senhora, ele diz ser o visconde de Easterly.

– Faça-o entrar.

Jacobs ergueu as sobrancelhas, mas virou-se a fim de cumprir a ordem recebida. Sophia se levantou e foi praticamente correndo até o espelho que ficava acima da lareira. Ajeitou o cabelo e beliscou as bochechas para trazer um pouco de cor ao rosto.

– O que está fazendo? – perguntou John, o tom divertido.

– Nada. Pode ir agora. Posso resolver isso.

– Claro que pode. – John se dirigiu ao bufê, pegou um prato aquecido e se serviu de ovos e presunto. – Irei assim que tiver acabado de comer.

– John – disse ela, estreitando os olhos. Ela o amava muito, mas ele era o homem mais obstinado que conhecia, exceto por Max. – Não quero que...

A porta se abriu e Max entrou, os ombros largos e o porte musculoso em evidente contraste com o corpo esguio de John. A sala pareceu se aquecer, e Sophia se viu lutando para encher os pulmões de ar. Ele estava trajado para visitas matinais e parecia ainda mais bonito que na véspera.

Ele esperou que Jacobs fechasse a porta para se virar para ela, as sobrancelhas negras acentuando o tom prateado dos olhos.

– Minhas desculpas pelo atraso. Havia tantas carruagens e vagões na estrada que foi difícil chegar à cidade.

– Isso é verdade. Espero que não se importe por não o termos esperado.

O olhar acizentado seguiu para o prato de Sophia, repleto de comida, e reluziu com um brilho de ironia.

– Veja só. – O olhar dele voltou a ela – Você costumava odiar as manhãs.

– Passaram-se muitos anos desde a época em que eu dormia até o meio-dia – disse ela, com um tom arrogante, ignorando a risada contida de John.

Ela lançou um olhar repressor para o irmão.

– Outra mudança – disse Max. – Atrevo-me a dizer que são muitas.

– Ah, sim – concordou John. – Maxwell, gostaria de lhe dizer que ficamos muito sentidos sobre o que Richard...

– Não há necessidade de voltar a essa história. Nem eu penso mais nela.

Ele parecia tão à vontade, tão... tranquilo. Sophia gostaria de poder dizer o mesmo a seu respeito. Seu coração batia milhares de vezes mais rápido do que o normal, o corpo estava inquieto, consciente da presença dele. Como pôde esquecer que ele era tão atraente? Tão másculo e sensual? Especialmente quando o humor espreitava nos seus frios olhos cinza.

– Sophia? – A voz de John interrompeu seu devaneio. – Talvez devêssemos nos sentar.

– Ah, claro. – Ela controlou os pensamentos, desejando abrandar um pouco o calor que abrasava seu rosto. – Max, gostaria de comer alguma coisa?

– Não, obrigado. Já comi mais cedo.

Ele esperou que ela se sentasse para se acomodar na cadeira à sua esquerda. John os seguiu, pondo o prato a sua frente e pegando os talheres.

– Está perdendo uma refeição suntuosa. A cozinheira de Sophia faz maravilhas com ovos.

– Tenho certeza disso – disse Max, com a voz tranquila e aveludada.

Sophia teve que conter um arrepio.

– Sabe, Easterly – prosseguiu John –, você é um homem de sorte por Sophia ainda lhe dirigir a palavra. Você a deixou e ela tem todo o direito de estar furiosa. É por isso que quer a anulação.

Sophia chutou o irmão por baixo da mesa.

– Ai! – Ele espiou por baixo da mesa. – Que diabos foi isso?

Sophia desejou mandar o irmão para o inferno ou para algum lugar igualmente desagradável como Leeds ou Harrowgate.

– Acho que você bateu o joelho em algo.

John esfregou a perna.

– O que quer que tenha sido era pontiagudo e afiado.

– Muito parecido com a sua cabeça, então.

– Vejo que algumas coisas não mudaram em nada – disse Max secamente.

– Sophia sempre teve um temperamento medonho – concordou John, voltando-se para o prato.

Max sorriu.

– Você deveria ter lido algumas das cartas que ela me enviou. Minha favorita é uma em que ela traçou a genealogia da minha família, de mim até as origens como um verme. E também usou tinta colorida. Essa eu cheguei a emoldurar.

Sophia estreitou os olhos.

– Você não fez isso.

– Fiz, sim – replicou ele de maneira gentil. – Está pendurada na parede detrás da minha escrivaninha.

Ela torceu o nariz.

– É possível que em algumas de minhas primeiras cartas eu tenha soado um pouco irritada...

– Irada – corrigiu-a Max, cruzando os braços e se recostando na cadeira. – Furiosa. Fumegante. Enraivecida...

– *Irritada* – repetiu ela com firmeza.

John abriu a boca.

– *Não*. – Sophia o deteve com um olhar ameaçador. – A menos que você queira sair da minha casa com um garfo espetado na testa, fique fora desta conversa.

John fechou novamente a boca, mas a expressão em seus olhos denunciava que estava se divertindo.

– Obrigada. – Ela então se voltou para Max, que a observava com um leve sorriso estampado no rosto. – Já que John trouxe o assunto à tona... Você *concordará* com a anulação?

O olhar dele percorreu o rosto de Sophia, demorando-se nos lábios. Depois de um instante, ele respondeu com um tom sério:

– Talvez.

Talvez? Que tipo de resposta é essa?

– Eu estou com o diário.

– Eu sei. Não deveria tê-lo deixado aqui, mas quem poderia imaginar que você o usaria de forma tão perversa?

– Perversa? – O rosto dela ferveu. – Quero acabar com essa farsa de casamento.

A expressão dele se congelou. Depois de um minuto, ele rebateu:

– Vou lhe dar uma resposta depois que tiver pensado no assunto.

Sophia tentou não perder a paciência. E, realmente, não entendia por que estava desse jeito. Afinal, esperara doze anos. Mas, de certa forma, queria agir agora.

– Não esperarei mais do que uma semana. Depois disso, o diário do seu tio vai a leilão.

A raiva cintilava nos olhos de Max.

– Sophia, não me pressione para...

– Fiquem calmos, os dois. – John cortou o presunto. – Max, talvez você devesse saber que Sophia quer a anulação porque tem um pretendente.

Sophia apertou as mãos na beirada da mesa para se impedir de levantar e esmurrar as orelhas de John. Que diabos ele estava fazendo? John nunca havia sido um modelo de conveniência, mas aquilo estava ultrapassando todos os limites.

– Um pretendente? – Uma nota de acusação tocou as palavras de Max. – Um pouco prematuro, não acha?

– Faz doze anos – replicou ela obstinadamente.

– Mas faz apenas uma semana que eu recebi seu pedido para a anulação.

– Não estou pedindo a anulação para estar com outra pessoa. Só quero ser livre.

– Para se casar novamente?

Casar novamente?

– Eu preferiria ser cozida como um ovo e deixada para morrer no leito de um rio seco!

Max relaxou o rosto, enquanto John engasgava, tossia e tapava a boca com o guardanapo. Depois de um instante, afastou o guardanapo e disse com a voz rouca:
– Deus a ama, Sophia. Ninguém tem o dom das palavras como você.
– Estava só constatando um fato – disse Sophia, um pouco na defensiva. Às vezes, quando menos esperava, deixava escapar um acesso de raiva que vinha de algum lugar profundo de sua alma, surpreendendo-a tanto quanto aos que estavam a sua volta. Era muito desconcertante.
John riu, e se voltou para Max.
– Então, Easterly! Quanto tempo ficará conosco?
Max deu de ombros.
– Não sei. O jantar da noite passada me fez perceber que quase não senti falta da alta sociedade. Lady Neeley me fez sentir saudades da costa da Itália.
– A mim também, e nunca estive lá. Ela normalmente oferece os melhores jantares e todos comparecem apesar de ela ser um morcego velho e grosseiro.
– Não consigo acreditar que desconfiou do próprio sobrinho.
– Pois é. Ela parecia decidida a provar que alguém no jantar tinha roubado sua maldita joia. Sabe, Max, já que você tinha a desvantagem de não conhecer lady Neeley, fiquei bastante surpreso que ela não o tivesse acusado.
– Acusar Max? – rebateu Sophia na mesma hora. – Ela não *ousaria*!
Dois pares de olhos se voltaram para ela.
– Sophia! – exclamou John, as sobrancelhas tão arqueadas quanto possível.
Diabos, ela estava fazendo papel de boba de novo. Sophia pigarreou.
– Sinto muito, mas é tudo muito absurdo. Todo o esforço que John e eu fizemos para colocar as coisas em ordem depois da morte de Richard terão sido em vão se lady Neeley começar com uma história desse tipo.
– É verdade – concordou John, apoiando o garfo e a faca ao lado do prato vazio, para o qual ficou olhando com profundo pesar.
– Vocês não precisavam ter se incomodado – observou Max. – Não me importo com a opinião dos outros.
– Mas deveria – disse John, lançando-lhe um olhar irritado. – O que pensam de você, também pensam da minha irmã.
– Que bobagem! – exclamou Sophia. – Eu só não quero que as pessoas pensem coisas que não são verdade. Já sofremos muito por causa dessas besteiras.
– Infelizmente, eu concordo – disse John. Ele limpou a boca, deixou o guardanapo na mesa e se levantou. – Sophia, a refeição estava deliciosa. Gostaria de poder ficar, mas estão me esperando no White's.
Max também se levantou.
– Permita-me acompanhá-lo. Tenho um compromisso e também preciso ir.

Então era isso, percebeu Sophia com um súbito pesar. Max concordara em considerar a anulação. De certa forma, tinha conseguido o que queria. Por que, então, sentia-se tão perdida?

Silenciosamente, Sophia se levantou e os seguiu até a porta, o guardanapo esquecido entre as mãos.

– John, passe aqui mais tarde.

Ele se curvou e beijou o rosto da irmã.

– Passo, sim. Bom dia, minha querida. – Ele piscou para ela e foi embora.

Sophia o ouviu pedir o casaco a Jacobs.

Max o seguiu, mas assim que chegou à porta, parou e se virou.

– Há mais uma coisa que preciso perguntar.

Para esconder as mãos trêmulas, Sophia as pôs para trás, o guardanapo ainda apertado entre os dedos.

– Claro.

Max reduziu o espaço entre eles, levantou o braço e deslizou os dedos por sua bochecha, e depois até o queixo. O olhar dele ficou mais intenso.

Aquele toque lhe provocava sensações perturbadoras.

– O que quer me perguntar? – gaguejou ela.

A questão ficou pairando no ar por um instante, até que Max se inclinou e pousou os lábios nos dela.

Foi um beijo casto, só um leve encostar de lábios. Mas não permaneceu simples por muito tempo. Como sempre acontecera, no segundo em que Max a tocou, as coisas começaram a mudar. Sua pele se aqueceu, a respiração se acelerou, o corpo ficou relaxado pelo desejo. Parecia tão certo. Tão incrivelmente certo. Fazia tanto tempo que um homem não a tocava daquela maneira, não a beijava, não fazia seu corpo derreter por dentro. Sophia se entregou ao beijo, se deixou levar de corpo e alma por ele. Os braços se acomodaram ao redor do pescoço de Max, a boca abrindo-se sobre os lábios dele.

Max soltou um gemido abafado, e então intensificou o beijo. Sua boca a provocava e torturava, a língua deslizando pelos lábios dela. As mãos seguraram seu traseiro através do vestido, mantendo seu corpo firme no dela.

Sophia deixou escapar um leve gemido. Deus, como ele era *bom* naquilo. E como havia sentido falta daquilo, sentido falta dele. Ela o puxou ainda mais, tentando de algum jeito ficar ainda mais perto, apesar de agora estarem separados apenas pelas roupas. As pernas musculosas de Max estavam pressionadas contra as dela em meio à saia do vestido, revolvendo delicadas ondas de fogo do estômago ao ventre... Exatamente quando o corpo de Sophia começou a tremer em consentimento, Max interrompeu o beijo. Ele a soltou, o peito arfante, a pele ruborizada.

O corpo inteiro de Sophia ardia. Que os céus a amparassem, mas ela o queria. Colocou uma mão na bochecha, consciente de que tremia dos pés à cabeça.

Minha nossa, aquilo não era uma boa coisa. Claro, era *puramente* físico. Sim, disse a si mesma, em desespero, era só uma reação, como recuar quando se toca em carvão incandescente.

Estava consciente do olhar dele e percebia que precisava dizer algo. Encontrar palavras que fizessem aquele momento passar. Mas não conseguia sequer mexer os lábios.

– Acredito que isso responde a minha pergunta – disse ele, a voz rouca e aveludada.

– Pergunta? Que pergunta? Que ainda gosto de beijos? Isso não foi nada.

Ele a olhou de forma ardente.

– Foi muito mais do que nada e você sabe disso.

– Hã? Como pode dizer isso?

– Você deixou cair o guardanapo.

Os olhos dela acompanharam os dele até o chão. Um quadrado de tecido branco repousava sobre o seu pé. Droga. Devia ter caído de seus dedos dormentes.

– Isso não prova nada – retrucou ela finalmente. – Minha mão ficou dormente. Acontece com frequência.

Minha nossa, de onde saiu aquilo? Podia perceber, pelo olhar atordoado dele, que, pelo menos, havia causado uma impressão.

Um lampejo de humor perpassou os olhos cinzentos.

– Sua mão fica dormente? Desde quando isso acontece?

– Ah... há algumas semanas – respondeu ela devagar, determinada a insistir na ideia. – Na verdade, tem acontecido com tamanha constância que nem noto mais.

Ele riu.

– Você prefere cortar seu nariz fora a admitir que eu a afetei, não é?

Ela tentou reorganizar as ideias, a mente divagando em milhares de direções diferentes.

– Espero que não pense que lhe devolverei o diário só porque me beijou. Estou falando sério sobre o pedido, Max. Quero a anulação ou venderei o diário em leilão pelo lance mais alto.

A boca dele se curvou em um sorriso que era ao mesmo tempo convencido e arrogante.

– Você vai ao Grande Baile dos Hargreaves?

O que era aquilo?

– Talvez – respondeu ela com cautela.

– Então nos vemos por lá e discutimos melhor o assunto. – O olhar dele a percorreu mais uma vez, a prata derretida que tanto queimava quanto lhe dava prazer. – Até lá, Sophia.

Ele sorriu outra vez, virou-se e saiu da sala.

Ela ficou parada no meio do aposento, com uma das mãos sobre os lábios ainda trêmulos, o corpo suando frio, a mente perplexa com a percepção de que, apesar de todos aqueles anos, depois de tanta dor, depois de tudo o que havia sido feito e dito, Max ainda era capaz de derreter-lhe os ossos em uma poça de desejo com o simples toque dos seus lábios.

Com os pensamentos caóticos demais para que conseguisse se entregar a algo tão mundano quanto uma visita matutina, Sophia se retirou para a solidão de seu quarto. No entanto, uma vez lá, deparou-se com um silêncio ensurdecedor. Andou de um lado para outro, da cama até a lareira, a cabeça a mil. Por que havia reagido daquela forma ao beijo de Max? Queria ter ficado impassível, contida. Mas tudo havia lhe escapado diante da força da paixão dele.

Pressionou o rosto com as mãos. Sempre houvera uma conexão física entre os dois. Mas tinha se esquecido da força daquela conexão e de como ela afetava suas emoções.

– Não há de ser nada – disse ela ao próprio reflexo quando passou em frente ao espelho, tentando ignorar os lábios inchados por causa do beijo e a pele reluzente. – Isso vai passar e tudo voltará a ser como antes.

Assim como Max.

Ela levou a mão ao peito, que doía com a fúria de sua reação a ele. Honestamente, aquilo era ridículo. Seu coração não estava mais ligado ao de Max, não poderia estar. Só foi pega desprevenida e reagiu com mais intensidade do que o esperado. Afinal, sua união anterior havia sido extremamente apaixonada e intensamente física. Acrescente-se a isso os doze longos e solitários anos desde que havia experimentado a maravilha que era fazer amor, algo de que gostava bastante. É claro que seu corpo havia reagido com exagero ao toque de Max.

A explicação sensata a acalmou. Passou os dedos nos lábios, sentindo ainda a pressão da boca dele. Sentia saudades daquela parte do relacionamento dos dois, da alegria e da intimidade de poder estar inteiramente desinibida com um homem. As lembranças voltaram, frescas e mais pungentes, e ela se deteve no centro do quarto, lembrando-se com renovado prazer do arrebatamento que sentira nas mãos dele, do calor estonteante da boca, do gosto delicioso da pele nua, do...

– Não! – Ela enterrou o queixo no peito e pôs-se a andar ainda mais furiosamente de um lado para o outro. Tudo aquilo era passado e não havia sentido ficar relembrando. Se quisesse outra vez o calor de uma relação de verdade, deveria encontrar uma forma de fazer Max concordar com a anulação. Seu futuro a esperava em outro lugar, com alguém que nunca a deixaria. Com alguém que não voltaria só porque ela havia ameaçado expor sua família ao ridículo.

Na verdade, essa parte doía. Ser forçada a recorrer a artifícios tão baixos. Mas estava cansada de se ver atada a um homem que não se importava com ela. Um homem que não parecia sequer ser capaz de se importar.

Sua mente voltou ao beijo, a profunda ternura que havia sentido. O que ele queria provar? Que ela ainda era vítima de seu feitiço sensual? Diabos, gostaria de não ter demonstrado fraqueza. Certamente aquele único beijo não o levaria a uma conclusão precipitada. Sophia se sentou na beirada da cama, os braços cruzados, enquanto tomava uma decisão. A despeito do que havia acontecido naquela manhã, não se mostraria tão fraca novamente.

Da próxima vez que encontrasse Maxwell Hampton, estaria pronta para... qualquer coisa.

CAPÍTULO 3

Esta autora comprova mais uma vez ser a mais intrépida e meticulosa jornalista de Londres. Eis aqui a lista de convidados do malfadado jantar de lady Neeley:

O conde e a condessa de Canby, com sua filha, lady Mathilda Howard.

O conde de Standwick, irmão de lady Easterly.

Lorde e lady Easterly (embora todos os presentes afirmem que eles tenham chegado separadamente).

Lorde e lady Rowe.

Lorde Alberton.

Lady Markland.

O honorável Sr. Benedict Bridgerton.

O honorável Sr. Colin Bridgerton.

Sr. Brooks, sobrinho da anfitriã.

Sr. Thompson, do 52º Regimento de Infantaria, filho de lorde Stoughton.

Sr. e Sra. Dunlop, com seu filho, Sr. Robert Dunlop, também do 52º Regimento de Infantaria.
Sra. Featherington, viúva, com sua filha, Srta. Penelope Featherington.
Sra. Warehorse, viúva.
Srta. Martin, dama de companhia da anfitriã.
E, é claro, lady Neeley.

Os acima mencionados não devem ser considerados suspeitos, embora, é claro, lady Neeley insista nisso. Seria negligência, entretanto, não ressaltar que o nome de lady Neeley também está na lista.

CRÔNICAS DA SOCIEDADE DE LADY WHISTLEDOWN,
31 de maio de 1816

Já que não veria Max até o Grande Baile de lady Hargreaves, Sophia teve que esperar um pouco mais para demonstrar sua indiferença. Fazia perfeito sentido alguém estar em sua melhor aparência para defender um ponto tão importante, então decidiu usar um arrebatador vestido longo de seda azul-violeta sobreposto por uma renda de seda branca. O cabelo louro estava trançado sobre a cabeça, com algumas mechas soltas formando cachos perto das orelhas, e os pés estavam envoltos por um lindíssimo par de sapatos brancos com contas que brilhavam a cada passo que dava. Soube que não poderia estar mais bonita quando viu a expressão de seu lacaio, boquiaberto, vendo-a caminhar pelo vestíbulo em direção à carruagem.

Sophia chegou exatamente às dez. Uma longa fila de coches enchia a rua em frente à casa, as luzes reluzindo na escuridão. Lady Hargreaves oferecia um baile durante a alta temporada, uma insignificante e frugal tentativa de retribuir os vários convites que recebia durante o ano. A velha senhora não gostava de gastar sua fortuna em algo que transparecia esplendor, luxo ou conforto, então oferecia pouco aos convidados em termos de comida e entretenimento. Ainda assim, as pessoas afluíam ao Grande Baile, umas para constatar o grau de mesquinhez da anfitriã; outras para adivinhar qual de seus netos era agora o favorito. Lady Hargreaves tinha o desconcertante hábito de ofender-se por qualquer motivo, por isso todo ano um neto diferente poderia ocupar a posição de favorito. Dizia-se que quem caísse nas boas graças da velha senhora herdaria uma fortuna quando ela morresse. Tudo dito, era um jogo macabro de dança das cadeiras.

Ao chegar ao salão principal de baile, Sophia descobriu que lady Hargreaves contratara uma orquestra insuficiente. A conversa dos convidados se sobrepunha aos esforços inúteis dos músicos, fazendo com que dançar fosse quase impossível. Os aposentos já estavam abafados, e o leve odor de mofo que permeava todo o salão de baile – posto que aquele ambiente era usado apenas para este evento, uma vez por ano – contribuía para o desconforto de alguns convidados, que espalhavam-se pelo lugar fofocando com entusiasmada determinação para espantar o tédio.

Sophia atravessou o salão, acenando e sorrindo para os conhecidos. Enrubesceu quando lorde Roxbury passou por ela e agraciou-lhe com um piscar de olhos. O homem era um patife que havia tentado flertar com ela em mais de uma ocasião desde que Max partira, mas Sophia havia endurecido o coração contra todos os homens e o havia rejeitado. Ainda assim, não pôde evitar um olhar apreciativo; afinal, ele era um homem atraente.

Dirigiu-se ao canto mais distante do salão, próximo às portas do terraço, quando viu o irmão encostado a uma parede, olhando com alguma tristeza para o conteúdo do prato em suas mãos.

Assim que chegou ao lado de John, ele estendeu o prato para sua inspeção:

– Nunca vi um bolo tão sem gosto.

Na ponta dos pés, ela observou o conteúdo mais de perto.

– Parece um pouco seco.

O rapaz espetou o bolo com um garfo.

– Duro como uma pedra. Caiu um pedaço no meu pé e quase esmagou meu dedo.

Sophia balançou a cabeça com tristeza.

– É bem provável que lady Hargreaves não tenha gastado mais do que 20 libras em todo o baile. Ela é convidada para todos os eventos por causa de sua fortuna e ainda assim não faz a gentileza de oferecer um bolo fresco a seus convidados.

– A música é desagradável, as salas sufocantes e a comida... – Ele olhou em volta e em seguida tirou disfarçadamente um frasco do bolso e jogou seu conteúdo sobre o bolo. Depois tomou um gole do frasco e guardou-o de novo. Suspirando de satisfação, comeu um pedaço do bolo molhado. – Humm... bolo de rum. Um dos meus favoritos.

– Como consegue comer isso?

– É fácil – replicou ele, impassível, continuando a comer o bolo com grande deleite. Assim que terminou, colocou o prato em uma mesa próxima e olhou a sua volta com expectativa. – Você viu Max? Pensei que ele estivesse aqui.

Ela também. Mas pelo bem de John, deu de ombros como se não se importasse.

– Não o vi.

– Mesmo? Eu pensei... – John apertou os lábios.

– Pensou o quê?

– Nada. Nada, na verdade – respondeu John, enfiando as mãos nos bolsos, a silhueta esguia curvando-se enquanto se apoiava na parede. – Sabe o que ouvi no saguão quando cheguei? Lady Neeley está aqui, dizendo a quem quiser ouvir que refletiu muito sobre o assunto e já sabe quem roubou a pulseira.

Sophia ficou imóvel. Algo no jeito como John a fitava fez suas palavras parecerem eminentemente importantes.

– O que mais ela disse?

– Não sei, a multidão nos separou. Mas eu não duvidaria que ela tenha mencionado Max. Parecia que estava indo nessa direção.

Sophia se enrijeceu, dominada pela raiva.

– Se lady Neeley acha que pode espalhar boatos maldosos como esses, terá que pensar duas vezes. Max era apenas um convidado, como todos nós, e...

– Acalme-se, minha querida! Não esbraveje para mim! Só estou contando o que ouvi.

– Bem, ela está errada.

– Claro.

– Max nunca faria isso.

– Também não o imagino fazendo algo do tipo.

– Ela deveria levar um *tiro* por fazer tais acusações.

– Eu a ajudarei a carregar a pistola. – Ele deu um sorriso irônico. – Sem dúvida, você está irritada esta noite. Sentindo falta de seu cãozinho, o Riddleton?

– Thomas não é meu cãozinho – retrucou ela, uma leve tensão ainda aparente nos ombros. – É um amigo e uma ótima pessoa.

John curvou os lábios em um assobio silencioso.

– Pobre coitado. Descrever um sujeito como uma ótima pessoa é o beijo da morte para quem está cortejando.

– Ele não está me cortejando! Além disso, o que você sabe sobre cortejar alguém? Gasta todo o seu tempo correndo atrás de mulheres rechonchudas com notórias boas cozinheiras, em vez de se dedicar a galanteios mais sérios.

– Eu sou membro do White's – disse ele com arrogância. – Sei tudo a respeito de sofrimento masculino. Ouço isso todos os dias.

– Você ouve um bando de bêbados reclamando sobre situações que eles secretamente alimentam.

– No White's não há um bando de bêbados. Sujeitos bêbados, sim. Mas um bando de bêbados, não. Eles têm um processo de admissão muito criterioso.

– Não pode ser tão criterioso assim se o deixaram entrar.

– Você... – O olhar de John se fixou acima da cabeça dela. – Bem...

– Sophia.

A voz de Max surgiu às suas costas. Aquele som a transbordou, aqueceu-a dos pés à cabeça. *Aja com naturalidade*, disse a seus sentidos rebeldes. *Aja como se não se importasse. Como se nunca tivesse se importado. Como se nunca mais fosse se importar.* Estampando um sorriso absolutamente casual nos lábios, virou-se para encará-lo. Ele estava com um traje de muito bom gosto, o casaco preto lhe caía muito bem, o cabelo, penteado de forma impecável. Mas não importava como Max estava vestido, ainda havia algo perigoso nele, como se as roupas civilizadas escondessem um coração indomado.

– Easterly – disse ela com uma tranquilidade aparente –, que bom vê-lo outra vez.

– Digo o mesmo. – Ele fez uma mesura, o olhar fixando-se em John. – Standwick. Como está?

– Bem. Apreciando um pedaço de bolo de rum e conversando com minha irmã. O que está achando deste adorável e cobiçado evento?

– Sem comparações, e ficará ainda melhor assim que eu tiver uma chance de comer um bolo de rum e de falar com sua irmã também.

– Creio que você ficará sem o bolo de rum. Comi o último pedaço. E estava delicioso. – John desencostou da parede. – Mas se deseja falar com Sophie, ela é toda sua. Vou dar uma olhada no salão de jogos e ver o que está acontecendo por lá.

Sophia o encarou. Diabos, o que John estava fazendo? Ela o pegou pelo braço e disse com um sorriso falso:

– O salão de jogos! Que ideia maravilhosa! Vou acompanhá-lo. Estou morrendo de vontade de jogar piquet.

John se desvencilhou da irmã.

– Você odeia piquet.

– Eu *adoro* piquet.

– Não. Eu a ouvi dizer na casa dos Remingtons que piquet era para imbecis e para aqueles que eram estúpidos demais para participar de um jogo de cartas de verdade. Não acho que isso signifique "adorar" algo.

Ela iria matá-lo, era sua única esperança de ter uma vida agradável e normal. Mas antes que pudesse descobrir como fazê-lo em um local tão público, Max a pegou pelo braço.

– Vamos dançar?

Sophia ignorou o calor que a percorreu ao simples toque dele e inclinou a cabeça para um lado, esforçando-se para ouvir o som da orquestra. Nenhum som.

– Não consigo ouvir a música.

– Então, tomaremos ar no terraço.

Meu Deus, o terraço! Não podia ficar sozinha com Max. Sophia se virou para John bem a tempo de ver suas costas desaparecendo no meio da multidão. Desgraçado! Ela lhe diria poucas e boas na próxima vez que o visse. Muitas coisas, na verdade, e nenhuma delas agradável.

Max colocou a mão na curva do braço dela.

– Venha.

Ela manteve os pés plantados no mesmo lugar.

– Não estou com vontade de ir até o terraço.

Uma pitada de humor despontou na boca dele.

– Nem mesmo se eu prometer falar sobre a anulação?

A anulação. Era o que ela queria. Talvez, se tivessem essa única e simples conversa, ela pudesse conseguir sua concordância e ele iria embora o mais cedo possível.

– Acho que...

– Excelente.

Max a conduziu até a porta e, depois de abri-la, levou-a para fora com um movimento suave.

O barulho do salão de baile se reduziu quando a porta foi fechada e o ar frio da noite os envolveu. Para seu alívio, Max a soltou e simplesmente andava a seu lado.

O aroma fresco dos jardins úmidos clareou sua mente e acalmou seu coração acelerado. Ela caminhou até o topo da larga escada que dava para o jardim abaixo e admirou a vista iluminada pelo forte brilho da lua.

– É tão lindo.

Max se moveu para ficar ao seu lado e apoiou os ombros em um pilar.

– Lindo mesmo – concordou ele, e ela teve a sensação de que ele não estava olhando para os jardins.

Sophia engoliu em seco; sentia uma estranha vontade de sussurrar. Era tão silencioso ali fora, tão calmo. Quer dizer, seria, se não estivesse tão aflitivamente consciente do homem ao seu lado. Ela o olhou de soslaio, sentindo uma pontada de saudade. Por mais estranho que fosse, mesmo estando ao lado dele agora, ainda sentia sua falta, sentia falta do modo como as coisas eram naqueles breves e luminosos meses.

Ele percebeu seu olhar, e o rosto adquiriu uma expressão séria.

– Em que está pensando?

Ela suspirou.

– Imaginando onde estaríamos se Richard não tivesse mentido naquele jogo de cartas tantos anos atrás.

A frase pairou no ar úmido da noite. Max olhou para ela. O luar acariciava seus traços delicados, refletindo-se na face e no pescoço, exibindo com nitidez a ponta de pesar em seus olhos. Sentiu o peito apertado e se virou para poder ver o rosto dela por inteiro.

– Acho que, se não fosse a traição de Richard, outra coisa teria acabado por nos separar. Éramos muito jovens, muito imaturos.

Ela lançou um olhar na direção dele, os olhos meio fechados para que ele não pudesse ver sua expressão.

– Você acha que nosso casamento foi um erro?

– Cometemos um erro ao nos casarmos tão depressa – corrigiu-se ele. – Não nos conhecíamos. Não o bastante. O que ficou provado por nossa falta de condições de lidar com as adversidades.

– Se nos amássemos, teríamos ficado bem. O que tínhamos era só paixão, nada mais. – A boca de Sophia se curvou, estampando um sorriso amargo que intensificou a dor que sentia. – Foi o que você me disse enquanto fazia as malas. Nunca me esquecerei.

– Eu esperava que você tivesse esquecido. Sophia, eu não sentia o que disse naquela noite. Estava ferido. Ferido por ver que você, a mulher que eu adorava, podia pensar tão mal de mim a ponto de acreditar que trapacearia.

Ela balançou a cabeça.

– Eu não queria acreditar, só que... John e eu praticamente criamos Richard. E você não rebateu as acusações. Apenas pareceu... – Ela mordeu os lábios, uma sombra turvava o seu rosto. – Max, sinto muito por não ter apoiado você. Era o que eu deveria ter feito. Se tudo acontecesse de novo, as coisas seriam diferentes.

– Será? Se tudo acontecesse de novo, eu teria feito exatamente as mesmas coisas. Eu não tinha que rebater alegações de tolos ou imbecis.

– Você teria me deixado também?

– Não poderia submetê-la à vergonha de ser banida. Esse fardo era meu, não seu.

– Não concordo. Pedi que me levasse com você. Eu... eu até implorei.

Mesmo à luz pálida, ele podia ver a cor tingindo-lhe o rosto.

– Que tipo de homem eu teria sido se a tivesse levado ao exílio comigo? Para viver sem uma casa, sem sua família, seus amigos. Eu não poderia fazer isso. Além do mais... você tinha feito sua escolha.

Ela corou.

– Sinto muito por isso. Não posso ficar lamentando. Só que... Não se deixa a pessoa que se ama.

– É preciso deixá-las quando ficar significa magoá-las ainda mais. Eu amava você, Sophia. Era uma pena que não sentisse o mesmo por mim.

Seu rosto pareceu ficar pálido sob a luz vacilante, e ela se virou.

– Não se engane. Eu o amava.

O verbo conjugado no passado atravessou-lhe o coração e, naquele instante, ele percebeu como ainda a queria, como ainda a desejava. Durante todos aqueles anos disse a si mesmo, várias vezes, que Sophia não era feita para ele. Que poderia viver sem ela. Que estava melhor sozinho. Tudo mentira. Agora, ao lado dela, no terraço iluminado pela lua, com Sophia a apenas um braço de distância, ele soube o que realmente queria. Ela. Mas será que era tarde? Será que ela poderia se sentir de novo como se sentia antes? Será que aquele amor se provaria mais verdadeiro? Mais forte, assim como ela estava mais forte?

Ele suspirou, desejando saber pelo menos algumas dessas respostas.

– Imaginei que um dia você fosse escrever pedindo a anulação.

– Eu não precisei dela. Até agora.

– O que aconteceu?

Sophia deu de ombros, o gesto gracioso.

– Não sei. A vida parece estar simplesmente passando.

– E quem é esse tal de Riddleton?

– Um amigo, nada mais que isso.

– Ótimo – disse Max de modo rude. – Ele não é homem para você.

Ela respirou fundo, os seios comprimindo-se na fina seda do vestido.

– Por favor, não ofenda Thomas. Ele tem sido muito gentil comigo.

Max não respondeu. Estava bastante ocupado tentando controlar a reação tempestuosa de seu corpo ao entrever aqueles seios tentadores. Lembrou-se dos seios, da pele e do gosto dos lábios dela. Cada centímetro de seu corpo havia sido dele. Max teve que enfiar as mãos nos bolsos para evitar tocá-la.

Sophia fez um gesto impaciente com a mão.

– Chega disso. Viemos aqui para discutir a anulação. E o diário do seu tio.

– Leiloe o diário. – Max deu de ombros. – Não me importo.

Ela quase cuspiu.

– Não pode estar falando sério! Tem que se importar!

– Se não me importei quando as pessoas me chamaram de trapaceiro, por que me importaria com o que vão pensar do meu tio morto?

– Então... por que está aqui?

– Para provar a mim mesmo que não há mais nada entre nós.

– E como irá provar isso?

Max se aproximou.

– Beije-me, Sophia. Mostre que não sente mais nada por mim.

Sophia teve que usar cada grama da força de vontade que possuía para não se jogar nos braços dele. Era quase como no seu sonho: Max retornava para declarar seu amor. Só que... ele não a amava. Não havia usado essas palavras uma única vez. Ela enrijeceu os ombros.

– Não. Você não pode voltar à minha vida e exigir que eu lhe dê o que já jogou fora. Quero minha liberdade e não descansarei enquanto não a tiver.

Max contraiu o maxilar e, com as mãos espalmadas sobre as costas dela, puxou-a para si. Ele era sólido como uma rocha, os músculos firmes, a virilidade pressionada contra ela. A sua boca se curvou em um sorriso provocador.

– Está com medo de me beijar? Medo do que possa acontecer?

O coração de Sophia acelerou diante do desafio, mas seu corpo traidor já estava reagindo ao dele.

– Eu já o beijei, não foi o bastante?

Ele inclinou a cabeça para a frente, a boca a poucos centímetros da dela.

– Não sei. Beijou? Você acha que...

– Ah! – exclamou uma voz feminina por trás deles.

Max a soltou de imediato e ambos se viraram na direção da voz. Puderam discenir lady Mathilda Howard e o Sr. Peter Thompson na penumbra.

Um silêncio constrangedor os envolveu, quebrado apenas quando o Sr. Thompson cumprimentou-os com um animado "boa noite".

Max respirou fundo.

– Hum, que noite agradável, não?

Sophia teve que sufocar uma surpreendente vontade de rir quando ouviu o comentário sem graça. Max nunca jogava conversa fora.

– Realmente – disse o Sr. Thompson ao mesmo tempo que lady Mathilda soltava um vibrante "Ah, sim!".

Pobres coitados, pensou Sophia. Não era de admirar que estivessem no terraço. Era muito difícil conseguir uns poucos minutos sozinhos num baile tão concorrido. E não havia opções para os mais jovens, uma vez que lady Hargreaves não teve a decência de providenciar uma orquestra adequada para as danças. Sophia sorriu gentilmente para Mathilda.

– Lady Mathilda.

A jovem retribuiu o sorriso, a voz um pouco ofegante.

– Lady Easterly, como está?

– Muito bem, obrigada. E você?

— Muito bem também, obrigada. Eu estava... com um pouco de calor. — A garota indicou o jardim com um gesto. — Achei uma boa ideia tomar um pouco de ar para me refrescar.

— Claro — disse Sophia, desejando saber se a cor no rosto da jovem tinha a ver com o salão superaquecido ou com o Sr. Thompson. — Nós nos sentimos da mesma forma.

Max assentiu com um resmungo.

— Hum, Easterly — disse o Sr. Thompson, aproximando-se. — Devo avisá-lo sobre algo.

Max inclinou a cabeça de forma interrogativa, o olhar analisando o rosto do homem mais novo.

— Lady Neeley o tem acusado publicamente de roubo.

— *O quê?* — indagou Sophia, tomada pela raiva.

Max lançou-lhe um olhar penetrante antes de perguntar ao Sr. Thompson:
— Publicamente?

Thompsou assentiu de forma discreta.

— Escancaradamente.

— O Sr. Thompson o defendeu. Ele foi magnífico — disse a jovem, com ansiedade na voz.

— Tillie — murmurou o Sr. Thompson, nitidamente sem graça.

— Obrigado pela defesa — disse Max. — Eu sabia que ela suspeitava de mim. Deixou isso bem claro, aliás. Mas ainda não tinha ido tão longe a ponto de me acusar publicamente.

— Agora foi.

— Sinto muito — disse lady Mathilda. — Ela é terrível.

Terrível nem de longe conseguia definir a mulher. Sophia disse acidamente:
— Eu nunca teria aceitado o convite para o jantar se não tivesse ouvido maravilhas sobre o cozinheiro.

Max voltou-se brevemente para o Sr. Thompson.

— Obrigado por me avisar.

O Sr. Thompson fez um gesto com a cabeça.

— Preciso levar lady Mathilda de volta à festa.

— Talvez minha esposa seja uma acompanhante mais adequada.

Sophia olhou para Max, chocada ao ouvir a expressão *minha esposa* dos lábios dele. Parecia... íntimo demais. Abriu a boca para falar, mas logo percebeu que não podia dizer nada perto dos dois. Além disso, Max estava certo ao sugerir que ela acompanhasse lady Mathilda de volta ao salão. Com certeza haveria comentários maldosos se o Sr. Thompson o fizesse.

– Está mais do que certo, meu senhor – disse o Sr. Thompson, soltando gentilmente o braço de lady Mathilda e guiando-a para perto de Sophia. Ele se inclinou para Mathilda e sussurrou: – Vejo você amanhã.

Os olhos de Mathilda reluziram, e ela disse de um jeito adorável:

– Vê?

– Sim.

Ele lançou-lhe um último olhar, e então as duas saíram de braços dados em direção à porta do terraço. Quando chegaram à entrada do salão, Sophia deteve-se para que Mathilda entrasse primeiro e olhou para trás, na direção de Max. Ele a observava, os olhos sombrios, o rosto inexpressivo. Era como se Max estivesse se preocupando com a reputação de outra pessoa e não se importasse que lady Neeley estivesse em algum lugar daquela casa destilando veneno a respeito dele.

Bom, Max podia não se importar, mas Sophia se importava. Ela lhe devia isso depois do erro que cometera no passado e se sentiu tomada pela determinação. Por Deus, desta vez, não deixaria de apoiá-lo. Interromperia o ataque de lady Neeley à sua reputação, custasse o que custasse.

Naquele momento, soube como se redimiria por suas transgressões. Por elas e outras coisas. Animada com esse propósito renovado, entrou no salão de baile, despediu-se às pressas de lady Mathilda e saiu à procura de John.

CAPÍTULO 4

E para concluir a análise desta coluna sobre os suspeitos de Neeley (ou pelo menos de cinco deles; esta autora não conseguiu fornecer descrições mais detalhadas de todos os 22), é preciso mencionar o convidado inesperado da noite: lorde Easterly. Não se sabe muito sobre o visconde, já que passou os últimos doze anos no continente, especificamente na Itália. Ah, é claro, o desagradável escândalo em seu passado, que motivou sua ida para o exterior, mas mesmo que lorde Easterly tenha se desgraçado por causa de um jogo de cartas, não há nada no presente indicando que ele esteja sem recursos.

Na verdade, é difícil imaginar por que o cavalheiro desejaria uma pulseira de rubi. Para reconquistar a esposa, talvez?

CRÔNICAS DA SOCIEDADE DE LADY WHISTLEDOWN,
31 de maio de 1816

Depois de toda uma noite se revirando na cama e tentando *não* pensar em Max, Sophia formulou o início de um plano. Para surpresa de seus criados, levantou-se ao nascer do sol e, às sete, já estava vestida e pronta para o café da manhã. A mente fervilhava enquanto descia as escadas em direção à sala de jantar, absolutamente alheia ao fato de que a cozinheira tinha sido convocada às pressas e já estava a postos, pondo um avental sobre os trajes de dormir e esbravejando contra pessoas que acordavam antes que o sol estivesse propriamente instalado no céu.

Sophia se sentou à longa mesa de mogno e pediu que Jacobs lhe trouxesse papel e caneta. O mordomo fez seu trabalho, embora estivesse com a peruca nitidamente torta e a gravata com um nó feito às carreiras.

Sophia, porém, não percebia nada. Tomando cuidado para não derramar tinta no papel, fez uma lista dos 22 convidados do jantar de lady Neeley. Em seguida, pensativa e mastigando a ponta da caneta, avaliou cada um deles. A lista em si era um tributo ao fabuloso cozinheiro de lady Neeley, porque só promessas culinárias do mais alto calibre poderiam ter atraído tantas personalidades radiantes.

Sophia mergulhou a caneta no pote de tinta. O fato de haver ali pessoas de tão alto nível facilitava seu trabalho. Tudo o que tinha a fazer era marcar os que teriam alguma razão para roubar a pulseira. Ou seja, pessoas que precisassem de dinheiro depressa. Quando terminou, havia circundado cinco nomes.

Jacobs bateu à porta e anunciou que o café da manhã estava pronto e também que seu irmão aguardava no vestíbulo, esperando ser recebido. Sophia ergueu as sobrancelhas; era cedo demais para o irmão estar de pé. Logo descobriu que, na verdade, ele estava a caminho de casa. Ainda vestido com trajes de noite, passou diante da casa da irmã e viu as luzes das salas principais acesas, portanto concluiu, audaciosamente, que o café devia estar sendo servido.

– Você é um porco – exclamou a jovem enquanto ele empilhava no prato uma quantidade enorme de arenque, ovos e bacon. – E vai ficar gordo.

– Não mesmo. Tenho uma constituição de ferro. Além disso, é um risco que estou disposto a correr quando há arenque envolvido. – John se sentou ao seu lado, o olhar fixando-se na lista. – O que é isso?

– A lista dos convidados para o jantar de lady Neeley. Estou marcando quem teria motivo para roubar a pulseira. Pensei em abordá-los, sem deixar que saibam de minhas suspeitas, é claro, para ver se descubro alguma pista de quem poderia ter roubado aquele objeto idiota.

– É uma ideia magnífica! – exclamou ele, pondo sal nos ovos. – Aonde irá primeiro?

Sophia suspirou.

– Acho que devo começar por lady Neeley, apesar de não saber ainda o propósito. Ela já praticamente concluiu que foi Max.

– Talvez ela tenha alguma informação nova.

– Não tem. – Sophia observou a lista. – Depois de lady Neeley, visitarei lorde Rowe.

Lorde Rowe era um homem eloquente, caloroso, muito bem-humorado e um notório jogador azarado. Enquanto outros homens deixavam as apostas para escapar de uma eventual ruína, ele era conhecido por seguir apostando tolamente, quase fazendo com que a família tivesse de ir para um asilo de indigentes em mais de uma ocasião. Felizmente, conseguia recuperar a fortuna tão depressa quanto a perdia, movido pela mesma perseverança que lhe permitia superar uma fase ruim enquanto outros, em seu lugar, teriam se deixado abater.

– Rowe, hein? – John terminou os ovos e começou a cortar o arenque. – Ele está sempre oscilando entre a a riqueza e a pobreza, tanto que nunca sei se devo lhe pedir dinheiro emprestado ou oferecer-lhe um empréstimo. – Depois de refletir um pouco, o irmão concordou. – Se ele estiver sem fundos outra vez, será um bom suspeito.

– É possível. Ele é um apostador, não um ladrão, e um homem muito agradável. Espero honestamente que não tenha roubado a joia, mas não posso deixar nenhuma ponta solta. – Ela se levantou. – Tenho que tratar dessas visitas antes que fique tarde. Tenho muito a fazer.

– Vá em frente, minha querida – disse John de modo expansivo, gesticulando com o garfo e a faca. – Só vou acabar de comer aqui. A menos, é claro, que queira minha companhia.

– Você pegaria no sono na carruagem, antes de chegarmos à casa de lady Neeley.

– Bobagem – retrucou John em tom amistoso. – Ainda tenho duas boas horas antes de pegar no sono.

– É mais provável que sejam dois minutos. Sinta-se à vontade para usar o quarto de hóspedes se achar que sua cama está muito longe.

Sophia se inclinou e deu um beijo no rosto do irmão antes de sair para chamar a carruagem.

O encontro com lady Neeley foi tão desagradável quanto supôs. A mulher era horrível e repetia energicamente suas acusações sem qualquer sinal de remorso ou ponderação. Sophia foi forçada a cerrar os dentes diante de acusações tão levianas.

– Não consigo acreditar que a senhora faça acusações desse tipo sem quaisquer provas, lady Neeley.

– Provas? – Lady Neeley ofereceu um naco de biscoito para o papagaio. Ele grasnou e piou, virando de costas para o petisco. – Pobre pássaro! Não sei o que há de errado com ele, não come nenhuma guloseima que ofereço. Faz duas semanas que não é o mesmo. Está sempre esvoaçando de um lado para o outro, aos gritos e roubando minhas melhores fitas.

Sophia, que não entendia nada de pássaros e preferia se manter ignorante a esse respeito, apenas observou:

– O clima afeta a todos. Eu gostaria de falar sobre a pulseira desaparecida, lady Neeley. Por que a senhora acredita que lorde Easterly a tenha pegado?

– Talvez ele precisasse do dinheiro.

Sophia ponderou sobre a generosa pensão que recebeu de Max durante todos aqueles anos.

– Não, ele não precisa do dinheiro.

– Ah, então, talvez colecione joias. Eu tive um primo que colecionava camisolas femininas. Quando morreu, foram descobertas mais de 150 em meio a seus pertences. – Lady Neeley se curvou para a frente. – No funeral ouvi minha tia dizer que ele pedira para ser enterrado com uma delas, mas a igreja não permitiu.

– Lorde Easterly *não* coleciona joias de outras pessoas. Nem camisolas.

Bom, pelo menos não que ela soubesse.

– Então, talvez tenha pegado a pulseira apenas para aproveitar a oportunidade – disse lady Neeley, nitidamente indiferente. – Sabe-se lá qual o funcionamento de uma mente criminosa.

Sophia se levantou.

– Lorde Easterly *não* tem uma mente criminosa!

Houve um momento tenso e, então, o papagaio grasnou. Lady Neeley deu uma risada duvidosa.

– Minha cara, é muito honroso de sua parte ficar ao lado de Easterly...

– Não estou ao lado de Easterly. Estou em busca da verdade. E hei de encontrar sua pulseira para provar como a senhora está enganada, lady Neeley. Nesse meio-tempo, não tem nenhuma prova, e não deveria espalhar rumores tão terríveis a respeito do meu marido.

– Como pode dizer isso depois de Easterly praticamente a abandonar no altar?

– Minha relação com lorde Easterly não lhe diz respeito.

As palavras foram ditas com brandura, pois a raiva de Sophia havia se congelado em uma rocha de desdém. Não que fizesse questão de ser educada, mas desafiava lady Neeley a chegar mais perto.

Lady Neeley enrubesceu de forma nada sutil.

– É claro que não direi mais uma palavra sequer. Ao menos não até que me perguntem a esse respeito.

Dito isso, voltou a atenção para o papagaio.

Apesar de querer uma promessa mais substancial, Sophia sabia que aquilo era o máximo que conseguiria. Assim que foi possível, pediu licença e dirigiu-se à casa de Rowe.

Sophia desceu da carruagem e enfrentou um vento cortante que fazia suas saias esvoaçarem. A luz do sol começava a despontar em meio às nuvens, uma feliz casualidade que a animou bastante.

Percebeu que os Rowes estavam em casa, apesar de o lugar estar uma bagunça terrível. Eles comandavam vários criados robustos em uma força-tarefa para criar espaço para um novo piano-forte. Como lorde Rowe desejava um lugar perto da janela e lady Rowe, um lugar perto da sua harpa, afastado da luz quente da tarde, os pobres criados se viam imersos em uma enxurrada de ordens desencontradas.

Todos pararam quando o piano-forte chegou, menos de dez minutos depois. O instrumento era uma peça requintada e respondia efetivamente à pergunta de Sophia – os Rowes estavam em um período de vacas gordas e, a julgar pelos novos tapetes e outras peças de mobiliário recentemente adquiridas, vinham experimentando os ventos da boa sorte havia algum tempo. Aquilo, por certo, era bem mais do que uma única pulseira poderia proporcionar.

Sophia se despediu e se encaminhou para a casa do próximo da lista – a Sra. Warehorse, uma viúva que aumentava seus parcos rendimentos trocando bajulações por convites para jantar. A viúva idosa vivia com uma prima tagarela em um conjunto de acomodações que só podia ser considerado precário. Sophia tentou deixar claro que tinha pressa, mas a prima da Sra. Warehorse estava determinada a mantê-la ali, ao menos por tempo suficiente para uma xícara de chá morno. Depois de muitas insinuações, a prima enfim revelou que a Sra. Warehorse havia saído para procurar uma fita para consertar um chapéu.

Sophia ordenou que a carruagem a levasse à Bond Street e logo avistou sua presa saindo de uma loja com umas poucas compras em um dos braços. O rosto da Sra. Warehorse se iluminou quando Sophia a cumprimentou, e mais que depressa a viúva aceitou caminhar até a carruagem para aproveitar o conforto de uma carona para casa. Foi um convite do qual Sophia se arrependeu imediatamente, pois a senhora não conseguia falar sem proferir uma imensidão de elogios afetados, entremeados por profundas lamentações a respeito dos próprios sofrimentos, o que evidenciava um esforço óbvio (e irritante) em obter simpatia e, ao mesmo tempo, algum favor de seu interlocutor.

Cerrando os dentes diante de tão evidente disparate, Sophia a interrompeu habilmente com uma pergunta sobre a noite do fatídico jantar. A viúva logo começou a despejar suas impressões. Infelizmente, a maior parte de suas lembranças estava relacionada ao que a Sra. Warehorse achou do adorável vestido de Sophia, que apertava os lábios ouvindo aquelas bobagens, mas estava determinada a deixar as informações fluírem para o caso de algo importante vir à tona. Mas nada surgiu.

Chegou uma hora em que Sophia não conseguiu mais suportar aquela tagarelice infindável. Interrompeu a viúva e propôs que se encaminhassem logo para a carruagem porque o vento estava ficando forte. A conversa tinha provado uma coisa: a Sra. Warehorse era uma suspeita improvável. A mulher não tinha audácia nem inteligência para uma iniciativa tão ousada quanto um roubo.

Sophia conduziu a acompanhante pela Bond Street até a carruagem. O vento agitava suas saias e as penas no chapéu da Sra. Warehorse. Tinham acabado de avistar a carruagem quando Sophia notou, pelo canto do olho, um cabriolé novinho em folha conduzido por uma maravilhosa dupla de cavalos baios. Tinha que admirar o veículo, e foi o que fez. Ao menos até ver quem o conduzia... Max, trajando um sobretudo com botões metálicos, um elegante chapéu no banco ao seu lado. O vento despenteou seu cabelo negro no instante em que o olhar dele encontrou o dela, uma ponta de arrogância brilhando nos olhos prateados.

Por um breve instante, a felicidade efervesceu dentro dela, fazendo-a se iluminar dos pés à cabeça com a rapidez de um relâmpago. Um largo e cordial sorriso quase lhe escapou dos lábios. Felizmente, a Sra. Warehorse escolheu aquele minuto para exclamar:

– Minha cara lady Easterly! Aquele é o seu marido? Ah, quer dizer, suponho que não o chame mais de "marido", não depois de ele a ter deixado sozinha por todos esses anos. O que é uma boa coisa, considerando-se que ele não passa de um ladrão.

Sophia se enrijeceu, parando tão de repente que o homem que vinha atrás dela quase esbarrou em suas costas. Ignorou os protestos do sujeito e voltou-se para sua companhia para lhe dizer, com uma voz gélida:

– A senhora está acusando o lorde Easterly de roubo?

O sorriso da viúva esmaeceu diante daquele rajada de gelo.

– Eu... eu... Todos sabem...

– Tudo o que sabem é que a pulseira de lady Neeley está desaparecida e que não há provas de quem a tenha levado. *Nenhuma* prova.

– Ah, bem, sim. Claro. Eu... eu estava apenas repetindo o que lady Neeley... Com certeza eu não quis insinuar que... – A Sra. Warehorse lançou um olhar desesperado sobre o ombro de Sophia. – Ah, querida! Lá está o lorde Easterly.

Sophia se virou e viu Max tentando manobrar o cabriolé em uma rua movimentada em direção ao meio-fio. O breve arroubo de felicidade que sentira ao vê-lo voltou a assaltá-la com força total, e ela cerrou os dentes tentando contê-lo. Não tinha desejo nenhum de ver o obstinado marido, não agora. Não até que tivesse alguma evidência que provasse a lady Neeley que suas acusações contra ele não tinham fundamento.

Sophia não sabia por que era tão importante provar que estava certa; talvez fosse uma forma de pagar uma dívida antiga. Sim, era isso... uma tentativa de recompensar Max por sua hesitação de tantos anos atrás. E estava determinada a ser bem-sucedida.

– Minha cara lady Easterly – principiou a Sra. Warehorse com um sorriso vazio –, parece que o lorde Easterly conseguiu uma brecha no tráfego. A senhora acha que ele virá aqui...

Sophia agarrou o braço da Sra. Warehorse e pôs-se a andar, praticamente arrastando a pobre senhora pela rua.

– Não pode ser o lorde Easterly. Deve ser outra pessoa.

– Certamente *muito* parecida com ele – retrucou a Sra. Warehorse, tentando acompanhá-la, as sacolas balançando na mão. Ela deixou que Sophia a arrastasse, olhando para trás, os olhos azuis brilhantes repletos de curiosidade. – Seja quem for, parece bem irritado por estarmos andando com pressa na direção oposta.

Sophia acelerou o passo apesar de a Sra. Warehorse ter reclamado algo sobre a agonia de ser arrastada pela rua daquela forma. Sophia suspirou aliviada quando enfim chegaram à carruagem.

– Para onde, senhora? – perguntou o criado, ajudando a Sra. Warehorse a subir.

– Qualquer lugar que não aqui! – Sophia subiu os degraus sem permitir que o criado a ajudasse, e então se sentou e bateu a porta. – Vamos!

– Sim, senhora!

Ele correu para a frente da carruagem, repetindo as instruções de Sophia para o cocheiro, que, estalando o chicote, pôs o veículo em movimento, deixando Max para trás.

Depois do encontro com a Sra. Warehorse, Sophia tentou entrevistar lorde Alberton. Como ele era atleta e o dia estava particularmente agradável, encontrá-lo foi um desafio maior do que os suspeitos anteriores. Procurou-o em todos os lugares, e acabou descobrindo que estava sempre dez ou vinte minutos atrás de Alberton em qualquer lugar que fosse. No fim da tarde, cansada e faminta, Sophia desistiu da busca e voltou para casa.

Estava na sala do andar de cima, revendo a lista e apreciando as propriedades revigorantes do chá e dos bolos, quando Jacobs surgiu à porta.

– Minha senhora, lorde Easterly está aqui querendo vê-la.

Sophia pôs a xícara no pires com brutalidade.

– Por favor, diga a ele que não estou em casa.

– Sim, senhora.

Jacobs fez uma mesura e desceu as escadas.

Isso. Então é isso. Ela levou a xícara aos lábios, detendo-se ao som da porta da frente se abrindo e depois se fechando enquanto Max ia embora, consciente de estar com a mão trêmula. Uma leve sensação de alívio misturada com um amargo desapontamento a fez pousar a xícara na mesa mais uma vez, ao lado da lista de suspeitos amassada.

Não esperava que Max fosse acatar uma mentira daquelas tão facilmente. No passado, ele teria aceitado o desafio e proposto um também. No passado... Fez uma pausa. No passado ele a amava. Ou pelo menos dizia que a amava.

Ela suspirou, repentinamente inquieta, o olhar fixando-se na lista ao lado da xícara. Talvez devesse pedir a John que a ajudasse a localizar lorde Alberton. Se alguém poderia saber onde um homem viciado em atividades físicas estaria, esse alguém era John. Sophia se levantou e, ao se virar para a porta, arfou:

– Max!

Moreno e perigoso, ele estava recostado ao batente com as mãos nos bolsos. Max ergueu a sobrancelha.

– Parece surpresa.

– Eu? Não! Que dizer, não sabia que você estava aqui. Pensei que... – Ela gaguejou e fez uma pausa. – É, acho que *estou* surpresa.

– Mas não deveria. – O olhar dele a percorreu, demorando-se aqui e ali. – Como está hoje? Cansada de sua corrida desenfreada pela Bond Street?

Apesar de estar com um vestido um tanto apropriado, a moda ainda permitia que um pouco de pele ficasse à mostra – o decote era cavado e os braços estavam praticamente nus, exceto pelas mangas transparentes e leves. Sob o olhar deliberado de Max, cada centímetro da pele exposta estava agora quente e formigando, como se ele tivesse ousado tocá-la. Sophia alisou o vestido com nervosismo.

– Bond Street? O que quer dizer com isso?

Um ar de divertimento reluziu nos olhos prateados.

– Você sabe do que estou falando. Eu a vi, arrastando uma pobre mulher pela rua.

Sophia ergueu o queixo.

– Tenho certeza de que não sei do que está falando. Nem o que isso significa. Seja como for, o que está fazendo aqui?

Max inclinou a cabeça para um lado, as pálpebras se fechando e fazendo a cor prateada do olhos se transformar num cinza tempestuoso.

– Não sei ao certo. Vou lhe dizer quando descobrir.

Jacobs apareceu ao lado de Max, uma expressão de choque estampada no rosto fino.

– Meu senhor! De onde veio? Como conseguiu entrar?

– Simples – respondeu Max, imperturbável como sempre.

Ele enfiou as mãos nos bolsos e puxou uma grande chave de aço. Ela balançou levemente no seu dedo, a luz do sol reluzindo na filigrana.

– A chave?

Jacobs olhou para Sophia, obviamente chocado.

– Onde conseguiu isso? – quis saber Sophia.

Max sorriu, os dentes brancos contrastando com o rosto bronzeado.

– Estava entre os papéis que assinei quando comprei a casa.

Devia ser a chave reserva.

– Devia ter devolvido.

– Devolvi a chave da casa que tínhamos quando fui embora. – O olhar se estreitou. – Uma casa que não era boa o bastante para você.

Sophia sentiu o calor lhe subir pelo rosto.

– Era boa o bastante para mim, sim! Só não podia suportar as lembranças. Por isso escrevi e pedi sua permissão para vendê-la. E você concordou.

– É, concordei. – Ele olhou ao redor com um olhar avaliativo. – Tenho que lhe dar o crédito, minha querida. Esta casa é muito mais luminosa do que a outra. Maior, também.

Sophia tentou não olhar tão intensamente para a chave que ele segurava. Era assustador pensar que Max tinha acesso à casa que era dela durante o dia e a noite. Especialmente à noite.

Max enfiou a chave no bolso.

– Então, aqui estou, com uma chave.

Jacobs deu um passo à frente, a revolta aparecendo em cada linha de seu corpo esguio.

– Minha senhora, devo chamar os criados para tirar lorde Easterly daqui?

Aquela era uma ideia tentadora. Sophia olhou para Max. Ele sorriu e deu de ombros.

– Podem tentar – disse ele com um tom suave.

Max estava certo, os criados *poderiam* tentar, e até poderiam conseguir. Mas só por ora. Ele voltaria sempre que o caminho estivesse livre. Aquele era o seu jeito – se decidisse um meio de agir, o seguiria, independentemente das consequências. Ela suspirou e indicou a cadeira oposta à dela, dizendo com irritação:

– Muito bem. Pode ficar.

– Obrigado – respondeu Max com um leve sorriso.

Jacobs franziu a testa, mas não poderia discordar de sua senhora e disse, fazendo uma mesura tensa:

– Muito bem, minha senhora.

De cabeça erguida, lançou um olhar irritado para Max, virou-se e saiu.

Era exatamente o que Max queria. Desde o Grande Baile, ansiava por ter um pouco mais de Sophia. Muito mais, desta vez. Ao relembrar o gosto do beijo dela, teve vontade de verificar se suas outras lembranças ainda condiziam com a realidade. A sensação da pele dela sob os seus dedos, a curva dos quadris, o calor da perna dela sobre a sua enquanto dormiam. Todas as coisas de que se lembrava dolorosamente em detalhes agora estavam ao seu alcance. Era torturante.

Ele entrou na sala, observando-a umedecer nervosamente os lábios. O sol da tarde atingiu os lábios úmidos e os fez reluzir de forma sedutora. Meu Deus, o que tinha na cabeça quando deixou uma mulher como aquela? Mas sabia que não era tão simples assim. Com Sophia, nunca era.

– Por favor, sente-se.

Max se sentou, as longas pernas esbarrando nos joelhos dela. Sophia se encolheu, como se aquele simples toque a tivesse queimado.

– O que quer? – perguntou ela sem meias palavras.

– Vim ver o que está tramando.

Um leve rubor subiu ao rosto de Sophia, o que o fez desejar tocá-lo com os lábios.

– O que o faz pensar que estou tramando alguma coisa?

– Você não pode evitar, está no seu sangue. Como tentar usar o diário do meu tio contra mim.

O rosto de Sophia corou ainda mais.

– Posso ter desejado usar o diário para ter a garantia da anulação, mas não o usaria com outros propósitos.

Era difícil acreditar que tinham se passado doze anos desde que se permitira o prazer de vê-la. Engraçado, não parecia tanto tempo agora que a via sentada a sua frente, a pele levemente rosada, os olhos azuis reluzindo, desconfiados, o cabelo dourado preso formando cachos tentadores e macios. Droga, como ela era bonita. Bonita, inteligente e algo mais... algo que o mantivera preso desde o dia em que se encontraram pela primeira vez. O que era isso? perguntou-se ele. O que fazia com que cada mulher que conheceu parecesse insignificante frente a Sophia? Ele viu o olhar dela descer na direção do bolso onde enfiara a chave.

– Não a usarei sem permissão.

As sobrancelhas dela se ergueram, e ela o observou com suspeita:

– Mesmo?

– Se eu efetivamente quisesse entrar nesta casa, não precisaria de chave. Poderia arrombá-la ou enganar os criados me passando pelo entregador de carvão ou algo do gênero.

– Ninguém acreditaria que você seria o entregador de carvão.

– Não, apenas um ladrão...

Os cantos da boca exuberante de Sophia se voltaram para baixo. Max percebeu que não conseguia tirar os olhos do rosto dela e das nítidas emoções que cintilavam nos olhos azuis.

Ela apertou as mãos no colo.

– Sinto muito, Max...

– Não sinta. Não quero que sinta nada. – Não tinha certeza a respeito do que queria, mas não era a pena ou a preocupação dela. – Já passou e não quero retomar o assunto. São como as acusações de lady Neeley; coisas estúpidas ditas por pessoas estúpidas; é melhor deixar passar despercebido e sem respostas.

Aquela frase intensificou ainda mais a sua raiva.

– Como se isso pudesse passar despercebido! Todos estão falando disso e condenando você, sem uma única prova. É mais do que posso suportar!

Era aquilo, percebeu Max de repente, e uma sensação maravilhosa o inundou. Era aquilo que o atraíra em Sophia desde seu primeiro encontro – sua paixão. E não apenas por ele, mas por qualquer coisa que ela julgasse correta, por tudo que considerasse valioso. Havia cor na alma dela, cor e uma riqueza de textura que fazia seu coração responder melodiosamente. A grande ironia era que o que o havia atraído nela, o que o havia cativado tanto, tivesse acarretado o final da união deles. Sua lealdade apaixonada a fez escolher o irmão Richard em detrimento do próprio marido.

– Ah, Sophia, somos uns bobos, nós dois.

— Bobagem. E, retomando o assunto, não resolvemos a questão da chave. Queira me devolver imediatamente.

Max ergueu a sobrancelha.

— A chave me foi entregue e devo ficar com ela.

— E por que você a quer?

— Ah... Por que quero a chave da casa onde você mora? Talvez por eu ser seu marido? Não é razão suficiente?

Ela cruzou os braços e se debruçou na mesa, até quase encostar o nariz no dele, o queixo projetando-se de forma combativa.

— Somos casados apenas no papel, e a você não são permitidos todos os privilégios de um marido. Devolva a maldita chave!

Movendo-se com propositada lentidão, Max tirou a chave do bolso e a pôs na mesa.

— Obrigada. — Ela esticou os braços para pegá-la, mas quando seus dedos a tocaram, Max segurou a mão dela e a manteve presa. Sophia só conseguia olhar fixamente para sua mão presa na dele. Notou de relance que ele tinha uma mancha de tinta na ponta do polegar. Aquilo a fez lembrar de quando eram recém-casados e precisava inspecionar-lhe as mãos e os sapatos em busca de manchas de tinta antes de saírem para qualquer lugar. Sempre a intrigou o fato de Max, normalmente tão elegante, ser tão descuidado quando pintava.

Mas aquilo fazia muito tempo. Com dor no coração, tentou puxar a mão, mas Max não deixou que se soltasse, segurando seus dedos com força.

— Pare com isso.

Ele sorriu, um sorriso largo, lento e provocante que a fazia se lembrar de outros sorrisos, de outros tempos, da escuridão e dos sussurros entre os lençóis, dos corações palpitantes e das pernas entrelaçadas. Tratou de evitar aquelas lembranças e disse, ofegante:

— Pare já com isso!

Ele arqueou a sobrancelha.

— Parar com o quê?

— Pare de... me provocar. Não vou aceitar.

— Muito bem. Talvez pudéssemos trocar. A chave por...

— Pelo diário.

— Não. Por um beijo.

— Um beijo? — Ela ficou horrorizada. — Você *só pode* estar brincando.

— Não estou. Um beijo e a chave é sua.

Ela mordeu o lábio. Era tentador, era mesmo. Mas antes que pudesse falar alguma coisa, Jacobs bateu à porta e entrou.

– O conde de Standwick.

– Max, solte-me – murmurou Sophia, bem consciente do olhar incisivo do mordomo. A mão larga de Max ainda pressionava a dela, que não conseguia se mexer um centímetro sequer.

– Minha senhora, está tudo bem? – indagou Jacobs, um pouco hesitante.

– Não é nada. Por favor, peça que Standwick entre. – Assim que a porta se fechou, ela se voltou para Max. – Você precisa me soltar.

– Não.

– Mas John vai ver e…

A porta se abriu e John entrou.

– Aí está você, Sophia! Eu… – John piscou. – Vocês dois precisam… é, quem sabe, se levantar, caminhar ou algo assim?

– Não! – responderam em uníssono.

John riu.

– Vocês tinham que se ver, de mãos dadas e lançando olhares furiosos um ao outro, como inimigos mortais.

Sophia levantou a cabeça.

– Ele tem a chave desta casa, John.

John se voltou para Max.

– Tem mesmo?

– A casa está no meu nome – disse Max, imperturbável.

– Ah. – John passou a mão no queixo e enfim disse: – Soph, acho que ele pegou você.

Ela se enrijeceu.

– Não pode ficar do lado *dele*!

– Não estou do lado de ninguém. A casa é dele, então, faz sentido que tenha a chave.

– Comigo aqui?

John fitou Max, estreitando os olhos.

– Você a usará?

– Só se ela me convidar.

John olhou para Max por mais um instante e pareceu satisfeito, pelo menos com a seriedade que seus olhos expressavam.

– Ele está prometendo que não vai usá-la, Sophia. E Max é um homem de palavra, como bem sabemos.

Ela lançou um olhar furioso para Max, e puxou a mão.

– Droga! Fique com a chave. Trocarei as fechaduras pela manhã.

– E entrarei por qualquer janela, se desejar visitá-la.

– Você disse que avisaria antes!

– Só se tiver a chave – disse ele com um sorriso arrogante. – Caso contrário, qualquer janela servirá.

– Tente e levará um tiro. Vou armar todos os meus criados.

– Bobagem – disse John. Ele aproximou-se de uma grande cadeira de veludo perto da bandeja de chá e sentou-se de forma relaxada, apoiando o tornozelo de uma das pernas no joelho. – Você disse mil vezes que não acredita em ter armas em casa, que elas causam mais danos do que bem.

Sophia lançou um olhar furioso para o irmão, desejando que Max soltasse sua mão para poder esmurrar as orelhas dele.

– Alguém o convidou para participar desta conversa?

– Na verdade, sim. Você quando me pediu...

– Não faça com que eu me arrependa disso, então. – Ela virou-se para Max. – Ofereço trocar a chave pelo diário.

– Já lhe disse qual era o preço.

– Preço? – indagou John.

Sophia lançou-lhe um olhar maligno.

– Não faz sentido, Max. Se o diário vazar, o nome da sua família será o tema de conversa de todos os salões e salas de estar da cidade.

Max deu de ombros.

– O que não será nenhuma novidade.

– Se não quer o diário, por que voltou para a Inglaterra então?

– Voltei porque você pediu.

Sophia olhou para ele, por um instante, espantada demais para conseguir falar alguma coisa.

– Eu só precisava fazer isso?

– Sim.

– Ah! – Ela bateu o pé, tentando puxar a mão com mais força. – Odeio isso!

– Você odeia o quê?

– Como está fazendo com que tudo pareça ser minha culpa! Não só foi embora por minha causa, como agora, voltou por minha causa! Maxwell, você é... você é... – Ela fechou a boca, inspirou fundo, e então disparou: – Você é um monstro! – Conseguiu soltar a mão, ergueu-se rapidamente e se dirigiu a passos largos para a porta, batendo-a com força ao sair.

Max olhou para a porta com perplexidade. Tudo o que fez foi falar a verdade.

– Uau! – exclamou John, ajeitando-se na cadeira para conseguir examinar a bandeja de chá meio vazia.

– Sua irmã é uma mulher bastante obstinada.

John pegou um bolinho e o mastigou pensativamente.

– Os dois são, eu diria. Você não é bem conhecido por cultivar modos afáveis.

O rosto de Max se fechou, mas em seguida caiu em si.

– Suponho que esteja certo. Sophia e eu não somos conhecidos pelo bom temperamento, mesmo sob circunstâncias mais agradáveis.

– Não – disse John. Ele pegou outro bolinho e o cheirou. – Framboesa. Nunca gostei de framboesa.

Max olhou para John por entre as pálpebras semicerradas.

– Não vim aqui para aborrecê-la.

– Eu sei. Sophia fica sempre mais sensível quando se trata de você. Ela não tem nenhum bom senso, e é por isso que estou preocupado com essa ideia de ela investigar o roubo daquela maldita pulseira.

– Investigar?

– Ela quer pegar o ladrão para limpar seu nome.

– Diabos! Quem pediu a ela que fizesse isso?

De todas as coisas absurdas e impulsivas que Sophia já tinha feito... era bem a cara dela.

– Ninguém. Acho que está tentando se redimir.

– Não é preciso.

– Para ela, é. – John suspirou e repousou a ponta dos dedos no papel dobrado que estava ao lado da xícara abandonada pela irmã. Ergueu a borda do papel com ar pensativo. – Esta é a lista de suspeitos dela. Temo que se envolva em alguma situação embaraçosa se estiver certa de que um deles de fato roubou a pulseira.

Max praguejou.

– Ela é uma tonta impetuosa.

– É mesmo – concordou John, largando a lista e pegando um sanduíche sem crosta pouco maior do que seu dedo mínimo. Avaliou o aperitivo de forma duvidosa, cheirando nas beiradas.

Max passou a mão nos cabelos.

– Mesmo sem risco, ela pode gerar um novo escândalo tentando acabar com esse.

– Exato – disse John com entusiasmo. Ele enfiou o sanduíche na boca e abriu um sorriso. – Geleia de ameixa!

O olhar de Max ficou fixo no papel em cima da mesa.

– Creio que devo ficar de olho nela.

– Alguém deve. – John pegou o papel demonstrando pouco interesse. –

Vamos ver... Lorde Alberton, lorde Rowe, Sra. Warehorse, lady Markland e o sobrinho de lady Neeley, o Sr. Henry Brooks.

– Henry Brooks? Mas lady Neeley o revistou no jantar.

– Sophia, ao que parece, acredita que algo pode ter passado despercebido. Estou feliz que esteja aqui cuidando da minha irmã, Easterly. Não gosto de vê-la por aí fazendo perguntas constrangedoras.

Max lançou-lhe um olhar penetrante. John gesticulava com o sanduíche.

– Eu faria o mesmo, mas sabe como é, estou muito ocupado por ora. Aceitei um desafio de uíste com o conde Du Lac. Não posso desapontar o velho, então pensei em treinar neste ínterim. Vai ser uíste, uíste e uíste no mínimo pelas próximas duas semanas. Na verdade, tenho que ir agora. – John terminou seu sanduíche e passou o dedo pelo prato vazio, suspirando de tristeza quando o último vestígio de geleia se foi. – Bem! Preciso ir. Não há mais nada a ser feito aqui. – Ele se levantou e deu umas batidinhas no estômago. – Adoro chá.

Max balançou a cabeça.

– Você é incorrigível.

– Você deveria ficar feliz por isso.

– E fico – disse Max prontamente. Foi até a porta e a manteve aberta. – Devemos nos retirar, Standwick? Com este tempo, Sophia ficará a salvo por enquanto. Além disso, pressinto que seremos mais bem-recebidos no White's. Posso até lhe oferecer um bom pedaço de cordeiro, se tiver algum disponível.

Os olhos de John brilharam.

– Cordeiro? Não precisa oferecer duas vezes.

Ele se encaminhou para a porta, cantarolando de um jeito alegre.

Max o seguiu, desejando que Sophia fosse tão receptiva quanto o irmão. Mas não conseguia vê-la mudando de ideia com tanta facilidade, por um simples pedaço de cordeiro. Teria que descobrir o que precisava fazer para abrir seu coração de novo. E uma vez que tivesse descoberto a chave desse segredo, nunca mais deixaria a porta se fechar novamente.

CAPÍTULO 5

O drama de Easterly continua. Andam dizendo que foi visto perseguindo a esposa pela Bond Street na manhã de sábado. E, como se isso não bastasse para provocar comentários, lady Easterly estava arrastando a Sra. Warehorse pelo caminho.

Apesar de lady Easterly e a Sra. Warehorse não serem conhecidas como amigas próximas, a viscondessa segurava a mão da viúva como se sua vida dependesse de ambas chegarem juntas ao seu destino.

Mas, ao que parece, isso não aconteceu. Lady Easterly puxava a Sra. Warehorse pela rua com tanta velocidade que a velha senhora perdeu um sapato na frente da Prother & Co.

Quem sabe os bons modistas não vão usá-lo para confeccionar para ela um chapéu combinando?

CRÔNICAS DA SOCIEDADE DE LADY WHISTLEDOWN,
3 de junho de 1816

Sophia levou um bom tempo até conseguir uma chance de se encontrar com lorde Alberton. Ele estava sentado em sua carruagem assistindo ao lançamento de balões de ar quente em um campo apinhado de espectadores. Sophia instruiu seu cocheiro a parar bem ao lado da carruagem do nobre senhor, para que pudessem conversar pela janela, sob o disfarce de estar assistindo aos balões. Alberton pareceu contente pela companhia, e, com o mínimo de encorajamento, pôs-se a expor a própria vida.

Para seu desgosto, Sophia logo constatou que Alberton se beneficiara dos mesmos ventos da boa fortuna que abençoaram lorde Rowe.

– O nome do cavalo era Perdedor do Coração Gelado – disse Alberton com um sorriso extasiado. – Rowe e eu pensamos a mesma coisa: como ele poderia perder?

Incapaz de acompanhar aquela lógica um tanto tortuosa, Sophia limitou-se a concordar e sorriu, ao mesmo tempo cerrando os dentes de frustração. A conversa voltou-se para o balonismo, e Sophia aprendeu mais do que desejava sobre o assunto. Ficou radiante quando um companheiro de lorde Alberton parou do outro lado e ela foi poupada de mais explicações.

Sentindo-se um pouco desanimada, ainda estava sentada em seu coche, assistindo da janela um balão particularmente grande ser inflado, quando um cabriolé parou ao seu lado. Antes mesmo de se virar para olhar, soube que era Max. Só podia ser. Ninguém mais tinha o poder de fazer seu corpo ficar alerta daquele jeito.

Tratou de se fortalecer antes de olhar na direção dele.

Max tocou o chapéu, a borda criando uma sombra sobre seus olhos.

– Boa tarde.

Sophia acenou com frieza, apesar de estar sentindo um nó no estômago. Não tinha visto nem sombra do infeliz desde que ele prendera a sua mão. Notou com irritação que ele agora andava sempre na moda, o sobretudo nitidamente confeccionado por um exímio alfaiate e a gravata que trazia ao pescoço ostentando um nó engenhoso e um alfinete de safira. Ficava surpresa ao vê-lo tão bem-vestido. O Max de sua juventude, apesar de sempre estar impecável, não se importava com a moda.

Mas este Max, mais magro e forte, de olhos sombrios e sorriso duro, este Max era alguém que ela parecia não conhecer. Para disfarçar a insegurança, disse com voz fria:

– Como vai?

Max ergueu as sobrancelhas.

– Como faz *isso*?

Ela lhe lançou um olhar desconfiado.

– Como faço o quê?

– Perguntas comuns com essa voz raivosa. Sempre tenho a sensação de que deveria responder "Estou bem, exceto por esta dor horrível no peito. Não tenho certeza se viverei até o fim do dia".

Ela suspirou.

– Isto não me agradaria nem um pouco.

– Não?

– Não. Seu cabriolé está no caminho. Se algo lhe acontecesse neste momento, eu ficaria presa aqui até que alguém conseguisse movê-lo.

Max suspirou e olhou para o céu.

– Vê o que tenho que aguentar? Não fica evidente por que evitei pintar pessoas por tanto tempo?

Aquilo chamou a atenção de Sophia.

– Pessoas? Quando começou a fazer retratos?

Ele deu de ombros e olhou para o balão que havia no campo e que aumentava lentamente de volume ao ser inflado com ar quente.

– Há doze anos.

Sophia queria fazer outras perguntas, mas não conseguia pensar em um jeito de fazer isso sem aparentar mais interesse pela vida dele do que deveria.

– Não sabia que apreciava esse tipo de espetáculo.

– Não aprecio. Só vim por sua causa. E *você*, por que veio?

Era o que ela suspeitava: Jacobs provavelmente contou a Max onde ela estava. Sophia teria umas coisinhas a dizer ao mordomo quando voltasse para casa.

– Não que seja de seu interesse, mas vim falar com lorde Alberton.

Max olhou para Alberton, envolvido em uma vigorosa discussão com o homem da carruagem ao lado.

– Um pouco velho para você, não acha?

– O que eu queria falar com ele não era de natureza pessoal. Só queria perguntar...

Ela se deteve a tempo, fitando Max por entre os cílios.

– Perguntar o quê?

A voz que formulou aquela pergunta era grave e densa, como o mel que seu pai cultivava quando ela era criança.

Uma voz que a incitava a ceder e confessar tudo. Sophia mordeu o lábio, observando-o por um bom tempo. Deus sabia que precisaria de toda a ajuda possível. E, de qualquer forma, não estava fazendo aquilo tudo por causa dele? Bem, em parte por causa dele. Para ser sincera, a ideia de fazer algo *com* Max era bem atraente. Não como um casal, claro – nunca poderiam ser um casal novamente. Mas como *parceiros*. Sim, era isso que seriam, parceiros. Isso mesmo, bons parceiros.

– Estou tentando descobrir quem pegou a pulseira de lady Neeley. É a única forma de impedi-la de difamar seu nome.

Max suspirou.

– Você não consegue deixar isso para lá, não é?

Não era a reação que esperava.

– Estou ajudando você.

– É o que você acha – replicou ele rudemente.

– Alguém tinha que agir já que você não fez nada – prosseguiu Sophia de maneira acalorada, as mãos cerradas no colo. Que teimosia a dele! – Eu não poderia ficar sentada com toda a calma vendo outras pessoas ridicularizá-lo.

– Por que se importa tanto?

A pergunta pairou no ar como o disparo de uma pistola.

Sophia umedeceu os lábios.

– Não disse que me importava.

– Mas deve se importar, caso contrário não estaria fazendo isso.

– Eu... – A voz entalou na garganta. Sentia-se perdida em um turbilhão de pensamentos, nenhum coerente o bastante para ser expresso em voz alta. Ah, droga! Por que ficava tão confusa só de falar com Max? Era loucura. Nunca se sentiu assim com mais ninguém... Nervosa, a língua atada e a mente repleta de lembranças e pensamentos caóticos, o coração disparado, como se tivesse corrido por quilômetros. Nenhum homem que conhecia tinha esse poder sobre ela, nem mesmo Thomas. Parou. Não havia pensado em Riddleton nem uma vez desde a noite do Grande Baile dos Hargreaves. Era estranho. Claro que sabia que ele ficaria fora da cidade por algum tempo; visitava a mãe todos os anos naquela época e sempre ficava no mínimo um mês fora, ou até mais. Achou que sentiria falta dele, já que estavam sempre juntos nos meses que antecederam sua partida.

Max a olhou com um ar resignado.

– De quem você suspeita, além do pobre lorde Alberton? O príncipe, talvez? Ou Wellington?

– Eles não estavam no jantar de lady Neeley. – Sophia olhou para Alberton, que ainda estava envolvido na conversa com seu outro vizinho. – E ele não é o *pobre* lorde Alberton. Ele e lorde Rowe fizeram fortuna nas corridas. Não fosse isso, ambos seriam bons suspeitos.

– Quem mais está na sua lista?

– Lady Markland.

– Não pode ser ela – disse Max prontamente. – Sentei-me ao lado de lady Markland no jantar e ela me contou três vezes que o irmão havia acabado de falecer. Ela herdou uma grande propriedade na América e parece esperar uma boa renda do negócio.

Diabos. Só havia sobrado então um nome na lista: o Sr. Henry Brooks. Sophia mordeu o lábio enquanto pensava na possibilidade. E se os primeiros instintos de lady Neeley estivessem corretos quando ordenou que revistassem o sobrinho ainda à mesa? Ele era um notório perdulário, e todos sabiam que vivia à custa da tia fazia muitos anos. Além disso, havia alguma coisa nele que deixava Sophia desconfiada... Não estava certa se eram os olhos protuberantes ou o queixo pequeno. Qualquer que fosse o caso, valia a pena investigar. Encontraria aquela maldita pulseira, mesmo que tivesse que seguir o sobrinho de lady Neeley até os quintos dos infernos.

Infelizmente, era esse mesmo o lugar em que ele parecia residir. Brooks era uma figura bem conhecida em inferninhos de jogatinas de má reputação. Sophia cerrou os lábios e olhou para Max por entre os cílios. Se fosse procurá-lo, teria que encontrar *alguém* para acompanhá-la a uma casa de apostas. John certamente não iria, mas Max não era tão puritano assim...

– Não gosto desse olhar – disse Max de repente, recostando-se no assento, cruzando os braços e estreitando os olhos. – Posso imaginar o que deve estar tramando agora.

Um homem normal teria imediatamente oferecido ajuda com tudo que tivesse a seu alcance. Mas, é claro, "normal" não era uma palavra que se aplicava àquela criatura grande e musculosa ali ao seu lado. Max era muitas e muitas coisas, mas usar uma palavra tão trivial quanto "normal" para defini-lo parecia um tipo de sacrilégio. Uma declaração inexata, assim como chamar um leão poderoso e feroz de "gatinho fofo". Ela suspirou.

– Sobrou apenas um nome em minha lista.

– Henry Brooks.

– Como... é, ele mesmo. Como sabe?

Ele deu de ombros.

– Quem mais poderia ser?

Era verdade. Não havia muitos suspeitos.

– Preciso falar com ele, mas Brooks não costuma ser encontrado nos lugares que frequento. Ouvi dizer que gosta muito de jogos de azar.

– Gosta, sim – disse Max sem qualquer hesitação. – E não, não vou acompanhá-la a um desses lugares.

Definitivamente, havia inúmeras desvantagens em falar com alguém que conhece você tão bem, pensou Sophia, lançando um olhar cortante a Max.

– De que outra forma eu o abordarei? Ele vai a muito poucos eventos aceitáveis, a não ser que seja forçado pela tia.

– Talvez lady Neeley convide você para outro jantar.

Sophia se lembrou do encontro com lady Neeley.

– Acho pouco provável que isso aconteça.

Os lábios de Max se curvaram em um sorriso.

– Ficou em um beco sem saída, não foi?

– Não, não fiquei. Apenas não desejo me associar a pessoas que fazem acusações sem a menor evidência para comprovar o que dizem.

– Hum. – Max segurou as rédeas. – Diga a seu cocheiro para ir para casa. Você vai voltar comigo.

O coração de Sophia disparou.

– Vou?

– Brooks é esperado na Tewkesberry Musicale esta noite. Se formos agora, conseguirei levá-la em casa para que vista roupas mais apropriadas e então podemos ir ao musical.

– Como sabe disso? – indagou ela, atônita.

Max deu um sorriso misterioso.

– Tem alguma importância? Precisamos nos apressar. O musical termina às oito porque alguns dos presentes vão ao baile de lady Norton.

Sophia pensou um pouco. Era uma oferta muito boa para ser recusada.

– Por que meu cocheiro não pode me levar para casa? Você também tem que se trocar.

– Verdade, mas meu coche é duas vezes mais rápido, ademais, *já* estou vestido.

Max desabotoou o primeiro botão do sobretudo e fez com que tivesse um vislumbre de seu traje de noite.

Os olhos de Sophia escureceram de desconfiança.

– Você já sabia quem estava em minha lista! Foi John que...

– Se não quer ir, então não vamos – retrucou Max prontamente. – Boa sorte para achar Brooks e um acompanhante que queira levá-la a um inferninho de apostas. Mas vou lhe dar um conselho: não beba o sherry. É de qualidade muito inferior ao que está acostumada e vai deixá-la tonta muito rápido. Ah, e não use muitas joias. Casas de jogatina não se localizam nas partes mais nobres da cidade e há ladrões em cada esquina.

Ela o olhou fixamente.

– E talvez um javali selvagem também esteja morando naquela parte da cidade. Ou quem sabe ciganos terríveis e sujos não apareçam do nada para me raptar?

Max pensou naquilo por um instante e então balançou a cabeça.

– Você gritaria e eles a deixariam ir embora. Ciganos não gostam de barulho.

Um leve tremor transpassou o rosto dela, um lampejo de humor que Sophia rapidamente reprimiu.

– Você é incorrigível. Preciso agradecer a John por fazer com que as minhas confidências cheguem aos seus ouvidos. Embora não seja exatamente o que eu queria, aceitarei sua oferta já que não tenho escolha. Preciso falar com Brooks.

Sophia informou ao cocheiro a mudança de planos enquanto Max desatava as rédeas e descia de maneira graciosa do seu coche para abrir a porta da carruagem dela. Sophia ergueu o corpo e inclinou-se para a frente, abaixando a cabeça para evitar bater no teto. Max sorriu, estendendo-lhe a mão.

– Sabia que acabaria ouvindo a voz da razão. A lógica sempre foi um de seus pontos mais fortes.

Ela deu a mão a ele, os dedos bem apertados enquanto pisava na beira da porta da carruagem.

– Você está tentando me deixar mais dócil, não é? Agora *estou* preocupada...

Max a puxou pela mão. Ela deu um gritinho sufocado e saltou da carruagem, caindo diretamente nos braços dele, o cabelo louro contrastando com o seu sobretudo preto.

Ele permaneceu ali por um instante, sorrindo com a expressão atônita de Sophia, dolorosamente consciente das suas curvas suaves pressionadas contra seu peito. Precisou de todo o seu autocontrole para colocá-la no chão e dar um passo atrás. Pena estarem cercados por tantos olhares curiosos; ele teria apreciado lhe dar mais um beijo ou dez. Inferno, seria tão bom se pudesse jogá-la no chão naquele momento, arrancar suas saias e resolver as coisas a seu modo, que se danasse a sociedade.

Aumentando o controle contra o fluxo de desejo ardente que o inundava, ele a ajudou a se sentar no coche.

– Tenho o pressentimento de que vou me arrepender disso – murmurou ela, enrubescida.

Max subiu, sentou-se ao lado dela e soltou as rédeas.

– Pode ser que sim. Mas pense na diversão que terá no percurso para esse arrependimento.

Sem lhe dar tempo para refletir a respeito daquela afirmação, Max pôs o coche em movimento e logo se viram a caminho da casa de Sophia.

Chegaram ao Tewkesberry Musicale assim que a apresentação começou. Sophia lamentava ter chegado tão depressa, visto que, dessa vez, Max se mostrara extremamente agradável, conversando à vontade sobre pessoas que ambos conheciam ou haviam conhecido no passado, muitas vezes fazendo-a rir. Mas sob a atenção calma e amistosa zunia uma corrente de sensualidade que a deixava quente e inquieta.

Logo estavam sentados lado a lado no grande salão de Tewkesberry, para ouvir a bela ária italiana executada por lady Maria Townsbridge. Sophia mal prestava atenção, porque Brooks estava a apenas duas fileiras de distância dela e de Max. Era um homem sem graça, com pouco a se destacar além de um queixo decididamente pequeno.

A performance musical terminou às sete em ponto. Lady Tewkesberry anunciou que as bebidas seriam servidas no salão verde. Pelo canto do olho, Sophia viu o sobrinho de lady Neeley trocando cumprimentos com alguém no fundo do salão.

Ela se inclinou na direção de Max e sussurrou:

– Para quem ele está gesticulando?

Max olhou por trás dela.

– Lorde Afton.

– Ah! – exclamou Sophia, excitada.

Lorde Afton era um membro pouco aceito pela alta sociedade, conhecido pelos hobbies excêntricos, que incluíam colecionar caixinhas de rapé decoradas de forma lasciva, criar aves raras e desenhar coletes por frivolidade. Em seu tempo livre, também era conhecido por levar rapazes ricos para as piores casas de azar que pudessem existir. Dizia-se à boca pequena que era pessoalmente responsável pela ruína de lorde Chauncy Hendrickson, que estourou os miolos depois de perder toda a fortuna em uma mesa de jogo, faltando apenas dez dias para o seu aniversário de 19 anos. Se Brooks estava com problemas com Afton, havia boas chances de que fosse alguma dívida bem grande, o que lhe dava o motivo perfeito para o furto.

Sophia olhou primeiro para lorde Afton e depois para Brooks, que seguia em direção à porta. Não conseguia se movimentar no meio da multidão, então acompanhou, com muda frustração, seu suspeito desaparecer para ir falar privadamente com lorde Afton. Desejava com todas as forças ouvir o que diziam. Se pudesse ao menos chegar ao hall de entrada, talvez...

Uma mão a segurou pelo cotovelo. Sophia olhou para baixo e suspirou. Conhecia aquela distinta mão masculina.

– Max, me largue. Tenho que ir até o hall.

– Está determinada a fazer isso, não é? Creio então que devo ajudá-la.

– Não preciso de ajuda.

E não precisava. Embora *devesse* se perguntar por que se incomodava quando ele estava visivelmente tranquilo. Era pelo fato de ter o próprio nome vinculado ao de Max? Será que era aquilo? Ou algo mais? Algo relacionado ao fato de ser perfeitamente natural para ela ficar ali ao lado de Max, com a mão dele na sua pele nua, uma experiência que parecia tão certa...

Enquanto divagava a esse respeito, uma mulher alta e idosa, de turbante laranja, cutucou o ombro de Max com o leque.

– Easterly! Então você realmente voltou.

Max teve que responder, e foi nesse instante que Sophia conseguiu se desvencilhar. Virou-se um pouco, puxou o braço e se misturou à multidão antes que Max pudesse fazer qualquer coisa além de lançar-lhe um olhar perplexo, a senhora exigindo sua imediata atenção.

Sophia saiu porta afora, mas não havia sinal de Brooks ou Afton. Caminhando silenciosamente, dirigiu-se ao hall de entrada, parando aqui e ali para tentar escutar alguma coisa. Afinal ouviu algo – um burburinho de vozes masculinas atrás de uma enorme porta de carvalho.

Olhou para a direita e para a esquerda, certificando-se de que não havia ninguém por perto, e encostou o ouvido na porta de madeira. Manteve-se ali, quieta e totalmente imóvel, esforçando-se para distinguir as palavras enquanto sentia o frio do piso de mármore atravessar seus sapatos. Podia ouvir o som grave de vozes masculinas, falando baixo e em tom de mistério, mas pouca coisa além disso.

Era enlouquecedor. Colou um pouco mais a orelha à porta, tampando a outra com um dedo na tentativa de ouvir melhor, mas foi em vão. A madeira era espessa demais.

Algo encostou em seu braço e ela deu um pulo.

Max sorriu para ela.

– Um copo virado ao contrário é bem mais eficaz – sussurrou. Ele trazia consigo um copo de cristal e o encostou na porta. – Pressione a orelha nele e veja se funciona.

Ela sussurrou de volta:

– Obrigada, mas não preciso do seu copo.

– Tem certeza? – Os olhos prateados estavam sorridentes. – Ao menos tente.

Ela olhou para o copo encostado na porta e teve que reconhecer que era convidativo. Talvez funcionasse melhor. Com um suspiro exasperado, pegou o copo da mão dele e o colou à porta.

Max sorriu, encostando-se na parede ao lado da porta para dar mais espaço a ela.

– Não entendo por que está tendo esse trabalho todo, mas admito que acho bastante lisonjeiro.

Ela ignorou o comentário e encostou a orelha no copo. Pôde então ouvir a inconfundível voz de Brooks.

– Ela me matará se souber – disse ele.

– Isso não – respondeu Afton.

– Depois de toda a confusão que fez quando a perdeu? Está louco?

Sophia piscou. Ele só podia estar falando de lady Neeley e da pulseira.

– Minha tia parece um cachorro com seu osso quando gosta de algo – prosseguiu Brooks. – Por isso tive que arranjar uma falsa, que fosse exatamente igual à original.

O coração de Sophia disparou. Falsa? Haveria então duas pulseiras? Brooks pretendia trocar as pulseiras e algo saiu errado?

Max se aproximou, baixando a cabeça para também poder ouvir.

Brooks suspirou ruidosamente, tão perto da porta que Sophia quase deu um salto.

– Tem certeza de que a caixa está bem escondida?

– Ah, está – respondeu Afton, um tom tranquilizador na voz. – Pela minha honra, ninguém nunca a encontrará. Eu a enterrei no Hyde Park, atrás daquele arvoredo na parte sul.

– E tem certeza de que ninguém o viu?

– Nem uma alma.

– Bom. Se minha tia algum dia descobrir, vai me cortar do testamento em dois segundos. E meu primo Percy vai adorar testemunhar isso.

– Sua tia nunca saberá. É só pôr a falsa diante dela e ela vai gostar tanto quanto gostava da outra.

– Se não descobrir a diferença... Sinto muito por eu estar tão preocupado. Na verdade, estou em dívida com você, Afton. Não sei bem como poderei pagá-la.

Era isso! Sophia quase deu um pulo de alegria. Brooks *efetivamente* devia a lorde Afton!

– Está escondida no Hyde Park – sussurrou ela, entusiasmada. – Enterrada atrás de umas árvores na extremidade sul.

Max a segurou pelo cotovelo.

– Vem vindo alguém – disse ele, indicando o hall. Ouviu-se um ruído baixo de sapatos de couro se aproximando. – É Tewkesberry.

Sophia se afastou da porta no momento em que ela começou a se abrir. O seu olhar encontrou o de Max – estavam encurralados. Rápido como um raio, ele a puxou pela mão e a arrastou pelo hall até uma porta estreita. Abriu-a, revelando uma espécie de armário, e, sem dizer uma palavra, puxou Sophia lá para dentro. Estava escuro, a não ser pela fina fresta ao pé da porta que tingia seus sapatos de dourado. O espaço era reduzido e os dois ficaram comprimidos, enquanto Afton e Brooks pararam no hall para falar com Tewkesberry.

– Droga – sussurrou Sophia. – Ficaremos horas presos aqui.

Max olhou para baixo, mas não via mais do que o contorno do rosto dela. Já estava com Sophia havia mais de três horas, três horas de tortura. O corpo estava tenso e o sangue, quente. E agora, estavam presos no escuro, o leve cheiro de limão se espalhando pelo ar, e o cabelo de Sophia no seu nariz. Inclinou-se e inspirou profundamente, deixando que o cheiro dela enchesse seus pulmões.

Sophia se remexeu, inquieta, o quadril encostando no dele, fazendo-o ficar mais rígido ainda. Ela não fazia ideia do que provocava nele. Nenhuma ideia. Era tão enlouquecedor e sedutor...

– Ah, não – sussurrou Sophia, quebrando o silêncio. – A-acho que vou espirrar.

– É só porque não pode. Pare de pensar nisso.

Ela ficou em silêncio por um instante e então sussurrou mais uma vez:

– Tenho *certeza* de que vou espirrar! Eles nos descobrirão e vão querer saber por que estamos aqui e...

Max aproximou o rosto do dela e a beijou. Não era um beijo hesitante e investigativo como o primeiro, mas uma explosão selvagem de paixão, desejo e urgência. Colou o corpo ao dela, apertando-a contra si, o beijo dando lugar a algo mais. E Sophia, sua querida e amada Sophia, correspondia com aquela paixão toda de que ele se lembrava, agarrando seu sobretudo e gemendo suavemente. Ela estava acabando com sua gravata. E ele, amarrotando o vestido dela sem se incomodar nem um pouco. O beijo prosseguia, cada vez mais profundo. Sua língua passava pelos dentes dela, as mãos apalpando-lhe os seios por cima do vestido. Max acariciou-lhe os mamilos rígidos com os dedos. Ela murmurou seu nome e apertou ainda mais o corpo no dele, empurrando-o para trás.

Contra a porta. A porta destrancada. Num instante, estavam na mais completa escuridão, os sentidos desnorteados, no seguinte, estavam cambaleando no hall, confusos, apertando os olhos para a luz.

Afton, Brooks e Tewkesberry olharam para eles, atônitos.

Sophia esperou que uma sensação de vergonha e humilhação a acometesse. Mas, por algum motivo, o que sentia era um glorioso calor vindo do abraço de Max. Ele se moveu para ficar na sua frente, as mãos alisando o casaco e ajeitando a gravata.

– Cavalheiros – disse ele suavemente, como se não tivesse surgido de repente de um armário de limpeza. – Estávamos procurando o banheiro feminino. Minha esposa rasgou o vestido.

Tewkesberry apontou para o outro canto do hall.

Max fez uma mesura, pegou a mão de Sophia e colocou-a na dobra de seu braço, depois acompanhou-a até o toalete, fora do campo de visão de Afton e do depravado sobrinho de lady Neeley.

O silêncio entre os dois ficava cada vez mais tenso. Sophia olhou de soslaio para Max e ficou pesarosa ao ver sua expressão séria.

– Max, eu...

– Entre e se arrume.

– Mas...

Ele tocou os lábios dela com os dedos, aquecendo-lhe a pele.

– Não há o que ser dito. Você ia espirrar. Eu a ajudei a se distrair. Isso é tudo. – E deixou que a mão caísse ao lado do corpo. – Compreendo muito bem. Não há necessidade de mais explicações.

É claro que era tudo. Como era ingênua por pensar de outra forma. Subitamente triste, Sophia assentiu e entrou no vestiário, detendo-se apenas quando viu o próprio reflexo no espelho. Os lábios estavam inchados, o cabelo, desarrumado e o vestido, todo amarrotado. Mas, por alguma razão, essa visão a reconfortava. Parecia uma mulher que tinha sido amada. E, de fato, quase tinha sido.

Sophia se ajeitou o máximo possível e foi reencontrar Max. Pouco depois, foram embora. Ele a ajudou a subir no cabriolé e tomou as rédeas.

Estava estranhamente quieto, então ela tentou puxar conversa para aliviar a tensão.

– Só precisarei de alguns minutos para colocar um vestido velho e buscar uma pá no estábulo.

Ele ergueu a sobrancelha.

– Está louca se pensa que vamos ao Hyde Park uma hora dessas.

– Temos que pegar a pulseira e...

– Amanhã – disse Max abruptamente. – Passarei para buscá-la às onze.

– Onze? É tarde demais! Que tal às oito?

– Não vou me levantar às oito para cavar o chão. – Ele lançou-lhe um olhar duro. – E você, madame, não irá sem mim.

– Mas se formos tão tarde, haverá muita gente por lá!

– Não naquele arvoredo. E mesmo que haja outras pessoas, que diferença isso faz? Podemos dizer que gostamos de nos dedicar à jardinagem ou outro absurdo qualquer.

Sophia deixou o desapontamento transparecer ao torcer o nariz. Ele estava suprimindo todo o romantismo da história, o que era lamentável. Logo chegaram à sua casa e Max a acompanhou até a porta. Sophia estendeu-lhe a mão.

– Obrigada pela companhia.

Max apertou suavemente os seus dedos.

– Obrigado por me deixar acompanhá-la.

Sophia tentou encontrar as palavras que fossem deixá-lo à vontade novamente, que fossem trazer de volta a companhia calorosa que ele havia sido antes da apresentação musical, mas nada lhe ocorreu. A porta se abriu e uma luz branda os iluminou.

– Bem, nos vemos amanhã então. Às oito.

– Onze.

Max fez uma mesura e se virou, seguindo para o cabriolé. Subiu sem dificuldade e pegou as rédeas.

– Que tal às nove? – propôs Sophia.

– Onze – foi sua resposta taxativa ao incitar os cavalos a se moverem.

Logo em seguida, o coche ressoava pela rua de pedra, desaparecendo na esquina.

Ao chegar em casa, Max se deu conta de que não conseguiria dormir. O sangue ainda estava quente, a mente, angustiada com a sensação de abraçar Sophia, o corpo, rígido de necessidade. Pior do que o desejo que lhe percorria as veias era a exata noção de que, se a porta não tivesse sido aberta naquela hora, ele a teria amado naquele armário estreito. A esposa que o trouxera de volta ameaçando-o com uma chantagem apenas para pedir a anulação do casamento.

Quanto mais ficava com Sophia, mais a queria. Suspirou ao entrar no quarto, com a certeza de que naquela noite não dormiria. Então foi pintar, o que sempre fazia quando perdia o sono. Distraiu-se com as imagens que surgiam na tela, com as cores, sombras e luzes. Trabalhou com fervor, tão absorto que o sol iluminou a cidade antes que ele pudesse notar. Subitamente exausto, caiu na cama com a mente ainda tomada pela lembrança e pelo gosto de Sophia.

Acordou um tempo depois, espreguiçando-se na escuridão do quarto, cujas cortinas pesadas impediam a passagem da luz do sol. Suspirando, olhou o relógio da lareira e se levantou em um sobressalto. Eram onze e dez da manhã. Só Deus sabia o que Sophia era capaz de fazer. Livrou-se dos cobertores e chamou seu valete. Lavou-se e se vestiu em questão de segundos e saiu correndo pela escada, ainda se abotoando.

Foi direto para o parque e encontrou a carruagem de Sophia parada ao lado das árvores na parte sul. Saltou, atirou as rédeas para o criado e rumou naquela direção. Encontrou Sophia um pouco mais adiante, já cavando. Ela estava de costas para a estrada, um vestido velho e sapatos apropriados para aquela tarefa. As mãos cobertas por luvas de couro de cavalgada seguravam uma longa pá. Um sorriso radiante escapou de seus lábios ao vê-lo.

– Aí está você!

Max se recusou a admitir o calor que invadiu seu coração diante daquela recepção.

– Dormi demais.

– Ah, puxa, só tenho uma pá, então não faria diferença você estar aqui ou não.

Ele estendeu a mão para pegar a pá, mas Sophia não se mexeu. Limitou-se a olhar aquela mão estendida e erguer as sobrancelhas.

Max não conseguiu conter um sorriso.

– Suponho que esteja me dizendo que é a dona da pá.

– Acho que sou eu que tenho que cavar, já que fui eu que descobri onde a pulseira estava escondida.

– Entendo. Se vai cavar, o que eu vou fazer?

Ela o olhou pensativa.

– Vigiar.

– Vigiar? Quem devo vigiar?

– Brooks e Afton.

– Acha que eles voltarão para pegar a pulseira? Agora? Em plena luz do dia?

Ela franziu o nariz enquanto refletia a respeito daquilo.

– Suponho que esteja certo.

Max cruzou os braços e se recostou em uma das árvores.

– Acho que devo fazer alguma coisa. Talvez orientá-la.

Sophia parou e tirou o cabelo do rosto, sujando a bochecha de terra.

– Quer me orientar? Não acho que preciso disso.

Max abafou um sorriso e disse com sua melhor voz de comando:

– Ei, vamos, comece a cavar agora!

– Ah, que adorável – retrucou ela, lançando-lhe um olhar indignado, apesar de no fundo estar sorrindo. – Espero estar cavando no lugar certo. Era o único ponto com terra recentemente remexida.

– Então deve ser aí mesmo...

– Oi! – exclamou uma voz vinda do outro lado do arbusto. John surgiu na pequena clareira. Estava com roupas de montaria, o chapéu debaixo do braço e o nariz um pouco vermelho por causa do sol. – Achei que eram vocês dois mesmo.

– Você conseguiu nos ver do caminho? – perguntou Max.

– Pude ver do alto do cavalo. Pensei que estivessem fazendo um piquenique ou algo assim – observou John olhando em volta. – Poderia jurar que senti cheiro de creme de limão.

– Você e a comida... – disse Sophia com indignação. – Não estamos fazendo um piquenique. Estamos cavando um buraco, procurando a pulseira de lady Neeley.

– Na verdade – acrescentou Max, como que se desculpando –, sua irmã está cavando. Eu estou apenas orientando. – E apontou para o buraco. – Preste atenção no que está fazendo, Sophia. Esse buraco não está redondo, está ovalado, então, cuidado para...

Tump. Uma pá de terra atingiu o chão perigosamente perto do pé dele.

– Ei, ei! – exclamou John, erguendo as mãos e se afastando. – Acho que vou voltar a cavalgar. Tome conta da minha irmã, Easterly. Não podemos deixá-la jogar terra no príncipe ou em alguém importante.

Ele deu uma piscadela e se afastou.

– Ele é tão chato – reclamou Sophia.

Ela cravou a pá na terra mais uma vez e um silêncio confortável se instalou por alguns minutos enquanto ela prosseguia. De repente, um barulho encheu o ar. Sophia piscou para Max, os olhos arregalados de excitação.

Max desencostou da árvore e se curvou para olhar dentro do buraco. Viu então a ponta de uma caixa de madeira.

– Não estava muito no fundo, não é?

– Não. – Ela cavou toda a terra em volta. Assim que a caixa ficou totalmente exposta, ela a pegou com ambas as mãos e a tirou dali. O que quer que estivesse ali dentro deslizou para um lado. Sophia franziu a testa enquanto se levantava. – Pelo barulho, não parece uma pulseira.

– Talvez esteja embrulhada em alguma coisa. Abra para ver.

Ela se atrapalhou um pouco com o fecho.

– *Meu Deus!*

O grito envolveu o ar.

Max se virou e encontrou Brooks parado atrás dele. O homem estava ridiculamente vestido com um casaco de montaria de veludo azul com enormes botões de metal.

Sophia abraçou a caixa e recuou.

– Sabemos sobre a caixa, Brooks. E sabemos que Afton o ajudou.

O rosto de Brooks, antes vermelho, perdeu toda a cor.

– Droga! Foi meu primo Percy, não foi? Ele envolveu vocês nisso. – Ele deixou os ombros caírem. – Maldição, eu sabia... disse para Afton ter certeza, e ele me garantiu que tinha, diabos! – Brooks pôs a mão no rosto. – Suponho que vão direto contar para minha tia?

– Temos que ir – concordou Sophia. – Precisamos limpar o nome de Easterly.

Brooks piscou.

– Easterly? – Ele se virou para Max, completamente confuso. – O que você tem a ver com o papagaio da minha tia?

Fez-se um instante de silêncio.

– Papagaio? – indagou Sophia.

– Bem, é. – Brooks franziu a testa. – O que você pensou que... A pulseira! Vocês acharam que a estúpida pulseira de tia Theodora estava aí!

Sophia olhou para Max, muitíssimo confusa. Ele deu um passo à frente.

– Se o que está escondendo não é a pulseira, o que tem na caixa?

Subitamente pálida, Sophia afastou a caixa do corpo.

– Não me diga que o papagaio de lady Neeley...

– Minha nossa, não! – exclamou Brooks. – Isso seria terrível!

Max pegou a caixa das mãos de Sophia e a pôs no chão.

– Brooks, melhor começar a se explicar.

– Acho mesmo que devo. O pássaro de tia Theodora tinha o hábito horrível de dormir nas almofadas da sala. Minha tia sempre me dizia para bater nas almofadas antes de sentar. Um dia esqueci e me sentei no desgraçado. O pássaro fez um escarcéu! Avançou em mim, tentou puxar meu cabelo. Eu corri desesperado. Saí da sala e da casa. O problema foi que o pássaro me seguiu.

Max franziu a testa.

– Seguiu você?

– Sim, por alguns metros, gritando e bicando minha cabeça. Foi um milagre eu não ter perdido um olho.

– Então o papagaio escapou.

– Foi embora para sempre. Revirei tudo e não o encontrei em lugar algum. – Brooks deu um suspiro. – Nesse meio-tempo, minha tia descobriu que o pássaro havia sumido e armou a maior confusão. Ninguém sabia que o maldito havia me seguido porta afora, e eu não ia contar, claro, especialmente para o meu primo Percy.

– Que contaria tudo a lady Neeley – concluiu Sophia.

– Contaria mesmo, mas eu fui mais esperto. – Brooks empertigou-se, obviamente orgulhoso. – Não consegui encontrar o verdadeiro, apesar de ter procurado por dias a fio. Então consegui outro com Afton. Ele tem muitos papagaios e este se parecia bastante com o da minha tia. Levei o bicho para a casa dela e o deixei entrar por uma janela aberta. Ela acredita que ele voltou sozinho.

– Um plano perfeito – comentou Max.

– Não exatamente – disse Brooks, aparentando desconforto. – Houve uma dificuldade. Sabe, o novo pássaro é meio louco. Não gosta de nada que era do antigo papagaio, nem da gaiola, nem dos brinquedos, odeia até a campainha de prata que minha tia comprou para ele.

Os dedos do pé de Sophia tocaram a caixa.

– Então, o que tem aí dentro?

– Todos os brinquedos do pássaro, a cama, tudo. Não se atrevam a se aproximar da casa da minha tia com isso, mas podem ficar à vontade para olhar, se quiserem.

Sophia puxou o fecho e abriu a caixa.

– Céus! – exclamou, olhando pra aquele monte de coisas.

– É triste o que ela gasta com aquela ave – disse Brooks, balançando a cabeça de forma pesarosa. – O pior é que tive que comprar tudo igualzinho para o papagaio novo, o que foi bem doloroso se querem saber.

Sophia fechou a caixa, os braços de repente exaustos.

– Acho que devemos enterrar isso outra vez.

Brooks parecia aliviado.

– Você se importaria? Percy é um covarde e fará de tudo para me cortar do testamento.

– Claro que não – respondeu Sophia, dando-se conta de que Brooks era seu último suspeito. Mais uma vez falhou com Max, e perceber isso a fez ficar com um nó na garganta. Ela pegou a caixa e a colocou de volta no buraco.

Mas, enquanto o fazia, a mão quente de Max tocou seu braço.

– Permita-me – disse ele, pegando a pá para cobrir a caixa com terra.

Enquanto isso, Brooks ficou falando dos seus problemas e das estranhezas do papagaio novo, que havia se apaixonado pela dama de companhia de lady Neeley e se recusava a comer biscoitos, embora o antigo pássaro adorasse coisas velhas. Sophia mal o escutava. Suspirando, virou-se para ver a trilha e observar as pessoas que cavalgavam por ela.

Pensou ter visto de relance a prima Charlotte, parecia corada e elegante. Sophia se alegrou. Talvez devesse convidar Charlotte para jantar qualquer dia. Talvez, se se mantivesse bastante ocupada e cercada de gente, não pensasse com tanta frequência em Max e assim poderia anular o feitiço que ele parecia ter jogado nela sem o mínimo esforço. Por algum motivo, quanto mais o via, mais forte parecia o feitiço, e isso estava começando a assustá-la.

Max pôs a última pá de terra sobre a caixa.

– Pronto. Agora está como antes.

– Obrigado – disse Brooks. – E, bem... se puder não comentar sobre isso por aí...

– Claro.

Max segurou o braço de Sophia e, acenando para Brooks, acompanhou-a até a carruagem. Entregou a pá ao criado e ajudou Sophia a se sentar, depois ficou parado ao lado da janela aberta, um olhar indagador.

Ela não sabia nem por onde começar a explicar como se sentia mal.

– Preciso ir para casa me lavar – disse, passando a mão nas saias. – Acho que estraguei...

Ela pretendia completar a frase com "meu vestido", mas as palavras ficaram presas na garganta.

Max suspirou, impaciente.

– Sophia, não fique com esse ar derrotado. A pulseira de lady Neeley não tem importância alguma...

– Para mim tem. Era minha chance de provar que não sou como antes, que eu...

Ela se deteve, de repente percebendo o que quase chegou a dizer.

– O que foi, Sophia? – perguntou Max com a voz decidida.

Mas o orgulho não lhe deixou pronunciar aquelas dolorosas palavras. Palavras que a deixariam nua, exposta e vulnerável, digna de pena. Os anos de solidão lhe haviam ensinado uma coisa – se queria evitar que as pessoas tivessem pena dela, então não podia admitir fraqueza.

Inspirando fundo, empertigou-se e encontrou o olhar dele.

– Não foi nada, Max. Você parece esquecer que não é o único a ostentar o nome Easterly. É meu nome que quero proteger também.

O rosto de Max se enrijeceu.

– Ainda quer a anulação.

A dor dentro dela a fez continuar, a mover os lábios forçando um leve sorriso:

– É claro que ainda quero! É tudo o que eu sempre quis. E tão logo você a conceda, vou recomeçar a vida e encontrar um amor.

– Pensei que estivéssemos começando de novo. Recomeçando a conhecer um ao outro...

– Eu quero a anulação – reiterou ela.

Para sua profunda decepção, Max se afastou da carruagem.

– Então é o que terá.

Ele acenou-lhe brevemente, virou-se e foi embora.

Sophia o observou partir, o coração já transbordando com as lágrimas que os olhos não podiam chorar. De olhos dolorosamente secos, fez sinal para que o cocheiro a levasse para casa.

CAPÍTULO 6

É difícil de acreditar, mas ontem lady Easterly foi vista no Hyde Park com uma pá. Ainda mais estranho é o fato de ela estar usando uma ferramenta tão rústica para cavar um buraco atrás de um grande arvoredo na parte sul do parque.

E como se isso não fosse o bastante para suscitar falatório, lorde Easterly estava com ela, mas apenas ria e orientava os esforços da pobre mulher na realização da tarefa.

Esta autora não faz ideia do que eles estavam procurando, nem se encontraram.

CRÔNICAS DA SOCIEDADE DE LADY WHISTLEDOWN,
12 de junho de 1816

Na manhã seguinte, o estado de ânimo de Sophia era ainda mais sombrio. Ela permaneceu em casa, andando de um lado para o outro da sala, apertando as mãos às costas. Era para estar pensando na pulseira, já que tinha voltado ao ponto de partida. No entanto, pensava em Max.

O que ele tinha que a fazia se esquecer de si mesma? Estava dividida entre a vontade de esquecer qualquer precaução e a necessidade de se proteger contra mais mágoas. O que precisava era de uma promessa. Não, uma promessa não. Max já havia prometido nunca deixá-la e foi embora alguns meses depois. Precisava de algo mais forte que uma promessa.

Abraçou a si mesma, consciente das lágrimas que ameaçavam escorrer.

Queria amá-lo como antes, livre e abertamente, sem dúvidas ou medos subjacentes. Mas como? Quaisquer que fossem seus sentimentos por Max, eles eram um perigo para sua paz de espírito. Estar com ela a desnudava, a deixava vulnerável de um jeito que não se permitia ficar desde... bem, desde que se apaixonara por ele pela primeira vez.

Nunca mais. Talvez se só o visse quando houvesse outras pessoas por perto. Bem, a casa dos Tewkesberry estava cheia de gente e aquilo não pareceu mudar em nada as coisas. Sophia suspirou. Tinha que parar de pensar tanto em Max. Talvez *devesse* convidar a prima Charlotte para uma visita no fim de semana. É, faria exatamente isso.

Sophia estava se virando para procurar papel e caneta quando ouviu uma batida suave e em seguida viu Jacobs.

– Minha senhora, o Sr. Riddleton veio vê-la.

Thomas! Meu Deus, tinha se esquecido de que ele estava prestes a voltar. Era bem impressionante tão pouco tempo ter bastado para removê-lo da sua mente... Mas, ainda assim, seria agradável estar com um amigo.

– Faça-o entrar.

Alguns segundos depois, Jacobs acompanhou Thomas até a sala e fechou a porta ao sair.

Thomas aproximou-se. Era alto e bonito, tinha o cabelo castanho e um ar sincero. Ele pegou a mão de Sophia e a beijou, com um sorriso no rosto.

– Você está adorável, Sophia.

– Obrigada – disse ela, puxando a mão, um pouco desconcertada com aquele gesto. Por que não se apaixonou por um homem como Thomas? Ela indicou-lhe uma cadeira. – Sente-se, por favor.

Thomas aceitou o convite, observando-a sentar-se na cadeira defronte à sua com expressão serena.

– Como foi a visita a sua mãe?

– Agradável. Embora tivesse passado mais depressa se você houvesse escrito mais vezes.

– Mais vezes? – indagou ela. – Mas não escrevi nenhuma vez.

– Exatamente – disse Thomas com a voz seca.

Ela conseguiu sorrir.

– Eu lhe avisei que não era uma correspondente das mais entusiasmadas.

– Verdade, você avisou. Mas pensei que... – Seu sorriso vacilou um pouco, o olhar assumiu um ar de interrogação. – Sophia, soube que Easterly voltou.

Por alguma razão, Sophia sentiu o rosto esquentar.

– Sim, ele voltou.

– Entendo. Tinha esperança de que ele não voltasse pessoalmente... Creio que já tenham conversado sobre a anulação?

Ah, sim, já tinham "conversado". Tinham "conversado" e se beijado e ficado mais perto de fazer outras coisas também.

– Ainda não concordamos em... alguns pontos.

Thomas franziu a testa.

– Talvez eu pudesse pedir que meu advogado fosse vê-lo, só por garantia...

– O que disse? – Sophia piscou. – Está sugerindo que não consigo cuidar dos meus próprios interesses?

Thomas a fitou, por um momento, surpreso, mas depois relaxou, dando um leve sorriso.

– Entendi. Está um pouco alterada. E não é para menos. Está com as emoções confusas desde a volta de Easterly, é natural que esteja.

Seria verdade? Sophia imaginava qual seria o nível de confusão emocional suscitado por um beijo apaixonado dentro do armário...

– Sinto muito, Thomas, mas talvez meus sentimentos sejam um pouco mais...

Ele ergueu a mão.

– Por favor. Creio que conheço esse assunto melhor que você.

Sophia abriu a boca e a fechou sem dizer nada. Quando Thomas se tornou tão *arrogante*? Certamente não foi sempre assim. Ela se remexeu na cadeira, um pouco desconfortável com o rumo que as coisas estavam tomando.

– Desculpe, mas acredito que sou inteiramente capaz de interpretar meus próprios sentimentos e pensamentos. Não há motivo para que pense que precisa fazer isso por mim.

Ele riu.

– Sophia, acho que já passamos da fase de fingir que não nos conhecemos muito melhor que isso. Agora, conte-me tudo sobre a volta de Easterly. Não imaginei que ele fosse voltar à Inglaterra, mas suponho que minha carta o deixou...

– *Sua* carta?

– Bem, sim. Tomei a liberdade de lhe enviar uma carta esclarecendo como os esforços dele em relação a seu pedido o beneficiaria.

Sophia não conseguia acreditar no que estava ouvindo.

– Você mandou uma carta ao meu marido a respeito de meus assuntos pessoais?

– Bem, mandei... – Thomas se ajeitou um pouco na cadeira. – Não pensei que fosse se importar.

– Se não pensou que fosse me importar, por que não pediu minha permissão?

O rosto dele enrubesceu.

– Veja bem, Sophia, tenho interesse nisso também.

– Você? O que o faz pensar assim?

– O quê? Ora essa. Não pode fingir que não estamos nos vendo com frequência demais nos últimos vários meses.

– Não pretendo fingir nada. Tornamo-nos bons amigos, pelo menos era o que eu pensava. – Ela começou a imaginar se ele falava dela assim quando estava com os amigos no White's. Talvez fosse essa a razão para tantas pessoas estarem cochichando sobre os dois. – Amigos e nada mais – disse Sophia com firmeza.

– Shhh! Não quero ouvir mais nada. – Ele sorriu gentilmente, como se pretendesse abrandar a arrogância das suas palavras. – Sou um homem paciente, Sophia. Esperarei até a anulação sair e Easterly partir outra vez.

Max ir embora... Sophia sentiu um nó na garganta. Com certeza não. Não agora que ela... Não agora que ela o quê?, perguntou-se. Mas seu coração covarde não quis responder.

Thomas cruzou as pernas, os olhos sempre fixos no seu rosto.

– Soube do incidente da pulseira. Um evento um tanto desagradável, apesar de não me surpreender, levando-se tudo em consideração.

Aquela maldita pulseira.

– Não sei o que ouviu, mas posso lhe garantir que a verdade é bem diferente do que andam falando por aí.

– É uma pena que Easterly tenha permitido mais uma vez que sua reputação fosse manchada.

Sophia não conseguiria mais suportar. No passado, até havia gostado do ar confiante de Thomas. Mas agora o achava muito irritante. Ele havia mudado?, perguntava-se. Ou ela?

Thomas deu de ombros, os movimentos graciosos sob o elegante corte do casaco.

– Não importa se ele pegou ou não a pulseira. Tudo o que esse incidente fez foi mostrar que quanto mais cedo ele conceder a anulação e voltar para a Itália melhor será para você. – Ele sorriu. – Para nós dois.

– Espere. – Sophia se levantou. – Receio que esteja errado, Thomas. Somos apenas amigos.

O sorriso dele vacilou um pouco.

– Sophia! Não nos damos tão bem juntos?

– Normalmente, sim.

– E não gostamos das mesmas coisas? Teatro, cavalgar e tudo o mais?

– Gostamos.

– Bem, então... – O olhar dele se suavizou. – Por que não? Sei que seu coração ainda está machucado pelo comportamento de Max, mas posso prometer-lhe que nunca a deixarei.

Ela podia ver que as palavras dele eram sinceras. Mas não importava.

– Thomas, não sinto por você o que deveria sentir. E não posso me casar sem amor, amor verdadeiro. Você e eu... nunca poderemos ser mais do que amigos.

Sophia apertou de leve a mão dele, e então a soltou.

– Não posso aceitar menos do que o que tive com Max quando nos conhecemos. Quero aquilo tudo e um pouco mais.

– Não entendo.

– Não precisa entender. Receio que não poderemos mais nos ver. Sinto muito, mas... É o melhor para nós dois. Adeus.

Sem esperar outros protestos, virou-se e saiu, sentindo que havia tirado um grande peso das costas.

⁂

Os dias seguintes foram imersos em uma confusão de sentimentos. Primeiro, o homem a quem pedira que a deixasse não o fizera. Thomas ia visitá-la diariamente. Enviava cartas. Poemas. Flores. E até um lindo anel. Sophia devolveu tudo com uma carta gentil, mas com palavras claras.

Pior do que Thomas se recusar a ouvi-la era o fato de o homem que ela *queria* que a visitasse não aparecer de jeito nenhum. Era enlouquecedor. Depois de dois dias, Sophia teve que apelar para o irmão.

– Você tem que me ajudar – insistiu ela.

John a fitou de onde estava, esparramado na melhor cadeira da sala de estar, quebrando as nozes que pegava de um prato ao seu lado.

– Não tenho, não – disse ele de maneira categórica. – Além do mais, é uma ideia mais que estúpida ir até lá e bater à porta para ver se ele está bem. Pelo amor de Deus, ele é adulto. Vai pensar que eu enlouqueci.

– Mas faz dias que ninguém o vê.

– Provavelmente está pintando – disse John, quebrando outra noz. – Você sabe como ele fica quando está pintando.

– Mas e se estiver machucado? Ou se tiver caído? Pelo menos vá até lá ver...

– A testa franzida de John a fez suspirar. Depois de um instante, ela se animou.

– Já sei! Leve algum presente. Assim ele não achará estranho você ter ido até lá.

– Um presente? Você *só pode* estar perdendo o juízo.

– Não, não! É a desculpa perfeita.

Os olhos dela vagaram pela sala e enfim se detiveram em uma nova garrafa de vinho do Porto. Sophia se levantou e foi pegá-la.

– Leve isto! John, por favor. Por mim.

– Não.

– Pedirei que a cozinheira prepare carneiro com molho de menta. *E* pudim de ameixas.

John devolveu a última noz ao prato e se levantou, lançando um olhar irritado para a irmã.

– Dê-me a maldita garrafa. Eu juro que você e Max são os maiores bobões que já conheci.

E lá foi ele.

E voltou pouquíssimo tempo depois com um relatório bem insatisfatório. Sim, foi à casa de Max. E sim, tinha visto o homem, mas apenas por alguns instantes.

– E devo lhe dizer que uma garrafa de Porto não foi a melhor coisa a se levar. Ele já estava para lá de baleado e lhe dar mais munição não foi boa ideia.

Sophia segurou as costas da cadeira, os joelhos repentinamente fracos.

– Baleado?

– Não! Não desse jeito. – John apertou o próprio nariz, e disse com uma voz sofrida. – Sophia, Max estava bêbado.

– Bêbado?

– É. Bêbado. Ébrio. Embriagado.

Mas ele *nunca* bebe!

– E quase me expulsou de lá também – acrescentou John, balançando a cabeça. – É melhor deixá-lo sozinho. Ele vai sair de casa quando estiver plenamente recuperado.

Sophia foi forçada a se contentar com aquilo. Pensou em fazer uma visita, mas a ideia de encará-lo em seu próprio território, e ainda por cima bêbado, não parecia muito sensata. Então, planejou um dia agitado, repleto de afazeres, para manter a mente ocupada.

Para sua satisfação, naquela noite caiu na cama completamente exausta. Uma boa noite de sono seguida de uma visita longa e agradável da prima Charlotte espantaria o tédio. Mas, apesar de mal conseguir manter os olhos abertos, Sophia não dormiu bem. Sempre que estava quase pegando no sono, uma imagem de Max se insinuava em seus pensamentos e ali permanecia, agitando-se em suas pálpebras e provocando-a de um modo bem irritante. Às vezes era uma lembrança de quando se conheceram e se apaixonaram enlouquecidamente. Outras não era uma lembrança, mas um momento novo, ainda não vivido, tão sensual quanto suas reminiscências mais tórridas.

Sophia lutou para deter o fluxo da memória e fez o possível para conseguir dormir. No entanto, foi ficando cada vez mais irritada, até que enfim se levantou, pegou o travesseiro mais fofo que achou e passou dez intensos minutos fingindo que ele era a totalidade de sua vida com Max, enquanto o socava até o enchimento começar a sair. As penas voaram, mas ela continuou socando, até ficar exausta e cair novamente na cama.

Ela limpou a penugem e pressionou os dedos nos olhos. Céus, quase fizeram amor naquele armário. O que havia de errado com ela, que parecia não se lembrar de que estava zangada com ele, de que ele simplesmente a abandonara?

Suspirou e tirou as mãos dos olhos. De alguma forma, durante aqueles anos, havia esquecido a força da atração física entre eles, e só o que se lembrava era da dor de ter sido abandonada. Mas tinha mais uma coisa que havia esquecido... o quanto gostava daqueles momentos de pura paixão, de peles úmidas e bocas quentes, a sensação do ombro nu no seu rosto quando ele a penetrava... Ela gemeu, então chutou os cobertores. Chega, gritou sua mente.

Sophia respirou fundo e começou a contar de mil para trás. Talvez tivesse que contar a noite inteira, mas não se importava. Faria qualquer coisa para evitar pensar em Max. Gastou uma hora e fez várias contagens de mil ou mais até finalmente cair em um sono profundo e sem sonhos.

O sol nasceu e, com ele, as pálpebras de Sophia se abriram. Era horrível estar acordada tão cedo, mas não havia nada que pudesse fazer a esse respeito. Então saltou da cama, tomou banho e se vestiu, fazendo planos para o dia. Iria às compras. E talvez também fizesse umas visitas. Devia uma visita a lady Sefton. Certamente poderia se manter ocupada até que Charlotte chegasse.

Horas depois, voltava para casa a tempo de cumprimentar a prima. Charlotte estava tão linda quanto uma pintura com um vestido azul e chapéu com fitas combinando. Sophia quase não esperou o criado levar os pertences da prima para dar-lhe um abraço.

– Estou tão feliz que tenha podido vir! Estou desesperada por uma boa conversa feminina e sensata. Já está com fome? Pedi que um jantar leve fosse servido às sete.

– Está ótimo – disse Charlotte. – Acabei de tomar chá e não conseguiria comer mais nada agora.

– Excelente. Vou pedir que levem aos meus aposentos. Estava tão ansiosa para vê-la, mas devo avisá-la de que criei uma regra para esta visita.

As sobrancelhas de Charlotte se ergueram, e ela olhou para Sophia de forma interrogativa.

– Uma regra?

Ela realmente havia se tornado uma mulher bonita, pensou Sophia, abraçando-a em um impulso.

– É, uma regra. Podemos falar de roupas, chapéus, luvas, cachecóis, joias, sapatos, carruagens, cavalos, bailes, comidas de todos os tipos, mulheres de quem gostamos ou não, e das últimas danças que mais apreciamos, mas não daremos uma palavra a respeito de homens.

Charlotte pareceu aliviada.

– Acho que consigo fazer isso.

– Perfeito! – Sophia pegou o braço de Charlotte. – Venha ver o novo vestido que acabei de comprar. É azul com ornamentos russos, a coisa mais linda. Ah, e também comprei um vestido de seda rosa chá com encantadoras rosetas vermelhas que acho que ficará perfeito em você.

– Em mim? Mas eu não poderia...

– Você pode e vai. Comprei-o impulsivamente no mês passado, mas não é bem para mim, e odeio desperdício.

Ainda tagarelando, Sophia a conduziu até o quarto para ver os vestidos.

Era apenas o começo. As duas passaram deliciosas horas falando sobre moda, do que gostavam ou não podiam suportar entre as últimas tendências e quem dentre suas conhecidas tinha o pior gosto para roupas. Ambas ficaram chocadas quando a governanta veio anunciar que logo subiria com o jantar, pois já eram quase sete horas.

Meia hora depois, Sophia suspirou de alegria enquanto servia as xícaras de chá, os pratos vazios ainda na mesa diante da lareira. Era maravilhoso não ter que falar, lembrar ou se incomodar com pensamentos sobre o homem rude, convencido e tolo que era Max. Na verdade, era irritante lembrar como ele permitira que seu orgulho arruinasse a relação deles. Quase podia sentir pena do sujeito. Abriu a boca para comentar isso com Charlotte, mas lembrou-se da regra.

Charlotte deve ter percebido sua expressão, porque deteve-se enquanto dava um gole no seu chá.

– O que foi?

– Nada. Estava apenas... não é nada.

Charlotte a fitou como se fosse discordar, mas pareceu pensar melhor e continuou tomando o chá. O silêncio tomou conta. Sophia se convenceu de que não ter que pensar em Max estava lhe fazendo muito bem. Os céus eram testemunha de que ele estava ocupando demasiadamente seus pensamentos nos últimos tempos, em especial depois de sua batalha com todas as lembranças que de alguma forma havia guardado ao longo dos anos.

Incrível como as lembranças eram vívidas. Mas apenas de certas coisas. Por exemplo, não conseguia se lembrar da cor das flores que carregara no casamento ou do que ele havia falado quando pediu sua mão, mas, se fechasse os olhos, podia ver com nitidez o marrom desbotado de seu chapéu quando ele se inclinava para lhe dizer algo enquanto cavalgavam no parque. Podia se lembrar da curva exata dos lábios dele quando sorria para ela depois de erguê-la para que se sentasse em uma pedra durante as várias incursões que fizeram no campo.

Sophia suspirou e abriu os olhos, aos poucos se concentrando em Charlotte, que olhava para a própria xícara de forma inexpressiva, um semblante bastante melancólico.

Sophia colocou a xícara no pires.

– No que está pensando assim tão séria?

Os olhos de Charlotte logo se voltaram para a prima, o rosto com um leve rubor.

– Estava pensando em... – Mordeu o lábio. – Em nada, na verdade. Estava apenas sonhando acordada.

– Seus pais estão aprontando de novo, não é? Tentando fazê-la se casar. Juro que vou dar uma sacudida na tia Vivian até que seus dentes trinquem.

– Ah, ela tem boas intenções, mas...

– Todos têm boas intenções, mas não significa que estejam certos. Talvez eu pudesse falar com tia Vivian e tio Edward sobre os perigos de se casar cedo. Será que meu triste caso não serve de alerta? Que toda mulher devia esperar até ter, no mínimo, 25 anos para tomar uma decisão dessas?

Charlotte piscou.

– Vinte e cinco?

– Ou mais.

– Mais velha? Do que 25 anos? Mas seria daqui a seis anos! Com certeza... quer dizer, se você encontra a pessoa certa, isto é, se *acha* que encontrou a pessoa certa, não há razões para esperar.

Sophia assimilou a informação. Algo em Charlotte parecia... diferente. Ela aparentava estar mais madura, talvez.

– Não, acredito que não haja razão para esperar se já encontrou a pessoa certa. O problema é que não há garantias. Como sabe, casei-me por amor. E algumas vezes, mesmo assim, não é fácil. – A impressão era de que aquilo não foi forte o bastante para prevenir Charlotte da dor que sentira. – Talvez devamos suspender nossa regra e falar francamente a respeito dos homens, um homem em particular, apenas para servir de exemplo.

– Sem nomes, então. Você sabe que minha mãe odeia me ver fofocando.

Sophia imediatamente sentiu pena da jovem prima. A pobre garota tinha as ações e as palavras fiscalizadas. Era de admirar que Charlotte não tivesse se revoltado, porque Sophia estava certa de que ela própria já teria. Mesmo assim, havia muito a dizer sem mencionar nomes. Max seria uma excelente lição para todas as jovens mulheres do mundo e, se não dissesse seu nome em voz alta, não teria que lidar com aquele enervante salto que seu coração dava quando a palavra passava por seus lábios. Sem nomes, então.

– De acordo.

Charlotte pegou a mão de Sophia e deu um sorriso vago.

– Que bom poder falar francamente!

– Verdade! Acredito que seja por isso que os homens sempre conseguem nos enganar, porque não compartilhamos nossos sentimentos sobre eles de forma franca e honesta. – Sophia lançou um olhar expressivo para Charlotte. – Mas você entende o que quero dizer quando digo que os *homens* são criaturas difíceis e orgulhosas?

– Sim, entendo, eles são mesmo.

– Todos eles – assentiu Sophia. Max era sem dúvida o pior. Usava o orgulho como um manto. Tinha orgulho até de ser orgulhoso, o idiota. – E homens teimosos são os piores.

Charlotte assentiu com entusiasmo.

– Em especial aqueles que se recusam a ouvir a razão, mesmo quando sabem que você está sendo absolutamente coerente.

Era incrível como Charlotte entendia Max.

– Você está inteiramente certa!

– Também acredito que homens gostam de provocar rupturas apenas para poderem acertar as coisas de novo. Ou pelo menos por achar que podem – acrescentou Charlotte.

– Isto é verdade. – Foi horrível a forma como Max voltou, e não foi para ajudá-la, concedendo a anulação do casamento. Não, ele voltou para perturbar a sua paz. Agora, olhe para ela, não conseguia nem dormir sem pensar nele. Por quê?, ficava se perguntando. Com certeza não era possível que ainda... que ainda se importasse com ele. Ainda o amava? Não. Tudo não passava de atração física. – Também odeio a forma como os homens estão sempre tentando nos levar para... – Sophia se deteve ao ver o olhar espantado de Charlotte e sentiu seu rosto esquentar. – Sinto muito. Talvez...

– Não, você está certa. – O rosto de Charlotte agora estava tão vermelho quanto o seu, mas ela prosseguiu assim mesmo. – Estão sempre roubando beijos. E nos lugares mais impróprios. E tudo o que têm a nos dar é uma palavra que não significa nada.

Uma sensação de desamparo comprimiu o peito de Sophia e ela se levantou, tentando se livrar do sentimento agonizante.

– Preferia ter que suportar aquele papagaio horrível de lady Neeley a qualquer homem que conheço.

– Ou aquele macaco que Liza Pemberley está sempre carregando. Ouvi dizer que ele morde.

– É mesmo? – indagou Sophia, momentaneamente distraída.

– Nunca o vi mordendo, mas seria adorável se o fizesse – disse Charlotte, pensativa. – Tem pelo menos uma pessoa que eu gostaria de ver o macaco morder.

Sophia olhou surpresa para a prima. Apesar de todo o seu jeito sereno, Charlotte tinha muito mais perspicácia do que ela imaginara.

– Sem dúvidas seria útil ter um macaco treinado para atacar quando ordenássemos.

– Melhor do que um cachorro, pois ninguém o veria chegando.

Verdade. Sophia podia até imaginar a cara de Max se, da próxima vez que tentasse seduzi-la, um macaco adestrado pulasse em seu ombro e arrancasse um pedaço de sua orelha.

Charlotte suspirou.

– Acho que o macaco não morde de verdade. Sempre me pareceu uma criatura dócil.

– É, mas com macacos nunca se sabe. Ou com homens.

– Eu sei – concordou Charlotte, imersa em pensamentos. – Pelo que vejo... os *homens*... eles sempre parecem achar que sabem o que é o melhor.

– Orgulho. Eles estão transbordando dele, como o Tâmisa depois da chuva.

Seria tão bom poder dizer aquelas coisas sobre Max a alguém, sem ter que ser taxada de irracional, ou receber olhares de pena.

Pof!

Sophia olhou para a janela. Provavelmente um galho de árvore. Virou-se para Charlotte.

– Também odeio quando determinados homens se recusam a admitir que estão errados. Eu...

Pof! Pof!

Charlotte parou.

– Está chovendo? O que é isso?

Plim! Ouviram o barulho novamente, só que um pouco mais alto. Mais insistente.

– Não é chuva. Parece que tem um idiota parado lá fora jogando pedras na minha janela.

– Ah, deve ser o Sr. Riddleton. Ele está apaixonado por você, não está?

– Não acredito que esteja tão apaixonado por mim quanto você parece pensar.

Mas enquanto dizia essas palavras, outra tantas pedrinhas atingiram a janela.

– Meu Deus! – exclamou Charlotte, olhando para a janela. – Ele parece determinado. Acho que agora está usando pedregulhos.

Sophia suspirou.

– Talvez eu deva ver o que ele quer, antes que a janela...

Crack! Estilhaços de vidro se espalharam em todas as direções, seguidos da pedra. Ela rolou até o pé de Sophia.

– Maldito!

Sophia pegou a pedra e se dirigiu à janela quebrada, tomando cuidado para não pisar em nenhum caco de vidro. Ela se aproximou, abriu as cortinas e a fechadura.

– Não acredito que Thomas...

Sophia se debruçou, então parou, os dedos ainda segurando a pedra.

– O que foi? – perguntou Charlotte.

Sophia abriu a boca para responder, mas não conseguiu emitir qualquer som. Em pé, do lado de fora da janela, com outra pedra na mão, estava Max. Sem chapéu, os cabelos se agitando ao vento, o nó da gravata feito às pressas, a barba por fazer.

Sophia se debruçou ainda mais.

– Que diabos acha que está fazendo?

Ele parecia estranhamente aliviado em vê-la.

– Ah, aí está você.

Então, como se não houvesse acabado de quebrar uma janela, jogou a pedra na rua e limpou a mão no casaco, cambaleando.

– Você está bêbado.

– Não, estou completamente bêbado. – Max sorriu, os dentes brancos contrastando com o rosto bronzeado. – O que é ainda melhor.

Ela disse com um tom exasperado:

– Você acabou de quebrar minha janela!

– Eu percebi. Alguns cacos de vidro caíram do lado de cá. Incrível eu não ter me cortado.

A incredulidade duelava com a raiva. Mas a raiva ganhou.

– Olhe aqui! Não sei quem você pensa que é, mas...

– Sou seu marido. E vim falar com você, mas aquele maldito mordomo não me deixou entrar.

– Porque está tarde e estou com visita.

O rosto dele se endureceu.

– Em seu quarto?

– Minha prima, Charlotte. – Sophia ouviu Charlotte movimentar-se nervosa na cama. – Não que isso seja de seu interesse.

– É do meu interesse, sim. Tudo a seu respeito me interessa.

– Não quando vem aqui como um grosseiro jogar pedras na minha janela.

Ele deu de ombros.

– Você deveria comprar vidros de melhor qualidade.

Ora, não queria ouvir que tinha vidro de má qualidade nas janelas. O que gostaria de ouvir era... Deteve-se, consciente da dor aguda que atingia seu coração. O que *gostaria* de ouvir? Palavras suaves? Juras de amor eterno?

Há algum tempo teria negado desejar algo assim. Mas agora, olhando para Max, lembrando que ele tinha passado os últimos dias com ela, procurando pela famigerada pulseira, tinha que admitir que algo havia mudado. Algo... importante. Percebeu as olheiras sob os olhos dele, o estado deplorável em que viera até sua casa... A raiva que havia se alojado em seu coração se abrandou um pouco. Ele parecia tão desamparado, tão... precioso, lá embaixo na rua sob sua janela, a cabeça descoberta, os olhos sérios e sombrios.

– Max – disse ela com doçura, balançando a cabeça. – Não consigo acreditar em você.

– Também não consigo acreditar em você – replicou ele na mesma hora. – Sophia, gostaria de me desculpar por meu comportamento no outro dia. – Ele se deteve, o maxilar enrijecendo. – É difícil voltar e...

Ele parou quando viu um homem se aproximar, um trabalhador comum pela aparência das roupas, observando-os com curiosidade. O olhar do homem se arregalou, curioso, quando viu Sophia à janela.

Max enrijeceu os ombros, os olhos se estreitando ao observar o intruso.

– O que está olhando? – perguntou raivoso.

O homem parou, subitamente incerto.

– Nada, senhor! Estava apenas andando... – Max deu um passo ameaçador à frente e o homem ergueu as mãos. – Mas já estou indo embora.

– Melhor mesmo! – exclamou Max, acompanhando o homem se afastar antes de lançar a Sophia um olhar flamejante. – Droga, isso não é bom. Ordene a seu mordomo que abra a maldita porta.

Sophia olhou para trás, mas Charlotte não estava mais ouvindo. Na verdade, estava perdida contemplando o vestido de seda que Sophia lhe dera, os dedos acariciando uma das rosetas. Sophia se debruçou novamente e disse em voz baixa:

– Max, você sabe o que acontece quando "conversamos". Acontecerá o que aconteceu no armário de limpeza.

Ele deu um sorriso afável.

– Sei muito bem o que vai acontecer. E acho bom.

– Não, não é.

– Não é? – Ele piscou várias vezes, e então um sorriso iluminou o seu rosto. – Está errada – disse, como se isso fosse resolver tudo. – Antes, eu estava errado. E agora, é você que está.

– Não estou errada. Nada de conversas entre nós. A não ser que haja outras pessoas presentes.

– Está frio aqui fora – disse ele com uma voz triste. – Deixe-me entrar.

– Estamos em junho, não está frio. Além do mais, você está de casaco.

– Pode chover e esqueci meu chapéu.

– Então é melhor andar depressa antes que fique doente.

Max suspirou, frustrado.

– Por que tem que ser tão teimosa?

– Pretendia lhe perguntar a mesma coisa.

Eles permaneceram ali, olhando um para o outro por um longo tempo. A brisa passava pelo rosto de Sophia, esfriando-o, ao mesmo tempo que o corpo esquentava com o olhar intenso de Max. Ele parecia tão másculo ali parado, o pescoço exposto pelo nó frouxo da gravata e aqueles olhos cinzentos e sedutores. Ele sempre a afetara desse jeito, sua masculinidade tão natural destruindo suas defesas e subjugando seu bom senso.

A verdade era que ainda o amava. Nunca deixou de amá-lo. Antes, porém, o amava e confiava nele de todo o coração, mas foi desprezada ao primeiro erro. Não queria se machucar daquela forma novamente. Nunca mais.

Ela apertou os dedos no peitoril da janela.

– Max, por favor, vá embora. Não falarei com você hoje.

Talvez amanhã, ou na semana que vem... quando seu corpo traidor tivesse erguido de novo as barreiras que vinha construindo com tanto cuidado durante todo aquele tempo. Quando ela conseguisse falar com ele sem se deixar trair como antes.

De onde estava na rua, Max enfiou as mãos nos bolsos e tentou fazer seu cérebro embotado pensar. Diabos, tudo o que queria era falar com ela, conversar *de verdade* desta vez, apesar de não estar fechado a outras coisas, se elas acontecessem.

E aconteceriam. Ela estava certa quanto a isso. Todas as vezes em que conversavam, terminavam em um abraço apaixonado. De alguma forma, não sentia o menor remorso. Afinal, era um sinal de que ainda restava algo de seu relacionamento. Um sinal de que, talvez, não devessem desistir. Não ainda.

– Sophia, falarei com você, se não daí de dentro, daqui de fora.

– Enviarei um de meus criados para acompanhá-lo até em casa.

Max cerrou os punhos.

– Não faça isso.

– Ah! Pelo amor de... Max, você está bêbado!

– Posso estar bêbado, mas ainda sei o que quero. E quero você. Quer dizer, quero falar com você – acrescentou ele apressadamente.

Os olhos dela se estreitaram.

– Você está fazendo uma cena.

– Não me importo. Ficarei aqui o dia todo se for preciso.

– Não, Max! Não quero que você...

Ela olhou além dele, um leve sorriso repentinamente tocando-lhe os lábios.

Max estava prestes a se virar para saber o que ela estava olhando, mas a voz de Sophia atraiu sua atenção para a janela outra vez.

– Gostaria que fosse embora – disse ela. – Por favor.

– Não. – Ele ergueu o corpo. – Abra a porta, Sophia. Agora.

Pronto, aquilo lhe pareceu potente, até para seus ouvidos entorpecidos.

– E o que vai fazer se eu não abrir? – perguntou ela, um sorriso provocador nos lábios, os lábios que perseguiam Max em sonhos todas as noites pelos últimos doze anos. – Jogar outra pedra?

– Não. Não jogarei mais pedras. Sophia, eu só quero...

– Bom, porque duvido que consiga acertar outra janela. – O olhar dela desviou dele novamente. – Não hoje, pelo menos.

Aquilo doeu. Max se empertigou e disse de maneira um tanto arrogante:

– Bêbado ou não, posso acertar qualquer janela daqui, e você sabe disso.

– As do andar de baixo, talvez.

O tom implicante de Sophia fez a irritação dele aumentar. Ele se abaixou e pegou uma pedra.

– Saia da frente.

– Está bem. Se tem certeza disso... – disse Sophia, e sumiu de vista.

Max mirou a janela mais próxima à dela, a do quarto de vestir talvez, se ela realmente estivesse em seu quarto. Visando o alvo, pôs o braço para trás e...

Mãos ásperas o pegaram e torceram seu braço nas costas.

– Pare! O que está fazendo, jogando pedras na janela de uma senhora?

Três homens o cercaram. Max piscou ao ver seus uniformes. Eram policiais.

– Estava apenas....

– Ah, obrigada, oficial! – disse uma voz animada acima da cabeça de Max.

Ele olhou para cima e viu a expressão alegre de Sophia, com Charlotte observando tudo por sobre os ombros dela. Levou apenas um instante para Max perceber o que acontecera.

– Você me enganou, você...

– Um instante, senhor. Não na frente das senhoras. Venha conosco. Temos umas perguntas a lhe fazer.

– O senhor sabe quem eu sou?

– Não me importo com quem seja. Ouso dizer que já prendi homens mais conhecidos. – O homem acenou para seus companheiros. – Levem-no. E se ele resistir, podem deixá-lo com o olho roxo, os dois, aliás.

Max olhou para Sophia e sofreu o impacto de seu sorriso aberto, dos cachos que se soltaram com o vento e esvoaçavam em torno do seu rosto, do brilho de seus olhos. Naquele momento o absurdo da situação o atingiu em cheio. *Meu Deus, somos feitos um para o outro.* E ela era tão teimosa, tão atrevida e tão pouco convencional quanto ele.

Imaginava o que aconteceria se entrassem em alguma disputa. Um dos dois desistiria? Ou permaneceriam ali, recusando-se a ceder até morrerem de desnutrição? Não tinham feito isso, de certa forma, com o casamento?

Pensar nisso trouxe o seu sorriso de volta. Ele plantou os pés de tal forma que seus captores foram forçados a desistir de puxá-lo.

– Concedo-lhe a minha derrota – gritou ele em direção à janela. – Você ganhou esta batalha, minha querida. Mas não a guerra.

Ela gargalhou, o som límpido no ar noturno.

– Uma batalha de cada vez.

– E ao vencedor?

Os olhos dela reluziram ao fitá-lo.

– Tudo.

O coração de Max parou de bater por um instante.

– Jura?

Ela parou, o vento soprando uma mecha de seu cabelo cor de mel sobre o queixo. Enfim, confirmou de forma vigorosa com a cabeça.

– Tudo.

E com isso, fechou a janela e cerrou as cortinas.

Pela primeira vez em semanas, Max se sentiu esperançoso e, rindo tolamente, deixou que os guardas o arrastassem para a delegacia. Mas ainda não estava derrotado.

CAPÍTULO 7

Tanto lorde Easterly quanto o Sr. Riddleton continuam a encher lady Easterly de flores e presentes, mas é de esperar que o primeiro desfrute de certa vantagem. Além da inegável boa aparência, ele compartilha, afinal, o sobrenome com a senhora em questão.

CRÔNICAS DA SOCIEDADE DE LADY WHISTLEDOWN,
17 de junho de 1816

– Você já fez algumas coisas idiotas antes, mas essa ganha de todas – observou John. – Foi sorte Max ter um endereço para fornecer, caso contrário aqueles patetas o teriam mantido para sempre atrás das grades.

– Fique quieto e coma seu cordeiro.

– As intenções dele são sérias. O hall de entrada está cheio de flores, cartões e...

– Algumas dessas coisas foram mandadas por Riddleton.

John olhou furioso para ela.

– Essas não contam.

Sophia baixou o garfo, os dentes tinindo ao encostar na borda do prato.

– Não é tão simples assim, John. E... Eu quero confiar em Max, acreditar nele de novo, mas... – Sophia parou, e ele percebeu, alarmado, que havia lágrimas em seus olhos. Finalmente ela prosseguiu: – Só não sei se consigo!

John mantinha os olhos fixos no prato. O nó que tinha na garganta o impedia de continuar comendo. Suspirou e pousou os talheres sobre a mesa.

– Sinto muito. Falei demais.

– Não, não – disse ela, fungando um pouco. – Mas me recuso a dar tanta importância como fiz no passado.

Os lábios dela tremiam.

– Está tudo bem, querida – disse John, apressado. Que inferno, só estava piorando as coisas. Mesmo assim, alguém tinha que falar com Sophia. Alguém que conhecesse Max. – Ele mandou tantos cartões e flores quanto aquele idiota do Riddleton, e veio vê-la todos os dias, mesmo não tendo sido recebido. Além disso, entregou-lhe umas vinte cartas, e quase mora no hall de entrada. O que mais poderia fazer?

– Não sei. Talvez nada. – Sophia se levantou e foi até a mesa de chá pegar um pequeno pacote. – Você... você acha que pode entregar isso a Max, por mim? É algo que lhe pertence.

– Claro. – John pôs o pacote no bolso do casaco e suspirou. – Melhor irmos andando. Vamos encontrar os Jerseys perto do Grande Pavilhão. A comemoração do aniversário de Vauxhall era um evento grandioso, e John só perderia a queima de fogos se fosse forçado a isso.

– Claro – disse ela, ainda visivelmente abalada. – Só um minuto, preciso pegar meu xale. Não demoro.

– Espero você no hall. – John piscou para confirmar o que lhe disse e caminhou na direção da porta da frente.

Assim que chegou a seu destino, ouviu algumas batidas. Jacobs veio abrir a porta.

Era Max. Ele ergueu a mão quando Jacobs começou a falar.

– Sei que sua senhora não está recebendo convidados. Nunca está quando venho. Mas vim ver Standwick. Vi a carruagem dele parada lá fora, então concluí que deve estar aqui.

Jacobs olhou de relance para John.

Max seguiu-lhe o olhar.

– Ah, aí está você! Tem tempo para uma taça de vinho?

John olhou para as escadas.

– Se for rápido. Jacobs, se minha irmã descer, diga que fui checar os cavalos.

O mordomo assentiu recatadamente e abriu a porta da biblioteca.

Max foi na frente e esperou a porta se fechar antes de dizer:

– Estou muito feliz por encontrá-lo aqui.

– Eu também. – John hesitou sem saber ao certo o que dizer. Por fim, suspirou. – Estou do seu lado, você sabe. Sempre estive.

– Sim, eu sei. No dia em que recebi a carta de Sophia pedindo a anulação do nosso casamento, recebi mais duas cartas. Uma de Riddleton e uma de...

– Riddleton também escreveu? Aquele asno pedante! – John parou e deu um leve sorriso. – Já que eu também não tinha o direito de me meter nos assuntos de Sophia, suponho que isso também faça de mim um asno pedante.

– Ah, pedante, não... – disse Max, um toque de humor aliviando a expressão tensa do rosto.

– Obrigado – agradeceu John com um sorriso irônico. – Não poderia deixar as coisas do jeito que estavam sem que você soubesse que, desde que partiu, Sophia vive em uma espécie de terra gélida e desolada. Sozinha de um jeito que não sei explicar.

Max piscou. Seu maldito temperamento.

– Quando fui embora, disse a mim mesmo que era para protegê-la, mas agora... Não tenho certeza de que meus motivos tenham sido tão nobres quanto deveriam ter sido.

– Deixe a culpa recair sobre a pessoa certa. Richard é o culpado. É difícil admitir que meu próprio irmão era um... – John apertou os lábios com força. – Eu tinha que fazer o que fosse preciso para consertar as coisas. A vida passando, e Sophia ali, paralisada...

O peito de Max ficou apertado. Ele se empertigou e disse decidido:

– Mas agora voltei, e ficarei aqui até o final da minha vida. Não importa que tenha que esperar um ano, dez anos, para sempre. Nunca desistirei dela, nunca deixarei de ter esperanças. Não posso.

– Você a ama.

– Sempre a amei. No começo, estava furioso, e depois achava que ela... – Max suspirou, passando a mão nos cabelos. – Receava que ela não me amasse mais.

– Ela o amava e ainda o ama. – John enfiou a mão no bolso do casaco. – A propósito, ela pediu que lhe entregasse isto.

Max pegou o pacote e o abriu. Sabia o que era mesmo antes que a segunda camada de papel caísse e expusesse o pequeno livreto com letras douradas.

– O diário do meu tio.

– Não acredito que ela realmente o usaria.

Ela não faria isso. Não era do seu feitio fazer uma coisa dessas.

– Ela estava blefando.

John assentiu, pensativo.

– Ela está tão acostumada a blefar que às vezes me pergunto se ainda sabe quem é ou o que é.

Max guardou o pequeno volume no bolso.

– Obrigado, John. Tenho que encontrar uma forma de reconquistar sua confiança. E farei isso, custe o que custar.

John deixou escapar um suspiro pesado.

– Olha, eu o invejo.

– Tem inveja de mim? Está louco? Eu estraguei minha vida!

– Tantas pessoas procuram o amor. Você não só o encontrou, como tem a força para reconquistá-lo.

De fora da sala, surgiu o murmúrio da voz de Sophia. John se virou para ouvir e depois encontrou o olhar de Max.

– Preciso ir, mas creio que você queria algo mais além dessa conversa.

Max sorriu.

– Sou tão transparente assim?

– Não. Mas sei que odeia vinho do Porto. Só alguma espécie de plano o levaria a me presentear com um.

Max deu risada.

– Você está certo, preciso de um favor. E bem grande. E receio que tenha que enganar sua irmã.

– Melhor ainda! Diga-me do que precisa e assim o farei.

Vauxhall estava abarrotada de gente. A comemoração de aniversário tinha sido enaltecida em todos os lugares, assim, membros de todas as classes sociais adentraram os portões. Modistas e padeiros circulavam pelos gramados ao lado de duques e duquesas. A mistura era inebriante.

Sophia estava sentada junto com os Jerseys na área reservada. O céu brilhava e um vento suave acariciava seu rosto, aliviando o calor, embora nada fizesse para acalmar seu coração.

– Sophia?

Ela ergueu os olhos e viu John de pé ao lado de sua cadeira. Ele olhou para lady Jersey, que estava atualizando Sophia com as últimas fofocas do Almack.

John fez uma mesura.

– Lady Jersey! Não a reconheci sob essa luz tão difusa. – Ele tomou a mão da velha senhora e a beijou com entusiasmo. – Mas permita-me dizer que a senhora fica estonteante de azul. Nunca deveria usar outra cor.

Sally ergueu as sobrancelhas, seus olhos brilhavam. Namoradeira incorrigível, tinha uma leve queda por jovens elegantes. Sobretudo se esses jovens fossem belos condes que sabiam elogiá-la tão bem.

– Standwick, tome juízo! Sou velha o bastante para ser sua... tia.

– Nunca diga isso – censurou-a John, evidentemente ofendido. – Irmã, talvez. Tia, nunca.

Sophia teve que disfarçar um sorriso quando a gargalhada embevecida de lady Jersey interrompeu-se com um pigarro. Muitas pessoas não apreciavam os modos um pouco grosseiros de Sally Jersey, mas Sophia não era uma delas.

John a fitou.

– Soph, sinto muito por precisar roubá-la de companhia tão encantadora, mas achei que você poderia dar uma volta comigo.

– Agora? Mas a queima de fogos...

– Ah, voltamos antes disso.

Sophia deu de ombros e pegou sua taça de vinho.

– Claro. Lady Jersey, queira me dar licença.

– Vá, minha querida. Não tenho vontade alguma de perambular por essa escuridão com a minha idade.

John pegou uma taça de vinho de uma bandeja próxima e ofereceu o outro braço à irmã.

Lady Jersey insistiu:

– Vão, minhas crianças! Standwick, espero que esteja carregando uma adaga. Ela tem tantos pretendentes hoje em dia, que provavelmente vai ser desafiado.

John riu, afastando Sophia do grupo de lady Jersey e guiando-a até um labirinto de sebes.

Assim que estavam fora do alcance do ouvido de outras pessoas, Sophia o olhou.

– E então?

– Então, o quê? – indagou ele, olhando por cima da cabeça da irmã, como se procurasse alguém.

– Você nunca perderia tempo fazendo uma caminhada com sua irmã, a menos que houvesse algo errado.

– Não há nada de errado. Eu estava apenas inquieto. Além do mais – acrescentou, gesticulando com a taça de vinho –, prefiro caminhar aqui com você do que com qualquer outra.

– Até mesmo a Srta. Moreland? Ela é deslumbrante.

– Bem, exceto pela Srta. Moreland, você seria minha primeira escolha – disse John, virando em um caminho parcialmente escuro e apressando o passo.

Sophia o seguia. Eles mudaram de direção mais algumas vezes, aproveitando o ar agradável e refrescante da noite. Ela estava apreciando a calmaria, tomando seu vinho e ouvindo o burburinho das vozes. O caminho foi ficando mais estreito e as paredes do labirinto ficaram mais altas. Sophia olhou para John.

– Você está parecendo muito familiarizado com esses caminhos.

– E estou mesmo.

Fizeram outra curva e John parou. Chegaram a uma pequena alcova com um banco ligeiramente curvado e uma pequena fonte ostentando uma estátua grega no centro.

– Ah – exclamou John. – Aqui estamos.

– Que lindo! – exclamou Sophia.

– É, lindo mesmo – concordou John, olhando em volta como se sentisse falta de algo. – Sabe do que precisamos? Uma bebida.

– Temos vinho. Minha taça está na metade e a sua, cheia.

– Mas vinho é pouco. – Ele pegou a mão dela e a conduziu em direção ao banco. – Espere aqui que arranjarei algo para encher nossas barrigas vazias.

– Minha barriga não está vazia.

– Bem, mas a minha está. – John deixou a taça ao lado dela e sorriu de um jeito sedutor. – Volto logo. E se a Srta. Moreland aparecer, peça a ela para esperar, por favor. Tenho um caminho especial, nada fraternal, para mostrar a ela.

John desapareceu antes que Sophia pudesse responder. Olhou para o ponto escuro em que ele havia desaparecido. O que significava aquilo tudo?

Ela balançou a cabeça, recostando-se no banco e tomando seu vinho. Na verdade, era agradável ficar sozinha. Gostava do silêncio. Bem, do quase silêncio. Quanto mais tempo permanecia ali, mais consciente ficava do som das vozes abafadas. Vozes de amantes, murmurando e suspirando. Sentindo-se um pouco desconfortável, ela se levantou, tentando imaginar onde John poderia estar.

Os minutos se passavam e John não voltava. Sophia bebeu seu vinho já nervosa. Foi duas vezes à entrada da alcova, só para encarar os caminhos escuros, imaginando se conseguiria voltar sozinha para os Jerseys. Droga, onde estaria John? Não ousava sair andando sozinha, com tantos libertinos bêbados perambulando no escuro. Terminou seu vinho e pôs-se a beber o de John. Bem-feito para ele, ia ficar sem vinho. Teria muitas coisas a dizer quando o irmão voltasse. Sem dúvida, ele tinha se distraído com a mesa do bufê e se esquecido dela.

– Miserável – praguejou em voz alta.

– Não era bem a saudação que eu estava esperando, mas serve.

A voz a consumiu por dentro, quente e súbita. Sophia se virou e deu de cara com Max parado à entrada do lugar, ameaçadoramente lindo.

– O que está fazendo aqui?

Max se aproximou, preenchendo o espaço entre eles e aquecendo o ar.

– Posso dizer que estou aqui para salvá-la. Que eu soube, de uma forma misteriosa, que você precisava de mim.

– Mas seria mentira. John lhe disse onde eu estava.

– Mais que isso. Ele a deixou aqui, no exato lugar onde pedi.

Era muito atrevimento. Sophia ficou hesitante, não conseguia saber se estava mesmo brava. E ficou surpresa ao descobrir que estava apenas um pouco irritada, em especial com John. Terminou o vinho e pôs a taça vazia no banco.

– Hoje é mesmo um dia de surpresas.

– Sophia, você precisa me ouvir.

O vinho a fez ficar mais ousada.

– Ouvir. Já ouvi coisas demais na vida.

A expressão dele ficou sombria.

– Eu não minto. Nem quebro minha palavra. Nunca mais.

– Max, eu não...

Do caminho atrás deles veio uma risada alta seguida de uma advertência bêbada para ficarem em silêncio. As vozes se aproximaram, e Max praguejou baixinho.

– Parece que este refúgio está prestes a ser invadido. – Ele lhe estendeu o braço. – Acharemos outro lugar.

Sophia olhou para o braço dele. Depois de um segundo de hesitação, ela aceitou, permitindo que Max a conduzisse pelo labirinto. Andaram por algum tempo, virando aqui e ali. Passados alguns instantes, encontraram uma pequena alcova bem parecida com aquela da qual haviam saído. Desta vez, Max parou de repente, fazendo Sophia se chocar com as suas costas. Disse algo em voz baixa e se virou depressa, levando Sophia para longe. Por cima do ombro dele, Sophia ainda conseguiu ver um casal em um abraço apaixonado. O estranho é que a mulher usava um vestido exatamente da cor do que tinha dado a sua prima Charlotte. Certamente ela não...

Max fez outra curva e parou mais uma vez, murmurou uma desculpa, deu meia-volta e saiu. Sophia se virou a tempo de ver lorde Roxbury abraçar uma mulher bem esguia. Céus! Todos em Vauxhall estariam embalados em abraços apaixonados? Todos, exceto ela? De repente aquilo lhe pareceu muito injusto.

Andaram mais um pouco, e esbarraram em mais três casais e dois becos sem saída. Max virava aqui e ali, e depois de um bom tempo, Sophia começou a se perguntar se estariam perdidos. Alguns instantes mais tarde, ela o puxou para que parasse.

– Você sabe onde estamos, Max?

– Claro que sei – resmungou ele.

Eles viraram outra vez e se viram diante de uma parede de arbusto, outro beco sem saída.

Sophia suspirou.

– Temos que perguntar a alguém como sair daqui.

Max era muito teimoso.

– Não, posso encontrar sozinho a saída. Sei onde estou.

– Não sabe, não. Estamos perdidos. Admita.

– Nunca admitirei uma coisa dessas. – Ele pegou a mão dela e a puxou para outro caminho. – Estou certo de que, se continuarmos caminhando, encontraremos um lugar onde poderemos conversar e...

Inesperadamente estavam fora do labirinto, em um espaço aberto. As pessoas circulavam, rindo e conversando.

– Inferno – exclamou Max.

Sophia tentou esconder a risada com uma tosse discreta.

– Não sei como teremos privacidade para conversar.

– Não teremos. Não podemos conversar aqui. A única coisa que sei é...

Ele a encarou com uma pergunta nos olhos.

Sophia não sabia se era a proximidade de Max, o ar da noite, os sussurros apaixonados a sua volta ou o fato de ter visto tantas pessoas entregues a carícias amorosas, mas se sentia tonta, como se tivesse bebido vinho demais. Talvez tivesse bebido mesmo, mas não estava nem um pouco disposta a se importar com isso. Em vez disso, inclinou-se para a frente, encostando nele enquanto perguntava.

– O quê?

– Podemos ir para minha casa.

Sophia percebeu que não conseguia engolir. Seu coração, que estava disparado desde que Max apareceu na alcova, começou a bater alto. Por dentro estava se contorcendo, parte dela querendo ir em direção a ele, parte querendo fugir. Apertou as próprias mãos, forçando seus pensamentos a se apaziguarem. E então, de alguma forma e de algum lugar, ouviu-se dizer.

– Podemos.

A viagem até a casa dele foi como um borrão. Quando chegaram, Max a ajudou a descer do cabriolé, dobrou o cobertor que usou para cobrir as pernas dela e o entregou ao criado, e, já dentro de casa, ajudou-a a tirar o xale.

– Vamos para a sala de estar?

– Antes quero ver suas pinturas.

Ele hesitou.

– Eu pinto no quarto. A luz de lá é melhor do que em qualquer outro cômodo da casa.

Era melhor ir embora. Sim, era melhor. Mas não iria. Cada passo que dava a levava para mais perto de Max. Mais perto do que queria. E se a noite terminasse em decepção, aquilo não seria melhor do que o vazio que sentia?

– Não me importo de ir ao seu quarto. Já estive lá em outras ocasiões.

Max a encarou e a guiou pelas escadas, passando pela sala de estar e pelo grande relógio no topo da escada. Ele parou diante da porta de madeira maciça e olhou para Sophia.

A falsa sensação de desafio ainda a percorria, e ela segurou a maçaneta da porta, girou-a e entrou. Max a seguiu.

Era um aposento grande, metade quarto de dormir, metade estúdio. Uma janela, fechada agora com cortinas, cobria quase uma parede inteira. Havia cor em cada lugar para onde olhava. Do vermelho-rubi na colcha da cama até o verde-vivo do pano que protegia as pinturas finalizadas.

– Posso entender por que você pinta aqui.

– Você precisa ver como é quando a luz do sol da tarde atravessa as janelas.

Max começou a acender as lanternas espalhadas pelo quarto. Sophia caminhava devagar pelo espaço, passando os dedos pela colcha da cama, pelo mármore suave de uma mesa em que havia muitos pincéis e pela superfície de uma tela em branco.

Perto da janela, havia a pintura de um campo iluminado pela luz da tarde. O quadro assomava ao quarto, preenchendo-o com cores suaves e uma luz diáfana.

– É muito bonito – observou Sophia. – Seu trabalho está diferente. Mais profundo.

– Ninguém permanece o mesmo. – Seu olhar capturou o dela, trazendo uma pergunta silenciosa. – Este é um dos dons da vida.

Ela não sabia o que dizer, então se virou para examinar outros quadros. Todos estavam cobertos por tecidos, nem um centímetro de tela à mostra.

Sophia segurou a ponta de um dos tecidos para destapar uma das telas, mas a mão dele se fechou em seu pulso.

– Não.

– Por que não? – perguntou ela, olhando-o diretamente nos olhos.

– Ainda não estão finalizadas.

De maneira gentil, ela se desvencilhou da mão dele, passando a mão no local em que os dedos dele tinham estado. Caminhou para outra pintura coberta, depois para a seguinte.

– Nunca o vi trabalhar em tantos quadros ao mesmo tempo.

Max deu de ombros, o olhar nunca a deixando.

– Algumas pinturas nunca acabam. Sempre há um pouco mais de textura a acrescentar, um pouco de profundidade, uma sombra aqui, um toque de luz ali. São pinturas que têm vida própria.

– Gostaria de vê-las.

– Um dia, talvez.

Uma leve batida soou na porta e um criado apareceu com uma bandeja. Havia uma garrafa de vinho com duas taças de cristal de um lado e, do outro, um prato de bolos junto a uma tigelinha de framboesas e creme. O criado deixou a bandeja na mesa, afastando para o lado os pincéis, fez uma mesura e saiu.

Max esperou a porta se fechar antes de servir o vinho.

– Podemos?

Apesar de saber que ele estava se referindo ao vinho, a mente de Sophia vagava por outro lugar. Queria tocá-lo, aproximar-se dele. Queria que ele a encorajasse, que fizesse seu coração acreditar em todas as coisas que sua cabeça não admitia. Queria o impossível. Sophia pegou a taça de vinho e bebeu.

Max se serviu de outra taça, observando-a o tempo todo.

– Acho que já bebeu vinho demais por uma noite.

– Talvez ainda não tenha bebido o bastante – discordou ela, encontrando o olhar dele por cima da borda da taça.

E então aconteceu. Um instante em que suas mentes convergiram para o mesmo ponto, se tocaram. Um instante de pensamento translúcido. Ela soube que ele a queria. Que ele ardia por ela assim como ela por ele. Podia sentir o aperto no peito de Max, o coração batendo acelerado. Podia sentir sua indecisão, o medo de que, a qualquer momento, ela pudesse lhe dar as costas e ir embora.

Mas Sophia não estava partindo. Não ainda, pelo menos. Sem desviar os olhos, pousou a taça na mesa, ergueu os braços e começou a soltar o cabelo. Cada movimento a deixava mais próxima. Mais próxima de seu toque, mais próxima dele.

Max a observava, os olhos assumindo um tom de cinza mais escuro, a cor do mar em meio a uma tempestade. O último grampo foi retirado e o cabelo caiu nos ombros. Max respirou fundo.

– Sophia?

Era uma pergunta. Como resposta, ela permaneceu parada e tirou suavemente o vestido dos ombros. Ele caiu ao seu redor, formando um poça de seda rosa e renda branca.

Os olhos de Max a devoravam, acariciando-a sem tocar, varrendo cada curva, cada sombra. Ele se aproximou para passar o dedo sobre o laço do corpete.

– Posso? – perguntou, a voz rouca pelo mesmo fogo que ardia dentro dela.

Sophia assentiu, e ele puxou o laço bem devagar. A camisa se soltou e ele largou a fita para que o fino material deslizasse por seu ombro, seios e quadris, até chegar ao chão. Max se movia em silêncio, detendo-se cada milímetro de pele revelada. E não tocara nela ainda.

Sophia achou que fosse explodir de desejo. O corpo inteiro gritava por ele. Os seios estavam túmidos; a barriga, contraída e o espaço entre as coxas, cada vez mais úmido. Max se aproximou, ficando a poucos centímetros dela. Centímetros de um ar quente e denso que a perpassava como um vento de verão.

– Deite-se – sussurrou ele.

Com a respiração irregular, Sophia se deitou na cama. Max continuava olhando para ela com aqueles olhos cor de prata derretida, o cabelo negro matizado de dourado pela luz da lâmpada.

– Faz tanto tempo que sonho com esse dia que... – ele parou e se virou para a mesa, pegando um pincel.

Sophia o observava, remexendo-se na cama. A ponta do pincel era espessa e terminava com cerdas sedosas. Max pegou o prato com as framboesas e o creme e o trouxe até a cama. Ajoelhou-se e mergulhou a ponta do pincel no creme. Sophia prendeu a respiração ao ver Max aproximar o pincel de seu seio esquerdo. O olhar dele encontrou o dela, o calor lânguido se espraiando na profundidade dos seus olhos.

Com deliciosa lentidão, ele baixou a ponta sedosa do pincel e traçou uma linha sobre o seio, circulando a aréola com uma pincelada de creme gelado. O mamilo se enrijeceu no mesmo instante, e Sophia prendeu a respiração enquanto o corpo estremecia, inundado por uma luxúria quente que contrastava com o creme gelado.

Max olhou para o mamilo perfeitamente coberto, curvou-se e o envolveu com a boca. O calor da língua dele era mais do que Sophia podia suportar. Ela se arqueou de prazer, soltando um gemido profundo.

Max intensificou os movimentos, deslizando a língua quente pelo mamilo. Quando pensava que não aguentaria mais, ele parou e mergulhou outra vez o pincel no creme. Desta vez, desenhou uma linha entre os seios, descendo pela barriga e terminando nos pelos sedosos entre as coxas. Ela se contorcia com o toque mágico do pincel e gemeu quando ele seguiu os traços do pincel com a boca. As mãos seguraram os cabelos de Max, e ela enfiou os dedos neles.

– Você é linda – disse Max, beijando-lhe a barriga, os quadris e os seios. – Tão linda...

Ele mergulhou o pincel novamente no creme e, dessa vez, moveu-se mais para baixo. Ela arfou quando Max tocou a parte interna de um de seus joelhos com o pincel. Com deliberadas e leves pinceladas, muitas vezes incrementadas com framboesas e creme, ele traçou uma linha até a coxa.

O corpo de Sophia se enrijecia a cada extasiante movimento do pincel. Max tocou-lhe a parte superior da coxa com o pincel, perigosamente perto do âmago de sua feminilidade. O olhar dele se fixou no dela.

– Tenho sonhado com isso, meu amor. Sonhado em ver seus olhos como estão agora, brilhando, excitados. Em ver sua pele de pêssego reluzindo de paixão. – Ele levou o pincel ao creme outra vez, erguendo a ponta para que ela pudesse vê-la. – E sonhado com isso.

Antes que ela pudesse dizer uma palavra, ele mergulhou o pincel com creme entre suas pernas, até seu centro de prazer, o creme gelado produzindo uma sensação estonteante. Ela prendeu o fôlego, arqueou o corpo e se rendeu a um espasmo de prazer.

– Max! – disse ela, ofegante, querendo, precisando dele. Max a estava deixando louca, louca de prazer, louca de desejo. Ela precisava tê-lo. – Por favor, Max...

– Por favor, o quê? Quer mais?

Ele a pincelou novamente, mas dessa vez, deixou a suave ponta do pincel permanecer ali por mais tempo, girando-a com hábeis movimentos dos dedos.

Sophia agarrou os dois lados do lençol, os pés plantados com firmeza no colchão, os quadris se erguendo.

– Meu Deus, Max, por favor! Eu quero...

Céus, o que poderia dizer? Ousaria dizer? E se... Outra incursão do pincel a fez soltar um grito rouco. Seu corpo inteiro queimava e implorava. Não pelo pincel, mas pelo homem. Queria que Max a preenchesse, que a trouxesse para a paixão que compartilharam no passado. Os olhares se encontraram, e os olhos dela estavam cheios de lágrimas.

– Você – sussurrou ela com a respiração entrecortada. – Quero você.

Max se levantou antes que ela terminasse de falar, despindo-se com uma rapidez que revelava sua própria necessidade. Logo estava nu, ao lado da cama. O olhar de Sophie o percorreu, admirando o peito largo, a cintura estreita, as pernas musculosas. Mas foi a virilidade que capturou sua atenção por mais tempo. Grande e orgulhosa, crescia diante dela. Sophia estremeceu de antecipação.

– Agora.

E então lá estava ele, envolvendo-a, por cima dela, abrindo-lhe as pernas enquanto beijava seu pescoço, seu rosto e seus lábios. As mãos a percorriam, tocavam-lhe os seios, espalhando o creme na sua pele, e então... ele estava dentro dela, preenchendo-a com movimentos vigorosos.

O mundo de Sophia se estreitou e entrou em colapso naquele instante. Ela se ergueu para encontrá-lo, o corpo pedindo mais, mesmo enquanto tremia de prazer. Quanto mais tinha, mais queria. Era uma deliciosa tortura.

Quando pensou que fosse ficar louca de desejo, a paixão cresceu e então explodiu em uma onda poderosa que fez seu corpo pressionar o de Max, gritando o nome dele na penumbra do quarto.

Max a abraçou com força, esperando pacientemente que a paixão arrefecesse, e então a beijou com suavidade a princípio e, em seguida, com mais intensidade, movendo-se dentro dela mais uma vez. Agora, suas investidas eram mais longas, o corpo rígido e cheio de desejo, querendo se controlar. Sophia ergueu as pernas e o prendeu pela cintura, mantendo-o ainda mais próximo, apertado. Sussurrava o nome dele e milhares de palavras doces que não sabia que conhecia. Sua própria paixão voltou a crescer, o corpo abrandando-se novamente.

Os movimentos de Max se tornaram mais frenéticos, sua excitação a incitava. O êxtase de Sophia encontrou o de Max, e, quando ele se arqueou, gritando seu nome, ela o acompanhou, agarrando-se nele, o frêmito da paixão transpassando-a.

Instantes depois, ambos se acalmaram, fracos e suados do esforço. Sophia não se movia, tremores de prazer ainda a percorriam. Há quanto tempo não se sentia daquele jeito, perguntou-se, ainda desorientada. *Doze anos*, foi a resposta. *Desde a noite anterior à partida de Max*. Em meio à delicada teia de paixão que a envolvia, surgiu uma onda de tristeza. Eles tinham tanto, e ainda assim... Sophia fechou os olhos, tentando ouvir o próprio coração, e ficou desapontada por não ouvir nada. Mesmo depois de tão extraordinária paixão, ainda estava imersa nos sentimentos e nas dúvidas de antes. Foi acometida por uma súbita explosão de lágrimas e passou a mão nos olhos lutando para recuperar o controle.

Podia sentir a respiração quente de Max:

– Sophia? Está tudo bem?

Ela engoliu o nó que travava sua garganta e afastou o braço, tentando sorrir.

– Estou atordoada. Extenuada demais do esforço para fazer mais do que ficar deitada aqui como uma pedra e lutar contra o desejo de ficar nua diante de sua janela, gritando para o mundo como tudo foi incrível.

Max sorriu, aquele sorriso particularmente doce e sexy que era só dele.

– Você, meu amor – disse ele, pontuando as palavras com suaves beijos no pescoço dela –, dificilmente poderia ser uma pedra. Na cama, você é por inteiro pele sedosa e movimentos insaciáveis. Uma paleta de deleite, uma tela com cores fortes. Sophia, fomos feitos um para o outro.

Ela afastou o cabelo que lhe cobria o rosto, tentando esconder a tristeza que sentia.

– Fazer amor nunca foi um problema para nós, estarmos apaixonados, sim.
– Podemos consertar isso. Sei que podemos.

Sophia fechou os olhos. Consertar o casamento deles? Como uma roda quebrada de carruagem? Ou a anágua de um de seus vestidos? Não, não achava que fosse possível. Podiam conversar sobre a raiva e a amargura que sentiam e talvez aprendessem a aceitar os defeitos um do outro. Mas como consertariam seu coração? Temia que não pudesse ser reparado. Mesmo naquele momento, uma sensação de tristeza a reprimia, mantendo-a afastada dele.

Max suspirou, deitando-lhe a cabeça no ombro.

– Descanse, Sophia. Vamos conversar quando não estiver tão cansada.

Ela estava sonolenta demais para discutir, o vinho começava a fazer efeito e suas emoções estavam muito intensas e à flor da pele. No dia seguinte, pensaria naquelas coisas dolorosas. Agora não. Envolveu-se nos lençóis, o rosto colado ao peito dele. Max acariciava-lhe os cabelos, seu calor a embalava, mergulhando-a em um sono sem sonhos.

Ele ficou acordado por um bom tempo, saboreando a sensação de ter o corpo de Sophia colado ao seu. Ela se mexia durante o sono, acomodando-se junto a ele, quadril no quadril. Era tão natural tê-la ao seu lado. Como piscar. Ou respirar. Era tão natural, impensado, mas, se parasse, seu mundo inteiro desabaria. Ele a puxou para mais perto, repousando o queixo nos cabelos sedosos.

– Nunca mais – murmurou. – Isso, meu amor, é para sempre. Vou encontrar o caminho de volta para o seu coração. Espere e verá.

As palavras o confortaram e, com um sorriso satisfeito, ele enfim caiu em um sono profundo.

CAPÍTULO 8

No embate lorde Easterly versus Sr. Riddleton (na questão que envolve lady Easterly), parece que a vitória caberá ao visconde.

Os Easterlies desapareceram subitamente durante a celebração, ontem à noite. E, desde então, ninguém viu qualquer sombra ou rastro dos dois.

CRÔNICAS DA SOCIEDADE DE LADY WHISTLEDOWN,
19 de junho de 1816

Sophia acordou aos poucos, sentindo um calor delicioso se espalhar pelo corpo todo. Max estava a seu lado, a perna nua enroscada na dela. Ela sorriu com o rosto ainda enfiado no travesseiro e fechou os olhos, saboreando a sensação daquela perna masculina, apreciando o som de sua respiração pesada e regular. O cheiro dele permanecia nos lençóis, e ela o inspirou profundamente, tentando capturar cada essência do instante.

Como sentiu falta disso, acordar para algo que não era uma quarto vazio. Ajeitou-se na cama, contorcendo-se um pouco. Apesar de ainda estar dormindo, Max se mexeu na mesma hora, tirando a perna de cima dela e a abraçando em seguida. Sophia permaneceu imóvel, as costas coladas àquele corpo quente. Sentia-se tão... amada.

Prendeu a respiração. Era justamente como se sentia... amada. Adorada... Mas já havia se sentido assim antes e, de uma hora para outra, tudo foi arrancado dela como se isso não tivesse significado nada. Voltou a respirar suavemente e se mexeu com todo o cuidado, libertando-se do abraço de Max. Deslizou para a beirada da cama e desceu, tentando não acordá-lo.

Ainda dormindo, Max franziu a testa, tateou a cama a sua volta e acabou abraçando um travesseiro, como se tentasse substituí-la. Sophia o observou, aquele perfil delineado de maneira tão doce encostado no linho das fronhas. Seu maxilar já aparentava uma barba rala à luz do dia. Estava tão bonito, dormindo o sono dos justos. Seu coração se aqueceu àquela visão. O que havia nele que a afetava tanto? Uma sensação agridoce a fazia desejar que as coisas tivessem sido diferentes, que *eles* tivessem sido diferentes.

Mas era perda de tempo, pensamentos em vão. Eles eram o que eram e aquilo não mudaria. Pegou suas roupas e se limpou em um lavatório ao lado da cama. Havia acabado de fechar o vestido quando viu sua fita no chão, perto das telas de Max. Abaixou-se para pegá-la e um detalhe chamou sua atenção. O pano cobria toda a pintura, à exceção de uma pequena borda. Era uma sapatilha feminina, um delicado tornozelo surgia de um sapato de seda.

A mão de Sophia ficou imóvel sobre a fita, o olhar fixo na ponta do quadro. Max nunca pintava pessoas. Ela costumava insistir para que ele colocasse uma pessoa em uma de suas pinturas, uma ninfa das florestas ou um cavaleiro de armadura reluzente, mas ele invariavelmente ria e dizia que não tinha talento para aquilo. Em algum momento, porém, ele deve ter encontrado esse talento. E uma modelo disposta pelo que se via, pensou Sophia com uma pontada de ressentimento.

Quem era a mulher que o inspirara a expandir seu talento? Alguma extravagante condessa italiana de lábios rubros? Uma bela e risonha francesa de olhos negros e pele alva?

Fosse quem fosse, Sophia não tinha interesse em saber. Empertigou-se, enrolando a fita entre os dedos com movimentos curtos e rápidos. Na verdade, não se importava. Nem um pouco. Seus olhos ainda estavam presos à quina do retrato, desejando saber se a mulher era jovem ou bonita.

Claro que era, disse a si mesma, irritada. Como se Max fosse se contentar com alguém que não fosse a mais bela das criaturas. Prendeu a fita nos cabelos, fazendo algo parecido com um laço, e calçou os próprios pés com as sapatilhas.

No entanto, enquanto se arrumava, o olhar não se afastara da pintura coberta. A mente trabalhava incessantemente. Maldição, quem seria? Olhou para a cama. Max ainda dormia. De repente desejou que ele estivesse acordado para responder suas perguntas e explicar seus atos.

É, queria que ele estivesse acordado. Mas... seu olhar se voltou outra vez para a pintura coberta. Se ele acordasse, teria que pedir que lhe mostrasse os retratos, e ele poderia se recusar.

Que dilema. Virou-se para a cama e, com um olhar especulativo, o observou dormir. Deveria ao menos tentar acordá-lo.

Fungou bem alto, mas ele nem se mexeu. Bem. Aquilo não ia funcionar. Limpou a garganta baixinho e chamou:

– Max.

Não ergueu a voz ou enfatizou a palavra. Apenas pronunciou as palavras.

Ele não se mexia, e Sophia suspirou de alívio. Ao menos poderia dizer que tinha tentado. Claro que ele a acusaria de ter sussurrado ou algum absurdo do tipo. Mas não foi o que fez. Na verdade... ela comprimiu os lábios. Tinha que ser justa. Tinha que poder dizer honestamente que tentou acordá-lo.

Abaixou-se, pegou um sapato, ergueu-o e o deixou cair no chão. O som fez Max se encolher, mas só isso.

Satisfeita, Sophia calçou de volta o sapato no pé. Pronto. Agora dava para dizer que tentou acordá-lo, mas que ele não despertou. Caminhando na ponta dos pés, foi até a primeira pintura e levantou a ponta do pano.

As pregas brancas da saia de um gracioso vestido ocupavam a parte de baixo da tela, cada pincelada prendia seu olhar, direcionando-o para a parte de cima da pintura. Sophia puxou o pano, descobrindo a tela.

Era ela. Max havia pintado um retrato dela.

Mas estava gorda no retrato. Gorda!

Repôs rapidamente o pano sobre a pintura.

– O que está fazendo?

Max ainda tinha a voz rouca de sono, o que a fez responder, culpada:

– Eu estava apenas...

– Olhando o que não tinha permissão para olhar.

Max cruzou os braços diante do peito nu.

Sophia ergueu o rosto, sobretudo para não mostrar sua ternura por ele. Era difícil discutir qualquer coisa com Max nu e amassado.

– Perguntei se se importava, mas você não respondeu.

– Eu estava dormindo.

– Fiz o que pude para acordá-lo. Não tenho culpa se seu sono é pesado. Além do mais – disse ela, as mãos nos quadris –, que direito tinha *você* de me pintar assim?

– Assim como? – indagou Max, franzindo a testa.

– Gorda. Você me pintou gorda.

– *O quê?* – Ele logo franziu a testa. – Não fiz isso.

– Eu vi. – Os olhos dela se estreitaram. – Tem vendido suas telas?

Os olhos de Max passaram dela para as pinturas. Um ar risonho tomou conta do rosto dele.

– Tenho. Vendi muitas. – Ele curvou o corpo para trás, parecendo irritantemente arrogante. – Na verdade, o príncipe comprou uma semana passada.

O príncipe! Minha nossa!

– É essa a sua ideia de vingança? Vender retratos meus em que estou gorda para todo o mundo ver?

O olhar dele a percorreu, demorando-se nos seios.

– Ah, não. Se eu quisesse vingança, teria feito isso de forma mais pessoal. Cara a cara, como estamos agora.

Fora de si, Sophia corou.

– Chega dessa conversa. O que lhe deu na cabeça para me pintar dessa forma?

– Você não viu o que acha que viu.

– O que foi que vi então?

Ele olhou para a tela mais uma vez e deu de ombros.

– Creio que não tem problema você ver esta parte do meu trabalho. Mas preciso dizer que isso faz parte de minha coleção privada. Minha e de mais ninguém.

Ele ergueu o tecido outra vez. Sophia se forçou a olhá-la, começando pelo rosto. E percebeu que estava mais nova no quadro e que havia um frescor em seu rosto, um sorriso de secreta satisfação. Pelo menos ele não a havia pintado sem dentes, com alguns centímetros a mais no nariz, ou algo igualmente ridículo.

Cerrando os dentes, Sophia se permitiu olhar mais para baixo. A mulher do retrato tinha seios fartos, e uma barriga... Sophia se deteve. Piscou. Arfou.

– Eu... estou... grávida!

Ele ergueu as sobrancelhas.

– Depois da noite passada, espero sinceramente que não seja de verdade.

Ela bateu o pé.

– No quadro! Você me pintou grávida.

Max se afastou como que para admirar a pintura.

– É como imaginei que ficaria se eu não tivesse ido embora e ainda estivéssemos juntos. Linda, não acha? – Os olhos dele se moveram do quadro para ela. – Você sempre foi a mulher mais linda do mundo para mim, Sophia. E sempre vai ser.

O choque dela se desfez. Como ele podia dizer coisas assim e fazer com que parecessem tão cheias de sentido? Tão verdadeiras?

O olhar dela se voltou para a pintura. Estava enganada; aquela não era uma obra da vingança. Era uma obra movida por uma emoção muito poderosa.

Sophia limpou a garganta e apontou para as outras pinturas.

– E aquelas? Será que... posso ver também?

Ele ficou em silêncio por alguns instantes e então concordou.

– Acho que sim.

Max se afastou, permitindo que ela fosse até o retrato seguinte.

No outro, ele a pintou como a vira pela última vez, com 19 anos, os olhos reluzentes de felicidade e entusiasmo. Havia algo pueril em sua expressão, como se tudo o que conhecesse naquele instante fosse a felicidade, o que basicamente era verdade, concluiu Sophia com uma careta.

Olhou-se no espelho acima da cômoda, comparando-se com a pintura. Havia alguma hesitação na Sophia do quadro, uma espécie de questionamento melancólico. Mas os olhos que encontraram os dela no espelho estavam seguros, não hesitavam, a cabeça estava erguida.

Ela sorriu. Gostava mais da nova Sophia que da antiga, mas e Max? Olhou-o de relance, mas sua expressão não revelava nada.

Abandonando a sensação de torpor, encaminhou-se para o próximo quadro e removeu-lhe o pano. Perdeu o fôlego e ficou olhando fixamente para ele, incrédula. Lá estava ela de novo, mas, desta vez, mais velha, perto da idade atual. Estava sentada em um campo florido, a luz do sol reluzindo em seus cabelos. Quase chorou ao passar os dedos pela pintura. Quando ele teria feito aqueles quadros? E por quê?

Baixou a mão devagar e voltou-se para a próxima tela, alcançou-a e a despiu do pano que a cobria. Era recente, a tinta ainda estava úmida. Seu próprio rosto a encarava, o rosto que tinha agora, mas estava parada diante de uma lareira em uma sala que reconhecia... Sophia inclinou a cabeça para o lado, observando uma cadeira, a ponta de uma gaiola de pássaros... e subitamente se empertigou. Ele a havia pintado como a tinha visto na casa de lady Neeley, quando se reencontraram pela primeira vez, depois da separação.

As lágrimas embargaram sua garganta; a surpresa e a admiração floresceram em seu coração. Com mãos trêmulas, Sophia descobriu todos os quadros que ocupavam o aposento. Todos eram dela. De todas as formas que ele a havia imaginado... algumas vezes sentada, outras de pé ou apoiada em uma cerca, andando em um caminho florido perto de um lago. Em algumas, estava jovem, como quando se viram pela primeira vez. Em outras, estava com a idade que tinha agora ou era mais velha. Cada pintura tinha seu próprio calor, sua própria magia.

Seu próprio amor.

Algo em seu coração começou a derreter. Os dedos seguraram o último pano. Este era maior que os demais, e algo nele a fez parar. Com as mãos trêmulas, puxou o tecido e permaneceu imóvel em perplexo assombro. O quadro a retratava como ele acreditava que ela seria aos 70 anos, sentada em uma cadeira de balanço em frente a um idílico chalé. A luz do sol iluminava os seus cabelos brancos, mas os olhos permaneciam da mesma cor, a curva das maçãs do rosto ainda visíveis sob uma fina camada de rugas. Naquele retrato, no entanto, Sophia não estava sozinha. Sentado ao seu lado, de mãos dadas com ela, estava Max. Ele também envelhecido, a pele enrugada, os cabelos grisalhos; mas não havia como deixar de notar seu ar orgulhoso, a linha do maxilar.

Era, porém, a expressão dele que a encantava. Havia tanto amor no olhar que ele lhe lançava, tanto amor na maneira como a mão enrugada e cheia de veias repousava sobre a dela... um soluço perpassou seus lábios, o rosto já úmido de lágrimas.

– Sophia?

A mão quente de Max pousou em seu braço. Ela se virou e, sem uma palavra, chorou. Chorou e chorou toda a dor dos últimos doze anos e todas as dúvidas foram embora. Ele a manteve contra si, os braços a sua volta, o peito nu colado à face úmida. Max não disse nada, apenas acariciava suas costas e seu cabelo, mantendo-a perto de si. Depois de um instante, ela se soltou para dizer em uma voz sufocada:

– Lenço...

Ele a deixou para ir buscar um, retornando sem demora e a abraçando de novo. Sophia secou os olhos, respirando com dificuldade, a cabeça ainda enterrada no ombro largo.

Aos poucos, as lágrimas tornaram-se soluços e os soluços, risadas.

Max a afastou um pouco e sorriu para ela:

– O que foi?

Ela secou os olhos com o lenço.

– Pensei que você tivesse me pintado gorda só para me aborrecer. Que entraria em uma festa e me veria, com 3 metros de altura e 100 quilos a mais, enfeitando a sala de jantar de alguém.

Ele sorriu.

– Para ser honesto, nunca pensei nisso, mas se quiser que eu a pinte...

– *Não!*

Max riu e beijou-lhe a testa, a respiração aquecendo o seu rosto. Ele a ergueu nos braços e a levou para a cama, acomodando-a entre os lençóis. Em seguida, a abraçou e murmurou:

– Temos todo o tempo do mundo.

Sophia suspirou mais uma vez, deliciosamente aquecida por todos os sentimentos contra os quais tentara lutar.

Max retribuiu o sorriso. Quando acordou e não a encontrou na cama, por um momento sentiu o mais puro e completo pânico comprimir seu coração. Mas então ouviu a voz dela exclamando algo. Nunca pensou que um som seria tão bem-vindo. Ela não o havia deixado. Não havia ido embora para trancar seu coração para ele novamente. Sophia passou um braço por seu pescoço.

– Ah, Max.

Um soluço amoroso permeou suas palavras.

Ele a abraçou com ainda mais força.

– Tem tanta coisa que eu gostaria de falar. – Ele deu uma risada pesarosa. – Até ensaiei umas partes, mas não consigo me lembrar de uma palavra sequer.

Sophia ergueu o rosto e o encarou, extasiada.

– Você me ama. Sempre me amou.

– Amo. E nunca houve mais ninguém. *Nunca.*

– Então, por que foi embora? Você me disse que foi porque queria me poupar do escândalo, mas... não era isso, era?

Ele suspirou, a respiração soprando os cabelos nas têmporas dela.

– Foi o que eu disse a mim mesmo. Isso e que você não poderia me amar e ainda assim acreditar que eu trapacearia no jogo de cartas...

Sophia abriu a boca para falar, mas Max pressionou o dedo contra seus lábios.

– Eu sei, eu sei... Se não fosse por Richard, tudo teria sido diferente. Para nós dois.

Ela concordou, e ele afastou o dedo.

– Agora estou mais velho e menos amargo, mas acho que foi o orgulho, e não a raiva, que me manteve longe. Não é fácil admitir isso, mas infelizmente é essa a verdade.

Sophia parecia estar refletindo, os dentes mordendo o lábio inferior. Ele a observou por um momento, admirando as lágrimas que brilhavam em seus cílios.

– Max – disse ela por fim –, quando soube que havia cometido um erro?

– Na primeira manhã em que acordei sem você. Mas saber que cometemos um erro e consertá-lo são coisas diferentes. Eu sabia que você estaria brava comigo por eu ter ido embora e que tinha todo o direito de estar. Não achei que fosse aguentar ser rejeitado mais uma vez, então esperei.

– O quê?

– Por um sinal de que me amasse. No entanto, tudo o que eu recebia eram suas cartas.

Um leve risada estremeceu o rosto dela.

– Algumas não foram nada agradáveis.

– Você, meu amor, é uma mulher apaixonada. Isso é o que eu mais adorava em você. E o que eu mais temia também. Achei que me odiasse tanto quanto havia me amado e que eu tinha perdido minha oportunidade.

– O que o fez mudar de ideia?

– John.

– John?

Sophia o encarou.

– Ele me mandou uma carta na mesma época em que recebi a sua, mas a dele não mencionava a anulação.

Sophia se apoiou nos cotovelos, o rosto corado.

– Como ele *ousou*...

Com todo o cuidado, Max a fez se deitar e lhe sorriu enquanto ela se recostava nos travesseiros.

– Como ele ousava se importar tanto a ponto de se arriscar a enfrentar sua raiva? Você é uma mulher de sorte por ter um irmão tão devotado.

– Detesto esse tratamento despótico.

Max afastou uma mecha de cabelo do rosto dela e a beijou.

– Então temos que trabalhar isso, meu amor.

– O quê? – perguntou ela, desconfiada.

– Nosso orgulho.

– Nosso?

– *Nosso*. O seu e o meu. Ele já nos fez infelizes o bastante. A partir de agora, se me vir sendo orgulhoso, diga-me imediatamente. E eu farei o mesmo. E, neste instante, ficar zangada com seu irmão que apenas tentou ajudá-la não é outra coisa senão puro orgulho.

Ela baixou as sobrancelhas.

– Não gosto de ouvir isso.

– Também não gostarei quando me disser, e tenho certeza de que o fará inúmeras vezes. Se quisermos que nosso casamento dê certo, temos que trabalhar nisso juntos. Precisamos ser honestos e conversar. Tudo o que tem que fazer é decidir se acha que ele vale a pena.

O olhar dela foi de Max para as pinturas, uma expressão de deslumbramento escurecendo-lhe os olhos. Por fim, voltou a olhar para ele e disse:

– Tudo o que posso dizer é sim.

Max não foi capaz de falar. Tudo o que conseguiu fazer foi abraçá-la e apertá-la, amalgamando seus corpos em um só. Era tudo o que queria. Tudo pelo que esperara. Depois de um bom tempo, ele suspirou, a felicidade o aquecendo da cabeça aos pés.

– Eu acho...

– O quê?

– Acho que estou com fome.

Ela riu.

– Isso é bem pouco romântico...

– Estou faminto, e ouso dizer que você também está. Tivemos uma noite muito movimentada.

– Sim, isso é verdade. – Ela agitou-se de alegria. – Preciso ir para casa mudar de roupa. Este vestido está amassado de um jeito que não tem como disfarçar.

– Eu compro um novo para você. Ou melhor, vinte.

Sophia ergueu as sobrancelhas.

– Você pode pagar por isso?

– Posso pagar por isso e por muito mais. Minhas pinturas foram muito bem recebidas, meu amor.

– Não estou surpresa. – Olhou para os próprios retratos. – Quanto valem estes?

– Estes, minha querida, não estão à venda. Nunca.

Sophia o olhou com admiração.

– Eis uma resposta excelente.

Max sorriu.

– Também achei. Agora venha, temos que nos levantar.

– Mas o quarto está tão frio – murmurou ela, os braços firmes em volta do pescoço de Max.

– Mas além de comermos, também precisamos ir às compras.

Ela se afastou.

– Compras?

– Compras muito importantes. Faz doze anos que quero pintá-la usando somente pérolas, e nem morto deixarei passar mais um dia.

– Entendo. Bem, suponho que assim que você finalizar o retrato... – Ela o olhou por entre os cílios. – Poderei ficar com todas as joias.

Max riu e beijou-lhe o nariz.

– Você virou uma acumuladora depois que a deixei? Acumula objetos brilhantes e...

– Acumuladora? – Sophia se sentou tão de repente que quase bateu a cabeça no queixo dele. – É isso!

– Isso o quê?

Ela já não o estava ouvindo, pulara da cama e tentava desamassar o vestido.

– Vista-se! Precisamos nos apressar!

– Aonde vamos?

Sophia se virou para ele com olhos reluzentes e um sorriso largo no rosto.

– Para a casa de lady Neeley. Acho que sei onde está aquela pulseira idiota!

EPÍLOGO

O mistério da joia furtada foi enfim solucionado.

Lady Neeley afirma que recebeu uma carta sucinta dizendo que sua pulseira havia sido encontrada e seria devolvida em seu devido tempo.

Devido tempo? Quando seria isso?
Onde ela poderia estar, e quem, queridos leitores, vocês acham que a encontrou?

CRÔNICAS DA SOCIEDADE DE LADY WHISTLEDOWN,
24 de junho de 1816

A luz que vinha da lareira iluminava o quarto de Max, produzindo sombras. Sophia estava deitada na opulenta colcha vermelha, esparramada na frente do fogo, a luz delicada deixando sua pele aquecida, acariciando cada espaço, evidenciando cada curva e fazendo brilhar a pulseira de rubi que lhe enfeitava o braço.

Max nunca vira cena mais sensual e deliciosa do que sua mulher, nua e exuberante, uma mulher bem amada e apaixonada. Deixou o prato de framboesas ao lado da colcha e gentilmente se deitou ao seu lado.

Sophia ergueu o corpo, apoiando-se em um cotovelo e olhou para o prato.

– Sem creme?

– Sem creme desta vez.

Max pegou uma fruta e lhe deu na boca. Assim que ela mordeu a fruta redonda, ele a beijou, saboreando o beijo doce.

O calor entre ambos aumentou até ele interromper o beijo.

– Acho que devemos ir para a cama, meu amor.

Sophia riu, o som ressoou com suavidade sobre a crepitação do fogo.

– Acredito que consiga aquecê-lo um pouco. – A mão dela se fechou em volta de sua masculinidade. – Com um outro tipo de calor.

Max chegou a perder o fôlego. Ela era tão bonita, tão apaixonante. E era dele. Sem dizer nada, ele inclinou-se e a ergueu, com a colcha e tudo, e a levou para a cama.

Sophia se acomodou nos travesseiros e o puxou para si. Ficaram deitados daquele jeito, apreciando a proximidade um do outro. Depois de um tempo, ela levantou o braço e a pulseira de rubi brilhou sob a luz.

– Acredito que devemos devolver isso para lady Neeley.

– Vamos devolver. Assim que a tivermos aproveitado o bastante, para compensar o tormento que as acusações dela nos causaram.

– A cada dia que esperamos, ela denigre ainda mais o seu nome.

Max enterrou o rosto nos cabelos sedosos de Sophia.

– Ela vai parecer ainda mais estúpida quando contarmos onde você a encontrou e oferecer seu próprio sobrinho como testemunha. Devo dizer que

Brooks parecia ansioso para nos deixar pegar a pulseira e devolvê-la quando estivéssemos prontos.

Sophia concordou.

– Ele parecia temer que, se estivesse presente quando ela o recebesse, seu primo Percy pudesse de alguma forma tentar associá-lo à pulseira perdida. Seja lá o que for, devo a ele uma garrafa de vinho pela gentileza. Felizmente ele estava na casa de lady Neeley quando chegamos, porque, de outra forma, o mordomo não nos deixaria entrar.

Max ergueu a mão para traçar o contorno do pulso onde ele sumia sob a linha pesada de rubis.

– E pensar que a pulseira esteve o tempo todo no ninho daquele maldito pássaro.

– O papagaio estava tentando impressionar a dama de companhia de lady Neeley.

Max se virou apoiado no cotovelo e sorriu para ela.

– Meu amor, você é brilhante.

– É a única coisa que faz sentido. Se ninguém naquele jantar horrível roubou a joia e os criados eram todos de confiança, como lady Neeley professava, então tinha que ser o pássaro. – Ela suspirou satisfeita. – Vamos devolvê-la amanhã de manhã?

– É claro. Quanto mais cedo fizermos isso, mais cedo voltaremos para cá. Desenvolvi aversão por ver roupas cobrindo seu corpo espetacular.

Sophia lançou-lhe um olhar que roubou seu fôlego.

– Tenho o pressentimento de que não ficaremos vestidos muitos dias de nossa vida de casados.

– Não, se depender de mim.

Max se inclinou e a beijou com ardor. A felicidade aumentava e se infiltrava entre eles.

Sophia suspirou de alegria, mas logo em seguida se apoiou sobre o cotovelo para olhá-lo.

– Tenho pensado...

– Mais maquinações?

– Não, não dessa vez. – Ela sorriu. – Dessa vez, estava pensando que precisamos de Regras de Comprometimento. Algo para acalmar nossos ânimos quando discutirmos.

– Você acha que discutiremos com frequência?

Ela ergueu as sobrancelhas de maneira interrogativa e se deixou cair novamente nos travesseiros.

Max riu de maneira suave, passando a mão pela barriga lisa dela.

– Você está certa. Por mais que eu odeie admitir, estamos condenados a ter muitas discussões em nossa vida. Afinal, você é muito teimosa.

Ela o encarou com a testa franzida.

– *Nós* somos teimosos.

– Ah, claro. *Nós* somos teimosos.

– E por isso – prosseguiu ela – precisamos de algumas regras para que nossos embates sejam justos.

– Entendo. – Max deslizou a mão até o seio dela. – E quais são essas regras?

Sophia puxou a mão dele de volta para a barriga.

– A primeira regra é: todas as discussões deverão acontecer quando estivermos nus.

Max piscou.

– Nus?

– É. Você e eu parecemos mais equilibrados quando estamos nus.

Max sorriu.

– Não sei, não...

– Além disso, qualquer discussão em que não houver um vencedor deverá ser decidida por luta greco-romana.

– O quê?!

– Luta. Como os antigos gregos.

– E eles lutavam nus?

– Acho que sim. Pelo que vi, eles não gostavam muito de usar roupas.

Max levou a mão de volta ao seio dela.

– Conte-me mais a respeito dos gregos.

Sophia pôs a mão sobre a dele e sorriu.

– A terceira regra diz que todas as discussões devem ser encerradas com um beijo.

– Só um beijo?

Max pareceu um pouco desapontado.

– Um bom beijo. Um beijo de provocar arrepios. O tipo de beijo que...

Max a beijou e só muito depois ergueu a cabeça.

– Como esse?

Sophia assentiu, piscando um pouco atordoada.

– É. Exatamente como esse.

Não conseguiu conter um suspiro de satisfação. A união deles não seria feita só de prazer; ambos tinham personalidades muito fortes para que isso acontecesse. Mas seria ardente. E apaixonada. E aquilo, decidiu ela com o coração tão repleto de amor que chegava a doer, era o que importava.

LEIA UM TRECHO DO PRÓXIMO LIVRO DA SÉRIE,

Nada escapa a lady Whistledown

Trinta e seis cartões de amor

PRÓLOGO

Em maio, Susannah Ballister conheceu o homem dos seus sonhos...

> Há tanto a ser dito sobre o baile oferecido por lady Trowbridge, em Hampstead, que esta autora não teria como contar tudo em só uma coluna. Entretanto, talvez o momento mais impressionante da noite – alguns diriam o mais romântico – tenha sido quando o honorável Clive Mann-Formsby, irmão do sempre enigmático conde de Renminster, tirou a Srta. Susannah Ballister para dançar.
>
> A Srta. Ballister, com seus cabelos e olhos escuros, é conhecida por ser uma das mais exóticas belezas da sociedade, mas, ainda assim, não havia sido inserida no grupo das Incomparáveis até que o Sr. Mann-Formsby a tirou para dançar uma valsa – e, depois disso, durante o resto da noite, não saiu mais do seu lado.
>
> Embora a senhorita em questão já tenha tido alguns pretendentes, nenhum era tão belo ou mais qualificado quanto o Sr. Mann-Formsby, que geralmente deixa por onde passa um rastro de suspiros, desmaios e corações partidos.
>
> **CRÔNICAS DA SOCIEDADE DE LADY WHISTLEDOWN,**
> 17 de maio de 1813

Em junho, sua vida não poderia ser mais perfeita.

> O Sr. Mann-Formsby e a Srta. Ballister continuaram seu reinado como o casal dourado da sociedade no baile dos Shelbournes realizado no final da semana passada – ou pelo menos tão dourado quanto se possa imaginar, considerando-

-se que os cachos da Srta. Ballister estão mais para castanho-escuros do que para louros. Ainda assim, os cabelos louros do Sr. Mann-Formsby mais do que compensam e, com toda a honestidade, embora esta autora não seja dada a divagações sentimentais, é verdade que o mundo parece um pouco mais empolgante na presença dos dois. As luzes parecem brilhar mais, a música é mais agradável e o ar tremula positivamente.

E, com isso, esta autora deve encerrar esta coluna. Tanto romantismo incita a necessidade de sair de casa e deixar a chuva lavar sua índole normalmente rabugenta.

CRÔNICAS DA SOCIEDADE DE LADY WHISTLEDOWN,
16 de junho de 1813

Em julho, Susannah já começava a se imaginar usando um anel de noivado...

Na quinta-feira passada, o Sr. Mann-Formsby foi visto entrando na joalheria mais exclusiva de Mayfair. Alguém sabe se haveria um casamento prestes a acontecer? Mas será que existe alguém que realmente não saiba quem será a noiva?

CRÔNICAS DA SOCIEDADE DE LADY WHISTLEDOWN,
26 de julho de 1813

E, então, veio agosto.

Em geral, costuma ser fácil prever os pontos fracos e casos da sociedade, mas, vez por outra, acontece algo que confunde e assusta até mesmo esta autora.
O Sr. Clive Mann-Formsby fez um pedido de casamento.
Mas não foi a mão da Srta. Susannah Ballister que pediu.
Após uma temporada inteira cortejando publicamente a Srta. Ballister, o Sr. Mann-Formsby ficou noivo da Srta. Harriet Snowe e, a julgar pelo anúncio recente no London Times, *ela aceitou.*
A reação da Srta. Ballister a essa história é desconhecida.

CRÔNICAS DA SOCIEDADE DE LADY WHISTLEDOWN,
18 de agosto de 1813

O que levou, dolorosamente, a setembro.

Chegaram recentemente aos ouvidos desta autora rumores de que a Srta. Susannah Ballister deixou a cidade, retirando-se para a casa de campo da família, em Sussex, onde passará o restante do ano.

Esta autora não pode culpá-la.

CRÔNICAS DA SOCIEDADE DE LADY WHISTLEDOWN,
3 de setembro de 1813

CAPÍTULO 1

Chegou ao conhecimento desta autora que o honorável Clive Mann-Formsby e a Srta. Harriet Snowe casaram-se no mês passado na tradicional propriedade do irmão mais velho do Sr. Mann-Formsby, o conde de Renminster.

Os recém-casados voltaram a Londres para desfrutar das festividades de inverno, assim como a Srta. Susannah Ballister, que, como é de conhecimento de todos que estiveram em Londres na última temporada, foi assiduamente cortejada pelo Sr. Mann-Formsby, até o momento em que ele pediu a Srta. Snowe em casamento.

Esta autora imagina que anfitriãs de toda a cidade estejam revendo sua lista de convidados. Sem dúvida, não seria de bom-tom convidar os Mann-Formsbies e os Ballisters para o mesmo evento. Faz frio o suficiente lá fora; um encontro entre Clive, Harriet e Susannah certamente deixaria o ar ainda mais gélido.

CRÔNICAS DA SOCIEDADE DE LADY WHISTLEDOWN,
21 de janeiro de 1814

De acordo com lorde Middlethorpe, que acabara de consultar o relógio de bolso, eram precisamente 23h06, e Susannah Ballister sabia muito bem que era uma quinta-feira e que a data era 27 de janeiro do ano de 1814.

E, precisamente nesse momento – precisamente às 23h06 de uma quinta-feira, 27 de janeiro de 1814, Susannah Ballister fez três desejos, nenhum dos quais se tornou realidade.

O primeiro desejo era uma impossibilidade. Desejou, de alguma forma, talvez por meio de alguma mágica misteriosa e benevolente, desaparecer do salão no qual se encontrava e estar confortavelmente aconchegada em sua cama, na casa da família, em Portman Square, ao norte de Mayfair. Não, melhor ainda, desejou estar confortavelmente aconchegada em sua cama na casa de campo da família, em Sussex, que ficava bem longe de Londres e, o mais importante, de todos os seus habitantes.

Susannah chegou a fechar os olhos enquanto ponderava a adorável possibilidade de abri-los e encontrar-se em outro lugar, mas, sem muita surpresa, permaneceu onde estava, escondida em um canto escuro do salão de baile de lady Worth, segurando uma xícara de chá morno que não tinha a menor intenção de beber.

Quando ficou claro que não iria a lugar algum, fosse por meios sobrenaturais ou normais (Susannah não podia sair do baile antes dos pais e, a julgar pelas aparências, eles levariam pelo menos três horas para dar a noite por encerrada), ela, então, desejou que Clive Mann-Formsby e a esposa, Harriet, que estavam perto de uma mesa de bolos de chocolate, desaparecessem.

Aquela parecia uma possibilidade real. Os dois estavam em perfeitas condições de saúde, poderiam simplesmente levantar-se e ir embora. O que melhoraria muito a situação de Susannah, pois poderia aproveitar a noite sem ter que encarar o homem que a humilhara publicamente.

Além disso, poderia servir-se de um pedaço de bolo de chocolate.

Mas Clive e Harriet pareciam estar se divertindo. Tanto, na verdade, quanto os pais de Susannah, o que significava que não tinham a intenção de ir embora tão cedo.

Agonia. Pura agonia.

Mas ela tinha direito a três desejos, não? As heroínas dos contos de fadas não tinham sempre direito a três desejos? Se fosse para ficar presa ali, em um canto escuro, imaginando desejos tolos porque não tinha o que fazer, usaria tudo a que tinha direito.

– Desejo que não estivesse tão frio – disse ela entre dentes cerrados.

– Amém – disse o idoso lorde Middlethorpe, de cuja presença ao seu lado Susannah praticamente se esquecera.

Ela lançou-lhe um sorriso, mas ele estava ocupado demais tomando algum tipo de bebida alcoólica proibida a damas solteiras, então voltaram à tarefa de ignorar educadamente um ao outro.

Olhou para seu chá. A qualquer momento certamente brotaria um cubo de gelo nele. A anfitriã havia substituído por chá quente as bebidas oferecidas tradicionalmente, limonada e champanhe, alegando o clima gélido, mas o chá não permanecera quente por muito tempo e, quando uma pessoa tentava se esconder nos cantos do salão, como fazia Susannah, os criados nunca apareciam para recolher copos ou xícaras usados.

Susannah estremeceu. Não conseguia lembrar-se de um inverno tão frio, ninguém conseguia. Aquele fora, perversamente, o motivo de seu retorno precoce à cidade. Toda a alta sociedade havia ido para Londres no pouco elegante mês de janeiro, na ânsia de desfrutar da patinação no gelo, dos trenós e da iminente Feira de Inverno.

Susannah, ao contrário, acreditava que o frio intenso, os ventos gelados e a neve suja eram motivos tolos para essa agitação toda, mas a decisão não lhe cabia e ali estava ela, observando todas as pessoas que testemunharam sua derrota social no verão anterior. Não quisera vir para Londres, mas a família insistira, afirmando que ela e a irmã, Letitia, não podiam perder a inesperada temporada social de inverno.

Acreditara que teria pelo menos até a primavera antes de ter que voltar e enfrentar a todos. Quase não houvera tempo para ensaiar a postura altiva e dizer:

– Bem, é claro que o Sr. Mann-Formsby e eu percebemos que não daria certo.

Precisava mesmo ser uma ótima atriz para levar aquilo adiante, já que todos sabiam que Clive a descartara feito lixo quando os parentes endinheirados de Harriet Snowe começaram a se aproximar.

Não que Clive precisasse de dinheiro. Seu irmão mais velho era o conde de Renminster, pelo amor de Deus, e todos sabiam que ele era riquíssimo.

Mas Clive havia escolhido Harriet, Susannah fora humilhada publicamente e até hoje, quase seis meses depois do ocorrido, as pessoas ainda comentavam. Até lady Whistledown achara adequado mencionar o assunto em sua coluna.

Susannah suspirou e escorou-se contra a parede, na esperança de que ninguém percebesse sua postura desleixada. Deduziu que não podia realmente culpar lady Whistledown. A misteriosa colunista de fofocas apenas repetia o que todos diziam. Só naquela semana, Susannah recebera catorze visitas, e nenhuma delas fora educada o suficiente para evitar mencionar Clive e Harriet.

Será que realmente pensavam que queria saber sobre a presença daqueles dois no recente sarau musical das Smythe-Smiths? Como se quisesse saber o que Harriet havia vestido ou o que Clive sussurrara em seu ouvido durante todo o recital.

Aquilo não significava nada. Clive sempre tivera maneiras abomináveis em recitais. Susannah não conseguia se lembrar de nenhum no qual tivesse tido a força de vontade de manter-se calado durante o espetáculo.

Mas as fofocas não eram a pior parte das visitas. Esse título era reservado às almas bem-intencionadas que não pareciam olhar para ela com qualquer outra expressão a não ser a de pena. Geralmente, eram as mesmas mulheres que tinham um sobrinho viúvo de Shropshire ou Somerset ou algum outro condado longínquo em busca de uma esposa, e gostariam de apresentá-lo a Susannah, mas não naquela semana porque ele estaria ocupado levando seis de seus oito filhos para Eton.

Susannah esforçou-se para não cair no choro. Tinha apenas 21 anos. E acabara de completá-los. Não estava desesperada.

E não queria que sentissem pena dela.

De repente, tornou-se imperativo sair do salão. Não queria estar ali, não queria assistir a Clive e Harriet como se fosse uma patética *voyeuse*. Sua família não estava pronta para ir embora, mas ela certamente conseguiria encontrar um local silencioso onde pudesse descansar por alguns minutos. Se pretendia se esconder, era bom que o fizesse direito. Ficar de pé em um canto era terrível. Já havia visto três pessoas apontando em sua direção e, em seguida, cochichando algo com a mão sobre a boca.

Nunca se considerara covarde, mas também nunca se considerara tola e, honestamente, somente uma tola se sujeitaria a esse tipo de infelicidade.

Pousou a xícara de chá sobre o parapeito de uma janela e despediu-se do lorde Middlethorpe. Não que houvessem trocado mais do que meia dúzia de palavras, apesar de terem ficado de pé, um ao lado do outro, por quase 45 minutos. Esgueirou-se pelo salão em busca das portas que levavam ao corredor. Já havia estado ali antes, quando, graças à sua associação a Clive, era a jovem dama mais popular da cidade, e lembrava-se de que havia um cômodo de descanso para damas ao fim da sala.

Entretanto, ao chegar ao seu destino, tropeçou e viu-se frente a frente com – como era mesmo o nome dela? Cabelos castanhos, levemente rechonchuda... ah, sim. Penelope. Penelope Alguma Coisa. Uma garota com quem nunca havia trocado mais do que meia dúzia de palavras. Haviam começado a frequentar os salões no mesmo ano, mas deviam ter vivido em mundos diferentes, tão raras foram as vezes que seus caminhos se cruzaram. Susannah era a dama do momento quando Clive a largou, já Penelope era... uma menina tímida, supunha ela.

– Não entre aí – advertiu Penelope, com delicadeza, sem olhá-la nos olhos, de um jeito que apenas as pessoas mais tímidas fazem.

Os lábios de Susannah se abriram com surpresa, e ela sabia que seu olhar estava cheio de perguntas.

– Há uma dezena de moças na sala de descanso – disse Penelope.

A explicação bastou. O único lugar onde Susannah gostaria ainda menos de estar era numa sala cheia de moças falando sem parar e fofocando. Todas certamente suporiam que havia fugido para escapar de Clive e Harriet.

O que era verdade, mas isso não significava que Susannah quisesse que soubessem daquilo.

– Obrigada – sussurrou Susannah, surpresa com a gentileza de Penelope.

Ela nunca havia dedicado mais do que um minuto pensando em Penelope no último verão, e a jovem havia lhe retribuído salvando-a de enormes constrangimentos e dor. Impulsivamente, tomou a mão de Penelope e a apertou.

– Obrigada.

E, naquele momento, desejou ter prestado mais atenção a moças como aquela quando ocupara lugar de destaque na alta sociedade. Hoje sabia o que era ficar nos cantos do salão, e não era nada divertido.

Entretanto, antes que pudesse dizer qualquer outra coisa, Penelope murmurou uma tímida despedida e se foi, deixando Susannah à própria sorte.

Ela estava na parte mais cheia do salão, e não queria ficar ali, então começou a andar. Não tinha certeza para onde, mas desejava continuar andando porque sentia que isso a fazia parecer determinada.

Aderira à ideia de que uma pessoa deve aparentar saber o que está fazendo, mesmo quando não sabe. Clive havia lhe ensinado isso, na verdade. Foi uma das poucas coisas boas do tempo em que ele a cortejara.

Mas, em toda a sua determinação, não estava realmente olhando ao redor e por isso foi tomada de surpresa quando ouviu a voz *dele*.

– Srta. Ballister.

Não, não era Clive. Ainda pior. Era o irmão mais velho de Clive, o conde de Renminster. Em sua beleza de cabelos escuros e olhos verdes.

Ele nunca havia gostado dela. Sim, sempre fora educado, mas era educado com todos. Entretanto, Susannah sempre sentira certo desdém da parte dele, uma nítida convicção de que ela não era boa o suficiente para o irmão.

Imaginava que ele estivesse feliz agora. Clive estava casado com Harriet, e Susannah nunca mancharia a árvore genealógica dos Mann-Formsbies.

– Milorde – disse ela, tentando manter a voz tão calma e educada quanto a dele.

Não conseguia imaginar o que ele poderia querer com ela. Não havia motivo para ter chamado seu nome. Ele poderia simplesmente tê-la deixado passar por ele sem que notasse sua presença. Não teria sido rude da parte dele. Susannah estava caminhando da forma mais apressada possível no salão lotado, claramente a caminho de outro lugar.

Ele sorriu para ela, se é que alguém podia chamar aquilo de sorriso – o sentimento nunca chegou aos olhos dele.

– Srta. Ballister, como vai? – perguntou ele.

Por um instante, ela não conseguiu fazer nada além de encará-lo. Ele não era do tipo que fazia uma pergunta a não ser que realmente desejasse uma resposta, e não havia motivo para acreditar que se interessasse em saber como estava.

– Srta. Ballister? – murmurou ele, parecendo vagamente surpreso.

Finalmente, ela conseguiu responder "Muito bem, obrigada", mesmo que ambos soubessem que aquilo estava longe da verdade.

Durante um bom tempo, ele simplesmente a olhou fixamente, quase como se a estivesse examinando, procurando algo que ela não conseguia sequer começar a imaginar.

– Milorde? – perguntou ela, pois o momento parecia pedir algo que quebrasse o silêncio.

Ele voltou a prestar atenção nela, como se sua voz o tivesse tirado de um leve torpor.

– Perdão – falou ele calmamente. – A senhorita gostaria de dançar?

Susannah emudeceu.

– Dançar? – repetiu, finalmente, incomodada com sua incapacidade de proferir algo mais elaborado.

– Sim – murmurou ele.

Ela aceitou a mão que ele lhe oferecia – havia pouco a ser feito com tantas pessoas olhando – e permitiu que ele a guiasse até a pista de dança. Ele era alto, ainda mais alto do que Clive, que era uma cabeça mais alto do que ela, tinha um ar estranhamente reservado – talvez controlado demais, se isso fosse possível. Ao observá-lo movimentando-se no meio da multidão, ela foi pega pelo estranho pensamento de que um dia o famoso autocontrole dele com certeza se dissiparia.

E só então o verdadeiro conde de Renminster se revelaria.

CONHEÇA OS LIVROS DE JULIA QUINN

OS BRIDGERTONS
O duque e eu
O visconde que me amava
Um perfeito cavalheiro
Os segredos de Colin Bridgerton
Para Sir Phillip, com amor
O conde enfeitiçado
Um beijo inesquecível
A caminho do altar
E viveram felizes para sempre

QUARTETO SMYTHE-SMITH
Simplesmente o paraíso
Uma noite como esta
A soma de todos os beijos
Os mistérios de sir Richard

AGENTES DA COROA
Como agarrar uma herdeira
Como se casar com um marquês

IRMÃS LYNDON
Mais lindo que a lua
Mais forte que o sol

OS ROKESBYS
Uma dama fora dos padrões
Um marido de faz de conta
Um cavalheiro a bordo
Uma noiva rebelde

TRILOGIA BEVELSTOKE
História de um grande amor
O que acontece em Londres
Dez coisas que eu amo em você

editoraarqueiro.com.br